POMOCNIK KATA

MAREK KRAJEWSKI

POMOCNIK KATA

Wydawnictwo Znak
Kraków 2020

Projekt okładki i mapy
Michał Pawłowski
www.kreskaikropka.pl

Opieka redakcyjna
Dorota Gruszka

Redakcja
Karolina Macios

Adiustacja
Katarzyna Mach

Korekta
Barbara Gąsiorowska
Katarzyna Onderka

Łamanie
Dariusz Ziach

ISBN 978-83-240-6024-5 (oprawa twarda)
ISBN 978-83-240-6023-8 (oprawa broszurowa)

znak

Książki z dobrej strony: www.znak.com.pl
Więcej o naszych autorach i książkach: www.wydawnictwoznak.pl
Społeczny Instytut Wydawniczy Znak, 30-105 Kraków, ul. Kościuszki 37
Dział sprzedaży: tel. (12) 61 99 569, e-mail: czytelnicy@znak.com.pl
Wydanie I, Kraków 2020. Printed in EU

W tych dniach zginie ważna osobistość. Warszawa stoi niejako na wulkanie grożącym wybuchem. Co chwila spodziewamy się strasznych wypadków. Łzy i modlitwa to nasze zajęcie. Módlcie się i wy, módlcie się i płaczcie!

———————————————

List pewnéj damy pisany do siostry na prowincyą
(przed nieudanym zamachem na namiestnika Królestwa Polskiego
hrabiego Fiodora Berga, 19 września 1863)

PROLOG

– Dwa lata więzienia! Tak, nie przesłyszeliście się! Pedofil nazwiskiem Józef Miętki, który zgwałcił dziesięcioletnią Celinę H., za swoją wstrząsającą zbrodnię otrzymał wyrok dwóch lat więzienia. Usłyszawszy słowa sędziego wymierzającego mu tę łagodną karę, wcale się nie ucieszył, o nie! Opanował go nawet nastrój przygnębienia. Miętki się zmartwił tym werdyktem, on liczył na mniej! „Obrońca się zbytnio nie wysilał", pomyślał z wyraźnym rozczarowaniem ten sześćdziesięcioletni lwowski sklepikarz, który na zapleczu swego sklepu kolonialnego prawie rozdarł na pół dziecko zwabione tam czekoladkami. Liczni ludzie obecni na sali – wtedy rozprawy sądowe cieszyły się wielką frekwencją – wysłuchali orzeczenia i niespecjalnie protestowali przeciwko wyrokowi. Trzej sędziowie wyszli z sali posiedzeń, poprawiając togi i łańcuchy. Nieliczni dziennikarze robili jeszcze notatki, kiedy dwaj policjanci wzięli skazanego pod łokcie. Jakiś rozwścieczony mężczyzna wygrażał mu z daleka i miotał obelgi w jego kierunku. Sklepikarzowi nieco poprawił się humor. Uznał, że wyrok nie jest najgorszy, skoro ochroni go na czas jakiś przed takimi jak ten gwałtownikami. Na twarz wypełzł mu uśmiech. Pewien obecny na sali oficer policji – porywczy i impulsywny – uznał, że jest to uśmiech triumfu.

Wśród studentów rozległ się szmer niedowierzania. Profesor Roger Greymore poprawił notatki na pulpicie wykładowym, przesunął suwak na lampce tak, aby rzucała na jego zapiski światło rozproszone, nie zaś punktowe, po czym spojrzał znad okularów na audytorium składające się z dziesięciorga słuchaczy.

Byli to najodważniejsi studenci – tylko ci, co nie posłuchali wezwania do bojkotu wykładów tego profesora z Princeton, który do Coventry przyleciał prosto z Nowego Jorku i od razu przystąpił do zajęć.

Greymore wciąż nie mógł się nadziwić lekceważeniu, jakie go dziś spotkało na tym angielskim uniwersytecie, którego rektor jeszcze pół roku wcześniej „miał wielki honor" zaprosić „gwiazdę amerykańskiej historiografii" do wygłoszenia cyklu wykładów o sowieckich służbach specjalnych. Sześć miesięcy wcześniej prosił uniżenie o łaskawe rozpatrzenie jego propozycji, dzisiaj ledwie zechciał z gościem zamienić kilka słów. Oczywiście amerykański profesor – po ostatnich zabarwionych politycznie sprzeczkach, polemikach i interwencjach na łamach poczytnego angielskiego dziennika, w których był stroną aktywną – nie łudził się, że tłumy będą wiwatować na jego cześć. Był jednak na tyle naiwny, że liczył w skrytości ducha na większą gościnność członków władz uczelni oraz na przysłowiowe dobre maniery angielskiej studiującej młodzieży. Jego nadzieje okazały się płonne pod każdym względem. Pierwsi – po tym jak w internecie został uznany za czołowego antymarksistę i za wroga dawnego Związku Radzieckiego – unikali go jak ognia, bojąc się, być może, że zostaną sfotografowani z reakcjonistą, a potem to zdjęcie – umieszczone na stronie internetowej typu marxiststudent.com – wywoła lawinę nienawiści. Drudzy natomiast wyraźnie pokazali, iż stereotypy dotyczące angielskich studentów, podobnie jak przepowiednie astrologiczne, są prawdziwe tylko połowicznie.

Historyk naturalnie wiedział, że chłodnemu przyjęciu i przez jednych, i przez drugich winna była polemika, w jaką się wdał z recenzentem „Guardiana" pomiędzy zaproszeniem go do Coventry a przyjazdem do tego miasta. Miesiąc wcześniej Greymore opublikował wielkie dzieło o zbrodniach, jakie stalinowski reżym popełnił w państwach podbitych przez Związek Radziecki w latach 1939–1940, przede wszystkim w Polsce. Na reakcję nie trzeba było długo czekać. Pierwszy zabrał głos właśnie „Guardian". Na jego łamach historyk oraz polityczny komentator i aktywista Robert Wheatley przypuścił na książkę zdecydowany atak, który – choć niezwykle błyskotliwy i z różnych wychodzący pozycji – sprowadzał się właściwie do jednego tylko zarzutu, i to w odniesieniu do jednego tylko rozdziału. Recenzent ostro krytykował brak równowagi, jaki dostrzegał między przerażającymi, makabrycznymi oraz „przydługimi i literacko wiele pozostawiającymi do życzenia" – jak się wyraził – opisami zbrodni stalinowskich w Polsce a krótką i zdawkową prezentacją niemieckich okropieństw popełnianych tamże. Najbardziej miał za złe autorowi „opisanie Holokaustu jednym zaledwie zdaniem". Ten brak balansu był największym grzechem Greymore'a i przesuwał go na pozycje niebezpiecznie bliskie tym, którzy, jak przekonywał Wheatley, „po cichu, dyskretnie i pod płaszczykiem rzekomej obiektywności historycznej chcieliby nazistowskie zbrodnie zasłonić, zminimalizować czy zgoła ukryć za stalinowskimi".

Greymore nie wytrzymał i napisał list otwarty do redakcji „Guardiana" – opublikowany zresztą niezwłocznie po nadesłaniu – w którym się bronił, że jego książka nie dotyczy zbrodni nazistowskich, lecz stalinowskich, a zatem trudno tu wymagać symetrii. Czując się szczególnie dotkniętym zawoalowanymi sugestiami o negowanie Holokaustu, przytaczał i cytował swe liczne artykuły na temat Zagłady, bardzo cenione w izraelskim świecie naukowym. Wdał się przy tym w niepotrzebną i nieszczęśliwą dla siebie, jak się wkrótce okazało, polemikę na temat prawdy historycznej, której istnienie podtrzymywał z pełnym przekonaniem i z wielkim zapałem.

Robert Wheatley odpowiedział na list z jadowitą uprzejmością i zaatakował przede wszystkim tezy filozoficzne swego adwersarza, kwestionując pojęcie prawdy, „która przecież, jak ogólnie wiadomo, rodzi przemoc", po czym całkiem zasypał czytelników nazwiskami współczesnych filozofów francuskich oraz ornamentami mniej lub bardziej chwytliwych metafor.

Serwer wydawnictwa, które opublikowało tak gorąco dyskutowaną książkę, rozpalił się do czerwoności. Oprócz gróźb i obelg, stosunkowo zresztą nielicznych, pojawiły się prośby o dodruk pozycji, która po tym zamieszaniu stała się trudno dostępna. Kilka tygodni później z prasy drukarskiej zeszło kolejnych dziesięć tysięcy egzemplarzy, które się szybko sprzedały.

Na tym cała sprawa pewnie by się zakończyła, gdyby nie aktywność szyderców z wirtualnego świata ukrytych za pseudonimami, na przykład „Marxism_ forever" czy też „Slavoj_Zizek_superstar". Internet kipiał od komentarzy – najczęściej bardzo nieprzychylnych Greymore'owi, który, nawiasem mówiąc, na początku nie miał o nich zielonego pojęcia. Ten światowej sławy specjalista od najnowszych dziejów Europy Środkowo-Wschodniej czytał wyłącznie papierowe gazety i książki, a sieci używał głównie do mailowej wymiany poglądów oraz do zdobywania informacji o nowych publikacjach z zakresu historii.

Nie zdawał sobie więc sprawy z opiniotwórczej roli cyberprzestrzeni. To właśnie ona, co teraz w jednej chwili zrozumiał, wywołała zmianę *in minus* w zachowaniu ludzi, którzy przed ową nieszczęsną polemiką byli prawie że jego wielbicielami. Rektor uniwersytetu w Coventry Malcolm Packard powitał go chłodno, zadał mu zdawkowe pytania o podróż i samopoczucie, po czym zadzwoniła jego komórka i gospodarz uniwersytetu, uśmiechając się przepraszająco, całą swą uwagę poświęcił telefonicznemu rozmówcy. Po kwadransie czekania profesor Greymore wycofał się dyskretnie z jego gabinetu i – nie zatrzymywany przez niego – skierował swe kroki do dziekana

Wydziału Sztuk i Nauk Humanistycznych, gdzie oficjalnie miał być zatrudniony przez najbliższe dwa trymestry.

Szefowa fakultetu profesor Vivienne Manyeruke była nieobecna. Jej sekretarka wręczyła Amerykaninowi formularze do wypełnienia oraz klucz do służbowego mieszkania na terenie kampusu. Zatroszczyła się przy tym o samopoczucie profesora Greymore'a, ponieważ za nim „długi lot, a wykład zaczyna się przecież już za pół godziny". Wykładowca wypełnił formularze i udał się na zajęcia. Przed salą zobaczył dużą grupę studenckich aktywistów. Na jego widok zaczęli skandować słowa „bojkot wykładu" i wymachiwać czerwonymi transparentami, na których srożyły się sierp i młot, jakby go chcieli dodatkowo pognębić tymi znienawidzonymi przez niego symbolami.

Kolejnym uczuciem, które tego dnia się zrodziło w historyku, był szacunek dla odwagi nielicznych słuchaczy wchodzących na wykład mimo szyderstw kolegów. Do żadnych rękoczynów nie doszło, a owe drwiny były chwilami tak zabawne, że aż uśmiechnął się pod swoim niemodnym już wąsem. O dobrym wychowaniu aktywistów świadczyło to, że kiedy ostatni słuchacz zamknął za sobą drzwi, a Greymore usiadł na katedrze, zbuntowana młodzież oddaliła się, a jej okrzyki wkrótce umilkły na dziedzińcu.

Już o tym nie pamiętał, wykład porwał go jak rzeka, zwłaszcza że doszedł do jednego z punktów kulminacyjnych.

– Tak, proszę państwa, pedofil Józef Miętki triumfował. Rozprawa sądowa, o której wam mówiłem, nie odbyła się w jakiejś zapadłej bałkańskiej wsi ani w przepastnych borach Transylwanii! Sędzia nie był pastuchem, który przebrał się w togę po całym dniu pilnowania haremu swoich kóz, o nie! Taki wyrok wydał świetnie wykształcony sędzia, władający biegle łaciną i niemieckim, a cała rozprawa toczyła się w siedzibie sądu w jednym z głównych centrów kultury Polski międzywojennej, w stolicy europejskiej matematyki, w pięknym mieście Lwowie. Było to prawie sto lat temu, latem roku tysiąc dziewięćset dwudziestego szóstego...

– Ale dlaczego, profesorze Greymore? – Studentka siedząca w pierwszym rzędzie nie wytrzymała. – Dlaczego taki niski wyrok? Przecież on się dopuścił ohydnego czynu, zbrodni, i zostało mu to wszystko udowodnione!

Wykładowca sięgnął po notatki i zszedł z katedry. Tytuł naukowy i nazwisko, których użyła dziewczyna, świadczyły o tym, że na tej uczelni raczej nie będzie otrzymywał od studentów maili zaczynających się od zwrotu „Hi, Roger", co było nagminne w jego amerykańskiej Alma Mater. Zbliżył się do owej studentki, która wpatrywała się w niego w wielkim skupieniu. Była ładna. Idealnie pasowało do niej określenie „angielska róża" nadawane delikatnym blondynkom o bardzo jasnej cerze. Zabębnił po jej pulpicie swymi wypielęgnowanymi palcami.

– Jest na to kilka odpowiedzi. Najprostsza to taka, że wtedy, nie tylko w Polsce, ale i w całej Europie, dzieci nie uważano za pełnowartościowych ludzi. Jeszcze sto lat wcześniej autorytety medyczne, co się dzisiaj wydaje absurdalne i skrajnie okrutne, kwestionowały odczuwanie przez dzieci wielkiego bólu, zatem dokonywano na nich niekiedy operacji bez znieczulenia! „Dzieci i ryby głosu nie mają", jak mówi polskie przysłowie. „Dziecku nie można wierzyć", „Ono zmyśla", takie panowały opinie...

– Ależ nikt tu nic nie zmyślił – wtrącił się jeden ze studentów ze słowiańskim obliczem i takimże akcentem. – Tutaj były badania medyczno-sądowe. Sam pan powiedział, profesorze Greymore, że dziewczynka na zapleczu została rozcięta w pół, oczywiście pewnie w sensie metaforycznym.

– Owszem, w sensie metaforycznym. I powiedziałem raczej „rozdarta" niż „rozcięta". Ale tak, ma pan rację. Zbadano dziecko i stwierdzono gwałt. W ówczesnym polskim kodeksie karnym paragraf 203 mówił „o molestowaniu nieletnich dziewczynek". Ale żaden z sędziów, kierując się wstydem, niechęcią do bulwersowania opinii publicznej czy obłudą w końcu, nie wypytywał nigdy dokładnie oskarżonego, nie mówiąc już o dziecku, o jakie tu mianowicie chodziło molestowanie. Szczegóły medyczne, takie jak rozdarcie błony dziewiczej, rzadko omawiano *in publico*, wszak mogły one kogoś zgorszyć... Pedofilia nie została wtedy w Polsce, i chyba nigdzie oprócz Niemiec, przedyskutowana i przeanalizowana na poziomie legislacyjnym. Na wydanie tak łagodnego, oczywiście z dzisiejszego punktu widzenia, wyroku złożyły się jeszcze dwie przyczyny: freudyzm i tak zwana *paedophilia subrogativa*.

Podszedł do białej gładkiej tablicy i napisał na niej nazwisko „Sigmund Freud" oraz łaciński termin medyczny. Pisak piszczał niemiłosiernie. Za wielkim oknem zapłonęło zachodzące listopadowe słońce. Obnażyło ono całą szpetotę tego obskurnego czteropiętrowego budynku ze szkła, betonu i metalu, przegrzanego i źle wentylowanego, który był chlubą modernistycznej architektury późnych lat sześćdziesiątych. Snop światła wlał się do sali wykładowej. Niektórzy studenci przymknęli oczy oślepieni jego promieniami. Amerykański profesor stał, przyglądał się im, i stukał pisakiem to w jeden, to w drugi napis.

– Niejeden sędzia, bezradny w kwestiach pedofilii, zapraszał na salę biegłego seksuologa. Jeśli to był psychiatra, to niewykluczone, że raczył sędziego, adwokatów, prokuratorów, a nade wszystko publiczność modnymi wówczas Freudowskimi bredniami, wśród których najbardziej przerażające w takich sprawach było przekonanie, że dzieci mają swoje potrzeby erotyczne, chcą uprawiać seks z dorosłymi i prowokują ich mniej lub bardziej świadomie. Żadnej takiej pseudoekspertyzy nie było wprawdzie w aktach procesowych Miętkiego, ale nie możemy wykluczyć, że sędzia znał takie poglądy. Jest natomiast w aktach coś jeszcze. Coś bardzo ważnego.

Greymore postukał w napis *paedophilia subrogativa* i napisał obok tłumaczenie „pedofilia zastępcza".

– Inny mędrzec z tego czasu – uśmiechnął się lekko – tym razem Brytyjczyk, niejaki William Martin, podzielił pedofilów na dwie grupy, a podział ten przyjął się w europejskich kręgach prawnych. Pierwsi muszą uprawiać seks z dzieckiem, bo tylko taka forma obcowania daje im pełną satysfakcję. To przedstawiciele *paedophilia erotica*. Oni nie umieją inaczej, i koniec. Z punktu widzenia prawnego tamtych czasów są jak zwierzęta. Nic ich nie usprawiedliwia. Są godni potępienia i wysokiej kary. Natomiast inni, biedni i nieszczęśliwi – profesor ironizował na całego – w dzieciach szukają zastępstwa. Z jakichś powodów nie mogą uprawiać seksu z dorosłymi kobietami? To szukają innego obiektu. Czemu nie dzieci? Pojawia się tutaj ważne pytanie. Jak oddzielić jeden rodzaj sprawców od drugich?

Na sali zapadła cisza. Słońce zgasło, wiatr nawiał chmur nad kwadratowy dziedziniec widoczny z okien, a dawno niemyty blok ze szkła i metalu pogrążał się w sinej ciemniejącej poświacie.

– Kryterium jest proste i wydawać by się mogło oczywiste. – Greymore przestał się uśmiechać. – Jeśli dziecko jest nad wiek rozwinięte fizycznie, to pedofil, który się na nie rzuca, szuka swoistego zastępstwa, a zatem mamy wtedy do czynienia z pedofilią zastępczą. Sprawca takiego czynu jest właściwie normalny, bo ma normalny popęd płciowy, i wobec braku właściwej osoby wyładowuje się na tej, którą ma pod ręką. To przypomina homoseksualizm zastępczy w więzieniach albo – jeśli mówimy o obiekcie, nie o osobie – albo onanizm przy użyciu różnych utensyliów. Człowiek, który popełnia pedofilię zastępczą, nie jest zatem godzien wysokiej kary. Jest prawie normalny. Tak naprawdę to chciał dobrze, tylko zły świat nie dał mu do dyspozycji właściwej osoby. Tak wtedy uważano za Martinem.

– A w wypadku tego – „angielska róża" spojrzała do notatek – sklepikarza Józefa? W aktach był opisany jako przedstawiciel odmiany *erotica* czy *subrogativa*?

Profesor uśmiechnął się do dziewczyny.

– Doceniam użycie przez panią łacińskich terminów. – Patrzył na nią o jedną chwilę za długo. – I to z właściwą akcentuacją. A jak pani sądzi? Przypadek Józefa Miętkiego został uznany za *paedophilia...*

Zawiesił głos.

– *Subrogativa* – odpowiedziała lekko zarumieniona. – Bo dziewczynka była ponad wiek rozwinięta fizycznie, prawda?

– Właśnie tak – odparł historyk ze smutkiem. – I to wbrew opinii biegłych medyków! Sędziowie, uznając ją za nad wiek rozwiniętą, opierali się na przykład na opiniach sąsiadów! Tak właśnie było. I pedofil wyszedł z sali sądowej z triumfującym uśmiechem. Ale za nim szybkim krokiem podążył ktoś, kogo się obawiał. Był to bardzo znany lwowski policjant, powiedzielibyśmy dzisiaj: „policyjny celebryta". Komisarz

Edward Popielski, zwany powszechnie „Łyssym". Wysoki, postawny, silny i skłonny do przemocy. To właśnie on wytropił owego pedofila, umiejętnie go przesłuchiwał, nie szczędząc przy tym pięści, i skłonił do przyznania się do winy. Uczestniczył w procesie na sali sądowej jako widz i jako świadek, od początku do końca. Według relacji obecnych Józef Miętki najpierw lękliwie popatrywał na Popielskiego, ale wraz z każdą godziną procesu wyraźnie się uspokajał. Usłyszawszy wyrok, wstał i spojrzał zuchwale na swego pogromcę: „No i co, Łyssy? Opłacało ci się? Tak wiele twojego zachodu, a taki śmieszny wyrok!". To powiedział zgodnie ze wspomnieniami wielu świadków. Dla lwowskiego sklepikarza byłoby lepiej, gdyby tego nie mówił.

KOMISARZ EDWARD POPIELSKI miał wrażenie, że został przeniesiony do innego świata, w którym potworna krzywda wyrządzona dziecku ma niewielkie znaczenie, staje się czymś nierealnym i wydumanym.

Owszem, zdawał sobie sprawę, gdzie jest i co słyszy. Wiedział, że oto jako główny świadek oskarżenia siedzi w trzecim rzędzie sali rozpraw, tuż za plecami prokuratora Wacława Legieżyńskiego, który oskarżał Józefa Miętkiego, jak się zdawało Popielskiemu, z równym zaangażowaniem, jakie całej sprawie okazywał sędzia Mikołaj Gawalewicz, czyli z nader znikomym. Owszem, Edward czuł, że wściekle palące słońce, które wlewa się przez ogromne okna, wyciska mu z łysej głowy grube krople potu. Owszem, starał się opanować drżenie śliskich palców, którymi usiłował rozpiąć pod szyją policyjny mundur z grubego granatowego sukna. Doznał wrażenia, że z potężnego neorenesansowego budynku przy ulicy Batorego 3, gdzie mieścił się Wydział Karny Sądu Okręgowego we Lwowie, przeniósł się nagle na ateńską agorę. Sędzia zamienił się w mędrka-sofistę, a całe uzasadnienie wyroku zostało naszpikowane paradoksami i retorycznymi sztuczkami. Choć wysłuchiwał ich często w czasie swych licznych bytności w sądach, to dzisiaj – z uwagi na ohydę zbrodni – zanikła jego tolerancja na prawniczą elokwencję. Przelała się czara goryczy.

Edward nie był oczywiście naiwnym idealistą, który sądził, że w polskim wymiarze sprawiedliwości pracują ludzie opierający się wyłącznie na bezstronnej ocenie dowodów. Ten czterdziestoletni, ciężko doświadczony przez życie mężczyzna wielokrotnie się stykał z podłością, głupotą i umysłowym lenistwem – również prawników. Nie dziwił się wcale, kiedy sędziowie czasami wydawali wyroki zbyt surowe, bo byli przed obiadem, a łagodne, gdy czuli błogą sytość. Wiedział o tym wszystkim, ale uważał za Markiem Aureliuszem, że „przeszkody są po to, by nas wzmacniać". Postanowił zrobić zatem wszystko, co w jego mocy, by te przeszkody przewidzieć i dostarczyć prokuratorowi niezbitych faktów do sporządzenia powalającego aktu oskarżenia.

Po złapaniu Józefa Miętkiego komisarz starannie, długo i brutalnie go przesłuchiwał. Wynikiem tego dochodzenia był pięćdziesięciostronicowy dokument, w którym prawie każde zdanie wynikało z poprzedniego. Zanim go sporządził i dla uniknięcia błędów dwukrotnie przepisał na maszynie, prześledził wiele spraw o zhańbienie nieletnich dziewczynek. Jako rasowy szachista usiłował przewidzieć wszystkie ruchy obrońców Miętkiego.

Z góry zniweczył manewr obronny wykorzystujący *paedophilia subrogativa*, kiedy uzyskał zeznania dwóch lekarzy, którzy po zbadaniu Celinki Hulczuk zgodnie potwierdzili, że to dziesięcioletnie dziecko wcale nie było nad wiek rozwinięte, a do pierwszej menstruacji musiało jeszcze upłynąć nie mniej niż dwa lata. Nie wiedział jednak, że w tym czasie gwiazda lwowskiej palestry *doctor utriusque iuris* Włodzimierz Terlecki – który, nawiasem mówiąc, twierdził, że broni Józefa Miętkiego za darmo! – już nawiązał kontakty z profesorem psychiatrii z Wiednia, który później na sali sądowej wykazywał, iż ofiara, widząc swoją matkę „obcującą z kolejnym kochankiem, musiała nabrać podświadomej ochoty na to, co jej matce sprawiało taką radość, i w sposób nieunikniony prowokowała dorosłych mężczyzn". Jako świadkowie obrony wystąpiły całe tabuny niechlujnych sąsiadek w średnim wieku, które ze świętym oburzeniem opowiadały o złym prowadzeniu się matki Celinki, czego dowodem były „częste gardłowe okrzyki ekstazy, jakie dochodziły z okien tej panny z dzieckiem". W czasie gdy to mówiły, z gardła matki dziecka Anieli Hulczukówny, biednej szwaczki z ulicy Zielonej, dochodziły jednak nie odgłosy ekstazy, ale rwący szloch, który na nikim chyba – oprócz Popielskiego – nie robił żadnego wrażenia.

Policjant, obawiając się, że sędzia Gawalewicz może wymierzyć Józefowi Miętkiemu niską karę, przygotował też dla prokuratora kilkustronicowy spis przestępców, którzy dostawali w polskich sądach wyższe albo takie same kary jak pedofile. Było tam porównanie zboczeńca i niedbałego majstra. Obaj otrzymali karę tej samej wysokości – pół roku więzienia. Pierwszy pobrudził swym nasieniem głowę ośmioletniej uczennicy, drugi nie stanął na wysokości zadania, kiedy strącano z kamienicy lodowe sople i jeden z nich spadł na głowę przechodnia, powodując u tegoż wstrząs mózgu. Takich dubletów jednakowych lub podobnych kar – pedofil *versus* sprawca wykroczenia – Edward zgromadził wiele. Prokurator Legieżyński miał tym wykazem – w zamierzeniu Popielskiego – wstrząsnąć publicznością i sędziami, którzy nie prowadzili zbyt często spraw o gwałt na dziecku i mogli po prostu nie znać wyroków zapadających w innych miastach. Kiedy oskarżyciel odczytywał ich listę, mecenas Terlecki zgłosił sprzeciw, bezbłędnie uznając, że jest to rodzaj presji „wywieranej na Wysoki Sąd". Ten się zgodził z uwagą adwokata i upomniał prokuratora, by skupił się raczej na własnych zadaniach, a nie komentował wyroków innych sędziów.

Przed rozprawą Popielski pracował dniem i nocą, rozmyślając nad innymi ewentualnymi posunięciami obrońcy. Wiele jego ruchów przewidział, ale w najdzikszych fantazjach nie przyszła mu do głowy taktyka, która doprowadziła do zwycięstwa Miętkiego. Bo jak inaczej nazwać karę dwóch lat więzienia? Terlecki jako okoliczność łagodzącą przedstawił mianowicie to, iż Miętki w momencie popełnienia tej zbrodni był pijany, a kiedyś chorował wenerycznie. To właśnie stan upojenia sprawił, że sklepikarz, wdowiec od roku, nie mogąc swym potrzebom uczynić naturalnie zadość, stracił zupełnie zdrowy rozsądek, a ponieważ bał się kolejnej wstydliwej dolegliwości, postanowił „skorzystać z wdzięków" – Popielskiemu zdawało się, że się przesłyszał! – „tak, z wdzięków dzieweczki, która ze względu na swój wiek i świeżość nie sprawiała wrażenia chorej na cokolwiek, a ponadto, jak twierdził oskarżony, zawsze się do niego zalotnie uśmiechała". Adwokat odmalował następnie smutną sytuację ponurych dzielnic Lwowa, gdzie wedle statystyk jedną trzecią prostytutek stanowiły dziewczęta poniżej czternastego roku życia, a obcowali z nimi liczni mężczyźni ze względu na „taniość ich nieprzyzwoitych usług" oraz – co już było straszne zdaniem Terleckiego – ze względu na rozpowszechniony wśród ludu przesąd, że choroba weneryczna ustępuje po obcowaniu z dziewicą. Krótko mówiąc, czyn oskarżonego był smutnym i owszem, odrażającym przykładem pedofilii, ale była to typowa *paedophilia subrogativa*, nie zaś straszna i zwierzęca *paedophilia erotica*, a zatem oskarżony rokuje jakieś nadzieje i nie należy go karać zbyt surowo. Edward widział, jak na twarzy sędziego Gawalewicza odmalowuje się ulga. To terminologiczne naukowe rozróżnienie dało mu pełną jasność. Już wiedział, na czym stoi i jaki wyda wyrok.

Popielski po usłyszeniu wyroku siedział jak oniemiały. Zdjął z nosa czarne binokle i przecierał je chusteczką do nosa. Nagle przed jego oczami poruszył się jakiś cień. Otarł głowę z potu i spojrzał uważnie przed siebie. Zobaczył Józefa Miętkiego. Wyrywał się on dwóm policjantom, którzy trzymali go za łokcie. Na jego twarzy rozlewał się uśmiech triumfu.

– No i co, Łyssy? – wrzasnął skazany. – Co, opłaciło ci się, chamidło jedne? Takie manto mi spuściłeś, a tu co? Dwa lata! Rok nie wyrok, dwa lata jak dla brata!

Popielski wstał. Bielizna pod mundurem lepiła mu się od potu. Nagle strzelił fajerwerk magnezji. Obstąpili ich dziennikarze i fotografowie. Edward wiedział, że jeszcze jeden błysk, może dwa, a w jego głowie coś wybuchnie i przez kolejne minuty będą nim szarpać epileptyczne drgawki.

– Dość! – ryknął. – Nie robić zdjęć!

Jego polecenie było wydane tak przekonującym tonem, że palce fotografów zastygły na wężykach spustowych. Popielski spojrzał na policjantów, którzy trzymali Miętkiego.

– Oddać honory starszemu stopniem! – wydarł się teraz na nich.

Ci oderwali się od skazańca, a nawet odsunęli. O to mu właśnie chodziło.

Zaatakował błyskawicznie. Runął na Miętkiego. Kolanami wcisnął go w podłogę i zaczął bić. Chrzęst w nosie, wybuch krwi, nos się zapada, kości przesuwają się pod skórą, skronie puchną, z uszu miazga, oko, oko mu wyłupać!

Kiedy Edward wciskał Miętkiemu gałkę oczną w czaszkę, znów błysnęła magnezja. Raz i drugi. Migot ten wywołał w mózgu policjanta, chorego na epilepsję światłoczułą, gwałtowne zmiany. Atak choroby był potężny. Popielski usłyszał szum w uszach. Niczego już więcej nie pamiętał.

Tego samego dnia Józef Miętki trafił na oddział szpitalny w Więzieniu Karno-Śledczym przy ulicy Kazimierza Wielkiego 24, który w całej Polsce był znany pod nazwą „u Brygidek". Kiedy zmasakrowaną twarzą pacjenta zajmował się, bez wielkiej zresztą delikatności, więzienny lekarz, a pedofil wył z bólu, komisarz Edward Popielski został wezwany przed oblicze komendanta wojewódzkiego policji inspektora Waleriana Wilczyńskiego, który beznamiętnym tonem poinformował podwładnego o tym, że został właśnie zawieszony w obowiązkach służbowych aż do czasu wyjaśnienia jego karygodnego zachowania.

Tymczasem we wszystkich brukowcach ukazało się zdjęcie Edwarda Popielskiego i opis całej sytuacji, którą prasa bulwarowa zgoła inaczej niż komendant nazwała wymierzaniem sprawiedliwości.

Trzy tygodnie później w więzieniu u Brygidek rzeczywiście sprawiedliwości tak rozumianej stało się zadość. Wydarzyło się to w czasie spaceru pod okiem pięciu uzbrojonych strażników. Skazańca Józefa Miętkiego powaliło na ziemię trzech współwięźniów. Dwudziestu ich kolegów natychmiast otoczyło czterech leżących mężczyzn i pochyliło się nad nimi. Całkiem zasłonili widok klawiszom. Zanim ci przedarli się przez kordon, wszyscy osadzeni rozpierzchli się i stanęli pod murem spacerniaka. Na ziemi leżał tylko Józef Miętki, a obok niego starannie naostrzona łyżka do zupy. Z tętnicy szyjnej zbrodniarza buchała krew. Umarł minutę później.

Z narzędzia zbrodni zdjęto odciski palców, po czym porównano je z odciskami wszystkich spacerowiczów. Zabójcą okazał się sześćdziesięciodwuletni recydywista i morderca, niejaki Franciszek Socha, któremu zostało piętnaście lat do końca odsiadki. Ów więzień był w przyjaznych stosunkach z komisarzem Edwardem Popielskim, co się przejawiało w tym – jak stwierdził jeden ze strażników, który cenzurował więzienną korespondencję – że Socha dwa razy do roku wysyłał Łyssemu życzenia świąteczne. Podejrzenie o zorganizowanie tego zamachu na pedofila od razu padło na człowieka noszącego ten właśnie szeroko znany we Lwowie przydomek. Postanowiono zachować całkowitą tajemnicę i do prasy nie przedostała się żadna wzmianka o samosądzie w Brygidkach. Do Komendy Głównej w Warszawie błyskawiczne poszły stosowne meldunki i trafiły na biurko pełniącego obowiązki komendanta głównego i czekającego tylko na stosowną nominację pułkownika Janusza Jagrym-Maleszewskiego.

Sprawa była zbyt poważna, aby pozostawić ją w rękach lwowian. W Warszawie zawrzało. Do akcji przystąpił niespecjalnie lubiany w policyjnym środowisku komisarz Antoni Cewe, inspektor do spraw wewnętrznych Komendy Głównej Policji Państwowej. Przyjechał do Lwowa, a stamtąd zupełnie nieoczekiwanie został zawezwany do stolicy w trybie pilnym, zaledwie po kilku dniach pobytu w mieście nad Pełtwią. Pułkownik Jagrym-Maleszewski nie uznał za stosowne wyjaśnić mu powodów tej decyzji. Cewe był służbistą i nie wnikał w nie zresztą. Miał w Warszawie kilka rozgrzebanych spraw i nie lubił Lwowa, gdzie wszyscy murem stawali za Łyssym. Nie interesowało go też zupełnie, dlaczego śledztwo w sprawie Popielskiego zostało powierzone pewnemu młodemu i niedoświadczonemu funkcjonariuszowi z warszawskiego Urzędu Śledczego. Kiedy plotka, że ten świeżo upieczony podkomisarz nazwiskiem Celestyn Brodziński jest protegowanym „starego", dotarła do Cewego, ten tylko wzruszył ramionami.

Bliski przyjaciel komendanta głównego policji, pewien wysoko postawiony oficer służb specjalnych, odprowadził podkomisarza Brodzińskiego na pociąg do Lwowa, gdzie ów miał kontynuować śledztwo w sprawie Popielskiego. Młody człowiek czuł się zaszczycony i słuchał bardzo uważnie różnych rad swego towarzysza. Szczególnie dobrze zapamiętał ostatnie zdania.

– W czasie swego śledztwa niech pan pamięta o jednym, panie komisarzu. Niech pan w chwilach trudnych ma to jedno na uwadze: od wyników tej sprawy w najmniejszym stopniu nie zależy pański kolejny awans. Szczęśliwej podróży!

Po odprowadzeniu Brodzińskiego na pociąg do Lwowa wysoki oficer służb specjalnych odesłał szofera i wrócił na piechotę do domu. Drogę z Dworca Tymczasowego do mieszkania na Mokotowie pokonał w trzy kwadranse. Miał czas, by zastanowić się nad kilkoma kwestiami.

Wszedł do swego gabinetu, podniósł słuchawkę telefonu i kiedy usłyszał znajomy głos, rzucił tylko kilka słów:

– Nadszedł czas, by naostrzyć sztylet.

CZĘŚĆ I

OSTRZENIE SZTYLETU

– Pozostawmy na moment w spokoju Edwarda Popielskiego, gdy siedzi w swym lwowskim mieszkaniu z widokiem na piękny park zwany Ogrodem Jezuickim, bawi się z sześcioletnią córeczką i patrząc na szczebioczące dziecko, cieszy się w duchu, że uwolnił świat od potwora, który mógłby skrzywdzić kolejną maleńką i kruchą istotę, taką jak jego mała Rita – mówił profesor Roger Greymore. – Zostawmy go z jego wszeteczną, ale i poniekąd zasłużoną radością w sercu i wznieśmy się ze zwykłej codzienności na poziom spraw międzynarodowych.

W roku 1795 rządząca Rosją caryca Katarzyna przyłączyła Polskę do swego imperium. Ozdobiła pierś rosyjskiego dwugłowego orła herbem swego znienawidzonego sąsiada. W akcie aneksji pomogły jej dwa państwa niemieckojęzyczne otaczające Polskę od zachodu i od południa – Prusy i Austria. Łaskawa imperatorowa była hojna dla germańskich szakali. Każdemu rzuciła w nagrodę po ćwierci rozdartego kraju, sama zadowoliwszy się jego połową. Przez sto dwadzieścia trzy lata na mapie świata Polski nie było.

Kiedy pod koniec Wielkiej Wojny z lat 1914–1918 imperium carów upadło pod ciosami zadanymi z zewnątrz (przez Niemców) i od wewnątrz (przez bolszewików), Polska stała się państwem niepodległym. Ten upragniony przez całe pokolenia status nie był oczywiście dany Polakom raz na zawsze, o czym zaraz im przypomnieli rozwścieczeni sąsiedzi. Niemcy gryźli od zachodu, nie mogąc się pogodzić z utratą na rzecz Polski dużej części węglonośnego Śląska, a Rosja bolszewicka natarła od wschodu, zajmując w grudniu roku 1919 roku miasto Wilno, które Polacy uważali za własne. I tak się zaczęła wojna polsko-bolszewicka, która jest dzisiaj jednym z kamieni milowych w dziejach polskiego patriotyzmu.

Zmienne były jej losy: raz wygrywali Rosjanie, raz Polacy, aż w końcu Armia Czerwona, biorąca swoją nazwę od barwy sztandarów, którymi dzisiaj raczyli mnie powitać państwa koledzy przed wykładem... Otóż Armia Czerwona stanęła w końcu pod Warszawą i dni młodego kraju wydawały się policzone. I wtedy polskie wojsko pod wodzą jednego z ojców niepodległości, marszałka Józefa Piłsudskiego... Choć muszę zauważyć, że niektórzy uczeni kwestionują jego przywództwo w tej bitwie... Otóż polskie wojsko w upalny dzień 15 sierpnia 1920 roku dzięki śmiałym manewrom i ogromnej dzielności rozbiło pod Warszawą bolszewików i przegnało ich z powrotem na stepy Azji, których – moim skromnym zdaniem – z zyskiem dla całego świata nigdy nie powinni byli opuszczać.

Upokorzeni Rosjanie szybko otrząsnęli się z klęski. Ludzie tej nacji są świetnymi szachistami i wiedzą, że utrata figury nie oznacza jeszcze przegranej partii. Wypowiedzieli Polsce tajną podstępną wojnę, w której przypuścili atak trującej propagandy – a wierzyło w nią wielu zachwyconych komunizmem intelektualistów

Zachodu. Sowieci użyli całej dyplomatycznej i szpiegowskiej wirtuozerii, którą odznaczały się przywrócone przez nich do łask carskie służby specjalne. Najpierw zminimalizowali straty spowodowane wojną z nienawistnym sąsiadem. Choć dotkliwie pobici na polu bitwy, wygrali w negocjacjach pokojowych. Zawarli w marcu roku 1921 pokój, który był dla Polski katastrofą. Jak to było możliwe, zapytają państwo, że zwycięzca wojny nie zabezpieczył swych interesów w traktacie pokojowym? Jak to możliwe, jak mówił jeden z historyków, że Polska wygrała wojnę, lecz przegrała pokój?

Trudno odpowiedzieć na to pytanie jednym zdaniem. Należy przyjrzeć się różnym możliwym i forsowanym przez polityków scenariuszom rozwoju państwa. Józef Piłsudski słusznie uważał, że szanse przetrwania i utrzymania silnej pozycji w otoczeniu dyszących żądzą odwetu sąsiadów Polska ma tylko jako federacja różnych narodów, coś w rodzaju wielkiej Szwajcarii, której obywatele – mówiąc na co dzień różnymi językami i różne wyznając religie – mają mocne poczucie przynależności państwowej. Narodami, z którymi Piłsudski chciał utworzyć wielkie silne państwo, byli Litwini, Białorusini i Ukraińcy, nie licząc oczywiście Żydów, którzy byli rozsiani po różnych miastach.

Ponieważ ci pierwsi nawet nie chcieli o tym słyszeć, prąc do stworzenia własnego państwa, co im się zresztą udało, a ostatni wobec swego rozproszenia nie mieli i mieć nie mogli żadnych ambicji terytorialnych, pozostawały tylko ludy słowiańskie – Ukraińcy i Białorusini. Federacja z Polakami oznaczała dla nich „być albo nie być" wobec chęci zagarnięcia ich przez Rosję. Koncepcje federacyjne Piłsudskiego były niestety odrzucane przez jego największych wewnętrznych wrogów posiadających ogromne wpływy polityczne, czyli przez katolickich nacjonalistów oraz przez przywódców partii chłopskich. Ci pierwsi, ludzie o ograniczonych horyzontach, uważali, że niepolskich słowiańskich obywateli należy po prostu „spolszczyć" przez nachalną i obowiązkową asymilację. Ci drudzy nie sięgali wzrokiem dalej niż koniec pola, które uprawiali.

I tu dochodzimy do odpowiedzi na pytanie, dlaczego pokój podpisany w Rydze w marcu 1921 roku był dla Polski katastrofą. Dlatego że układy tam zawarte oznaczały całkowity koniec planów przyszłej federacji, której sowiecka Rosja się bała jak ognia. Ale ta dyplomatyczna klęska dokonała się przede wszystkim dlatego, że federalista Józef Piłsudski, choć opromieniony wiktorią warszawską z 1920 roku, został zepchnięty na margines przez politycznych przeciwników i nie miał żadnego realnego wpływu na prace polskiej delegacji negocjującej pokój. Dominowali w niej jego wrogowie: nacjonalista Stanisław Grabski i niezbyt rozgarnięty galicyjski chłop Jan Dąbski.

Nic dziwnego, że rozmowy w Rydze przebiegały po myśli Sowietów. Polscy nacjonaliści nie chcieli mieć na karku kolejnych setek tysięcy niepolskich Słowian, których trzeba będzie na siłę asymilować. Owi krótkowzroczni ludzie, wyznający dodatkowo tak powszechny wówczas w Europie i na świecie antysemityzm, jednym pociągnięciem pióra zrezygnowali z Mińska i Witebska, miast zaoferowanych im przez jeszcze wystraszonych na początku Rosjan. Argumentem, dla którego odrzucili ten dar, był duży odsetek zamieszkującej je ludności żydowskiej. Zupełnie nie brali pod uwagę, że mogłyby stać się one fortecami zatrzymującymi przyszłą nawałę ze wschodu. A że Sowieci znów będą chcieli eksportować swoją rewolucję, w to nikt nie wątpił – oprócz właśnie nacjonalistów, którzy tradycyjnie byli rusofilami.

Polscy delegaci, rozgrywani jak naiwniacy przez znakomitego rosyjskiego negocjatora Adolfa Joffego (postać bardzo malowniczą – nieprzeciętnie inteligentnego człowieka, znakomitego szachistę i seksualnego drapieżcę), zgadzali się chętnie na ogromne, lecz rozłożone na lata kontrybucje wojenne, obiecywane w zamian za rezygnację z jakichkolwiek rozwiązań politycznych, które by pachniały przyszłą federacją. Genialny Joffe uzyskał, co chciał: Polacy wytyczyli dalszy rozwój swego państwa jako organizmu, w którym mniejszości słowiańskie – stanowiące niewiele mniej niż jedną trzecią ludności! – będą ciemiężone przymusową polonizacją, co prędzej czy później groziło eksplozją wewnętrzną. W zamian zaś złożył obietnice, z których większość była martwa już w momencie ich składania. Inna sprawa, że polskie społeczeństwo naprawdę chciało szybkiego podpisania traktatu pokojowego, który by kończył tę krwawą i okrutną wojnę i pozwolił wrócić prawie milionowi polskich żołnierzy do swych rodzin, pogrążających się w powojennej nędzy.

Tymczasem po pokoju ryskim Piłsudski otrząsnął się po dyplomatycznej klęsce i zaczął zbierać siły, by bronić się przed znienawidzonym wrogiem na kilku niewojskowych frontach. Nie zaniedbywał przy tym drogi politycznej i wspierał myślicieli, aby cyzelowali i do aktualnej sytuacji dostosowywali ideę federacyjną, której nigdy był nie porzucił. W latach dwudziestych jego najbliżsi współpracownicy integrowali wokół siebie przedstawicieli i przywódców narodów podbitych i uciemiężonych przez Rosję. W eleganckich warszawskich mieszkaniach, w pięknych dworkach na Litwie, opiewanych przez największego poetę polskiego Adama Mickiewicza, i w pałacach arystokratów, które jak wyspy polskości tkwiły w ukraińskim morzu, zaczęli się spotykać azerscy watażkowie, gruzińscy książęta i ukraińscy Kozacy znad Donu, czyli *crème de la crème* eurazjatyckich wojowników.

Ruch tych spiskowców i myślicieli nazwano „ruchem prometejskim". Tak jak ich mityczny patron przyniósł ludzkości ogień, tak i prometejczycy chcieli serca zgnębionych przez Rosję ludów ogrzać i rozpalić, przygotowując je do wytrwałego opierania się tyranii i zdobycia upragnionej niepodległości. Nie trzeba tu dodawać, że polskie służby specjalne wspierały ten ruch na wielu polach, a liczni funkcjonariusze legendarnej Dwójki, czyli wywiadu i kontrwywiadu wojskowego, byli czynnymi prometejczykami.

Jednym z najbardziej wpływowych spośród nich, choć jednocześnie skromnie unikającym wszelkiego rozgłosu, był pochodzący z Inflant major rezerwy Florian Tyzenhauz. Z wykształcenia *doctor medicinae* uniwersytetu w Zurychu, z zamiłowań naukowych psycholog, z natury – nieustraszony wojownik, który przeszedł cały szlak Legionów Polskich, sił zbrojnych utworzonych przez Józefa Piłsudskiego. To właśnie on zainteresował się we wrześniu 1926 roku sprawą porywczego komisarza policji lwowskiej Edwarda Popielskiego, który – jak domniemywano – wymierzył pewnemu obrzydliwemu zboczeńcowi sprawiedliwość na własną rękę.

TYZENHAUZ POPIERAŁ TAKIE METODY i natychmiast powziął pewien ryzykowny plan. Nie wspomniał jednak o nim ani słowem swemu patronowi i przyjacielowi Józefowi Piłsudskiemu. Wiedział, że po zamachu stanu, którego ten dokonał w maju tegoż roku, ważną rzeczą jest uspokojenie nastrojów politycznych – wewnętrznych i zewnętrznych. A to oznaczało, że odważniejsze akcje przeciwko Rosji należy odłożyć na stosowniejszy czas. Nie działać na chybcika.

Takie były ogólne zalecenia Marszałka w sprawach wschodnich. Tyzenhauz fundamentalnie nie zgadzał się z tym stanowiskiem. Kiedy zrozumiał, jak można wykorzystać zawieszonego tymczasowo w obowiązkach komisarza Popielskiego, postanowił swój plan przeprowadzić w tajemnicy przed Piłsudskim. Poinformował tylko swych najbardziej zaufanych ludzi. Wiedział, jak wielkie ryzyko niesie ze sobą to sprzysiężenie, ale nie wahał się go podjąć. Kiedy Tyzenhauz odprowadził na pociąg młodego policjanta, który miał prowadzić wewnętrzne śledztwo w sprawie domniemanego udziału komisarza Popielskiego w zabójstwie pedofila Józefa Miętkiego, i kiedy wyrzekł do Celestyna Brodzińskiego słowa: „Od wyników tej sprawy w najmniejszym stopniu nie zależy pański kolejny awans!", wrócił do swej luksusowej willi przy ulicy Łowickiej, połączył się z pewnym prawie nikomu nieznanym numerem i rzucił kilka słów:

– Nadszedł czas, by naostrzyć sztylet.

WILNO, GRUDZIEŃ 1926 ROKU

PODRÓŻ ZE LWOWA DO WILNA Z PRZESIADKĄ W WARSZAWIE zajęła Popielskiemu prawie dwadzieścia trzy godziny. Jechał pociągiem relacji Bukareszt–Warszawa wyposażonym w wiele wygód, w tym w dobrze zaopatrzoną w trunki restaurację. Trasa alternatywna przez Zdołbunów i Łuniniec zabierała tylko godzinę więcej, lecz wymagałaby nie lada cierpliwości, z jaką trzeba by znosić trzygodzinny postój w Zdołbunowie. Popielski wszystko sobie policzył i podjął racjonalną decyzję o podróży z przesiadką w stolicy. Plan ten kłócił się trochę z otrzymanym zaleceniem, aby jak najmniej rzucać się w oczy. W pociągu relacji Lwów–Warszawa i Warszawa–Wilno mogło bowiem jechać wiele osób wykształconych i zamożnych, mieszkających w wielkich miastach, czytających prasę, a zatem mogących rozpoznać Popielskiego jako bohatera niedawnej afery z Józefem Miętkim. Kresową koleją żelazną natomiast – oprócz nielicznych arystokratów i latyfundystów – poruszali się niepiśmienni polscy rekruci zmierzający do przygranicznych garnizonów albo jadący na jarmark rusińscy chłopi, którzy w ten srogi mróz pozostawili w gospodarstwach swe wozy i konie, albo też żydowscy handlowcy czytający jedynie „Wilner Tog" czy „Hajnt", względnie „Nasz Przegląd" unikający spraw krajowych i słynący ze swych zagranicznych korespondencji. Poza tym wszyscy oni zresztą podróżowali zwykle klasą drugą lub trzecią, w odróżnieniu od Popielskiego, stałego pasażera klasy pierwszej. Choć istniało wiele argumentów za podróżą kresową, jako grożącą niewielkim prawdopodobieństwem rozpoznania, Popielski zbagatelizował je dla swej wygody i kupił bilet kolejowy do Wilna *via* Warszawa.

Podjąwszy tę decyzję, poczuł sporą ulgę. Nie był specjalnie przesądny, ale w głębi duszy musiał przyznać, że miasto Zdołbunów źle mu się kojarzyło – z fiaskiem pewnej tajnej misji, jaką powierzono mu cztery lata wcześniej*. Z jednej strony nie wierzył w „zapeszanie" przedsięwzięć, ale z drugiej – nie chciał zleconego sobie nowego sekretnego zadania zaczynać od złych wspomnień i od nocy spędzonej w nielubianym mieście.

---

* Zob. M. Krajewski, *Dziewczyna o czterech palcach*, Kraków 2019.

Wyjechał ze Lwowa przed ósmą rano, a na warszawski Dworzec Główny, wciąż zwany Tymczasowym, dotarł, gdy szły trzy kwadranse na siódmą wieczorem. Do odjazdu pociągu do Wilna z dworca nazywanego bardzo właściwie Wileńskim brakowało równo godziny. To wystarczyło, aby dostać się na ów dworzec, leżący po drugiej stronie Wisły, i zameldować się w klasie pierwszej pociągu, który przez Białystok i Wilno jechał aż do Jakubowa w łotewskiej Semigalii.

Edward tryskał dobrym humorem. Podróż z Warszawy do Wilna trwała jedenaście godzin. Przez ten czas trochę drzemał, trochę rozmyślał, a trochę czytał i analizował pierwszą mowę Cycerona przeciwko Katylinie. Było to zajęcie tyleż pożyteczne, co konieczne, bo właśnie od tego tekstu miał rozpocząć swoją pracę dydaktyczną, która nie była niczym innym jak tylko przykrywką jego rzeczywistych działań nad Wilią. I tak już przyjemny nastrój Popielskiego jeszcze bardziej się spotęgował, kiedy zjadł w wagonowej restauracji cztery potężne pyzy nadziewane mięsem, polane grzybowym sosem i przystrojone chrupiącymi skwarkami. Wybrał tę potrawę opisaną w *menu* jako litewskie cepeliny, ponieważ uznał – jakby sam przed sobą chciał wytłumaczyć to obżarstwo – że wobec perspektywy zamieszkiwania w Wilnie przez kilka następnych miesięcy trzeba jak najszybciej wejść w świat tamtejszych smaków.

Pociąg dotarł do Wilna punktualnie pięć po wpół do ósmej rano. Kiedy Edward raźno z niego wyskoczył, aż go zatkało od silnego mrozu. Dźwigając elegancki sakwojaż z tłoczonej skóry, wyszedł z peronu, przeszedł przez hall dworca i znalazł się przed jego budynkiem. Trzaskający, prawie dwudziestostopniowy mróz mocno przerzedził bardzo liczną zwykle grupę dorożkarzy i tragarzy, którzy codziennie z nadzieją oczekiwali przyjazdu nocnego z Warszawy. Tego szarego, nieco mglistego poranka było ich niewielu i wszyscy szybko zdobyli klientów. Pasażerowie klasy pierwszej, którzy – jak się Popielski zorientował z ich rozmów – wracali do Wilna, załatwiwszy w stolicy swoje interesy, byli tak zmęczeni i rozjątrzeni bezsennością, że jedyne, o czym marzyli, to by szybko udać się do swych domów i zalec pod stosem pierzyn. Toteż na wyścigi wybiegali przed budynek, potrącając się łokciami, oddawali swe bagaże we właściwe ręce, pokrzykiwali ostro na woźniców i z ulgą zapadali w dorożkarskie kanapy, przykrywszy sobie pledem kolana.

Popielski się nie śpieszył. Stał przed dworcem, ubrany w ciepłą bekieszę i wysokie, podbite od wewnątrz kożuszkiem lśniące sznurowane buty. Palił obojętnie papierosa i przyglądał się swoim niedawnym towarzyszom podróży, instynktownie rejestrując w myśli adresy, które podawali. Ulica taka-a-taka, Wilcza Łapa, Ponary, Antokol. Same dobre podmiejskie dzielnice. Wiedział, że jego tymczasowa kwatera znajduje się również w jednej z nich, zwanej Zwierzyńcem. Przyjeżdżał kilkakrotnie do Wilna w sprawach policyjnych, a nawet spędził tu kiedyś dwa tygodnie. Znał zatem nieźle to miasto, a nawet szczerze je lubił.

Kiedy okazało się, że tragarzy i fiakrów już dla niego zabrakło, oddał sakwojaż do przechowalni bagażu i nakazał przynieść go sobie wieczorem do kwatery przy ulicy

Krzywej 17, zapłaciwszy i za przetrzymanie torby, i za przyszły trud posłańca całe pięćdziesiąt groszy.

Pstryknął papierosem w śniegowy puch, melonik nacisnął na uszy chronione przed zimnem specjalną wełnianą opaską, ręce wbił w rękawice z foczej skóry i ruszył ulicą Kolejową na wschód. Zostawił za sobą wileński dworzec, który przypominał mu grecką świątynię podpartą dwunastoma attyckimi kolumnami i zwieńczoną trójkątnym tympanonem. Zamiast scen bitewnych i religijnych rozpierał się tam herb miasta przedstawiający Świętego Krzysztofa z małym Chrystusem na ramionach. Minął szkołę kolejową o pięknie ozdobionych oknach, która liczyła – jak wiele budynków w tym mieście – jedno tylko piętro.

Niska zabudowa, pokryte śniegiem dachy i mrugające ostatnimi błyskami gazowe latarnie nadawały Wilnu cech przytulności, by nie rzec – bajkowości. Była niedziela, dzieci nie biegły do szkoły, panowała cisza niezakłócona rykiem automobili i pokrzykiwaniami straganiarzy i domokrążców. Popielski, wielki miłośnik chwały dawnej Rzeczypospolitej Obojga Narodów, dobrze się czuł w tym mieście, gdzie krzyżowały się szlaki i kultury, pozostawiając niezatarte ślady swej duchowości: pokryte arabeskami karaimskie kienesy, cebulaste cerkwie, niewielkie synagogi i dumne barokowe klasztory.

Tak się zamyślił, że wszedłby prawie w ulicę Ostrobramską, którą zwykle zmierzał, idąc z dworca do swojego wileńskiego kolegi komisarza Hugona Zemlera, onegdaj bliskiego współpracownika. Oprzytomniał, widząc znany sobie wielki szyld reklamowy, który wisiał na dużej trzypiętrowej kamienicy przy Ostrobramskiej 29 od lat i reklamował „Wieczorowe i Koedukacyjne Kursy Maturalne prowadzone pod kierownictwem doborowych sił naukowych i pedagogicznych".

Nie powinien był iść dalej w bezwiednym poszukiwaniu starych znajomych. Miał tu zachować *incognito*, a kontakty towarzyskie kolidowały z jego misją. Ze swoim dawnym kolegą zobaczy się jeszcze kiedy indziej, a teraz czekają go zadania, które powinien wykonywać w ukryciu. Chodzenie po Wilnie groziło zdekonspirowaniem i było zabronione. Przebywać mógł w kilku zaledwie miejscach. Należały do nich dwa mieszkania, jeden zakład naukowy i siedziby dwóch firm z branży naftowej, stanowiące typowe punkty kontaktowe. Co ważne, po mieście wolno mu było poruszać się tylko dorożkami. Miał w sobie jednak wiele przekory. Już po opuszczeniu pociągu złamał zakaz i do centrum udał się *per pedes*.

Odpędził teraz zamyślenie, cofnął się i skręcił w prawo, w ciągnącą się w dół ulicę Zawalną zabudowaną jednopiętrowymi domami. Po pięciu minutach marszu minął nieczynne w niedziele hale targowe, a potem przeskoczył na lewą stronę ulicy, aby lekkim łukiem ominąć komisariat posadowiony w pięknej trzypiętrowej kamienicy. Kiedy ulica się nieco zwęziła i minął małą, lecz uroczą synagogę z lewej strony, a klasztor Franciszkanów z prawej, skręcił w lewo w ulicę Szeroką, a potem w prawo w Krupniczy Zaułek. Po chwili już był na miejscu i stał pod trzypiętrowym budynkiem, na którym wisiał szyld z napisem „Gimnazjum Humanistyczne Towarzystwa Rosyjskiego". Ucieszył się, że trafił tu bez błądzenia. Porywisty wiatr zwiększający mróz dawał mu się już mocno we znaki.

Nie było dzwonka. Nacisnął klamkę i wszedł do środka.

Stał u podnóża schodów, które kończyły się szklanymi drzwiami ruszającymi się teraz w przeciągu w tę i z powrotem. Nagle uchyliły się i na podest wytoczył się niewysoki otyły mężczyzna o bujnej szpakowatej brodzie.

– Pan dyrektor Leonid Bielewski? – zapytał Edward.

– Pan profesor Koczarski? – odpowiedział mu mężczyzna pytaniem.

Obaj przytaknęli i podali sobie ręce, po czym dyrektor zszedł na dół i zamknął drzwi na klucz.

– Nie będzie duło przez szparę w drzwiach – rzekł z silnym rosyjskim akcentem. – Wie pan, profesorze, jesteśmy prywatną szkołą, do której chodzi tylko stu uczni... Nie mamy wielu funduszy i musimy oszczędzać na opale.

Zasapał się nieco, kiedy znów znalazł się pod szklanymi drzwiami, które zaraz otworzył, przepuszczając przed sobą Popielskiego.

– Tylko stu uczni. – Nie przerywał jednak swego wywodu. – Na osiem klas, niech pan sobie wystawi... Niektórzy płacą sami za siebie, za innych płacą różne instytucje. Za Borysa Kowerdę, pańskiego przyszłego podopiecznego, na ten przykład płaci Towarzystwo Naukowe i Muzeum Białoruskie. Na raty, rzadko kiedy w terminie. A my wieczorami wynajmujemy ten budynek. Niby miało być tanio, ale wychodzi drogo. Ale co ja tu marudzę, a pan pewnie głodny, zmęczony, prosto z podróży. No proszę, proszę za mną do mojego gabinetu.

Wciąż sapiąc, szedł teraz przed Popielskim, który zerkał z niechęcią na kilka linii włosów przylizanych na czubku głowy swego przewodnika oraz na zalatujący naftaliną i stęchlizną surdut, którego kołnierz pokryty był białym pyłem łupieżu.

No cóż... – zganił siebie w myślach. – To biedny kierownik biednej szkoły. Nie stać go na krawaty od Jabłkowskich tak jak ciebie, stary aligancie.

Po chwili Bielewski otworzył przeraźliwie skrzypiące drzwi do swojego gabinetu, które, jak pomyślał Popielski, byłyby pewnie dawno naoliwione, gdyby tylko podopieczni dyrektora płacili lepiej niż „na raty, rzadko kiedy w terminie". W pomieszczeniu siedział pięćdziesięcioletni może mężczyzna oraz podobni do niego młodzi ludzie: dwudziestoletni na oko młodzieniec i niewiele młodsza dziewczyna.

– Dzień dobry! – zakrzyknął mężczyzna z silnym rosyjskim akcentem i zerwał się z krzesła. – Sofroniusz Kowerda melduje się panu dyrektorowi i panu profesorowi! Niegdyś lejtnant armii rosyjskiej, dzisiaj skromny nauczyciel szkoły ludowej w bielskim powiecie. A to moje dzieci: syn Borys i córka Irena.

Zapomniał dodać, że niegdyś eserowiec, a potem oficer Armii Czerwonej... – pomyślał Popielski, zdejmując bekieszę i melonik i uwalniając uszy od opaski.

Młodzieniec kiwnął grzecznie głową, a dziewczyna dygnęła. Popielski się odkłonił i na znak dyrektora wszyscy usiedli – Bielewski za biurkiem, a pozostali przed nim. Popielski i Kowerda senior spoczywali w wygryzionych przez mole fotelach, a jego dzieci siedziały na brzeżku wąskiej drewnianej ławki bez oparcia. Było tu zimno i smrodliwie, woń braku higieny mieszała się z odorem gryzącego dymu wpychanego przez silny wiatr z powrotem w nieszczelny komin. Gabinet był pomieszczeniem bez właściwości, zaniedbanym i straszącym przyczernionymi ścianami, służącym zapewne różnym celom w zależności od tego, kto aktualnie wynajmował budynek.

– Pan Borys Kowerda, uczeń klasy siódmej – rozpoczął dyrektor i spojrzał na młodego człowieka. – Pracuje jako redaktor, korektor i tłumacz w różnych białoruskich pismach. Sam utrzymuje rodzinę z pensji stu pięćdziesięciu złotych! Sam! Rozumie pan, profesorze Koczarski? A gdzie mieszka nasz student? We trójkę z matką i siostrą Ireną zajmują pomieszczenie mniejsze od mojego gabinetu, użyczone im przez pana Józefa Łopatto, życzliwego i znanego panu dobrze prezesa gminy karaimskiej!

Borys Kowerda, słysząc te słowa, aż się skulił z upokorzenia, natomiast jego ojcu krew napłynęła do twarzy. Zaczął gestykulować i szybko coś mówić po rosyjsku. Edward dobrze wiedział, co Kowerda senior powie, jeszcze zanim ten otworzył usta. Że z trudem znalazł nisko płatną pracę w Krzywlanach w gminie Żabinka niedaleko Brześcia Litewskiego, że sam nie może się wyżywić z tej pensji i dlatego nic nie przysyła żonie i dzieciom, że kocha rodzinę i chce z nią być, i dopiero teraz dostał urlop na święta, bo szkołę zamknięto z powodu mrozów. Nie powiedział tylko, że dużą część swej nędznej pensji zostawia w pobliskiej karczmie, a rozłąkę z rodziną osładzają mu różne krasawice, które jednak nie robią tego za darmo. Dyrektor przerwał mu, unosząc rękę. Zapadła cisza, przerywana cichym pochlipywaniem Ireny.

– Smutne to. – Bielewski uciął wątek. – Choć całe grono pedagogiczne i ja sam również bardzo lubimy i szanujemy tego studenta, który jest chłopcem sumiennym, koleżeńskim, głęboko wierzącym i nieskazitelnym moralnie... – Dyrektor zapomniał się i mówił po rosyjsku, stukając o blat biurka niezbyt czystymi palcami, które wychodziły z obciętych wełnianych rękawiczek. – To nie możemy zagwarantować mu promocji do klasy maturalnej z prostego powodu. Pan Kowerda nie zaliczył łaciny, a ta w naszym zakładzie jest obowiązkowa, podczas gdy w gimnazjum białoruskim, z którego student się przeniósł, w ogóle nie była wykładana i młodzieniec uczył się jej samodzielnie. Muszę tu dodać dla wiadomości pana profesora Koczarskiego, że pan Kowerda nie odszedł z gimnazjum białoruskiego w wyniku własnego widzimisię, ale z przyczyn ideowych. Zakład ten jest silnie infiltrowany przez bezbożne i komunistyczne czynniki. Niektórzy z kolegów pana Kowerdy szli na ich lep i z tegoż powodu prawomyślny student popadł z nimi w silny konflikt. Postanowił się przenieść do nas, gdyż jako młodzieniec honorny nie widział innego rozwiązania niż pojedynek, a na to nie chciało się zgodzić jego gorące chrześcijańskie serce. – Odkaszlnął soczyście kilka razy i znów przeszedł na polszczyznę. – Stąd dzisiejsze u mnie zebranie, którego najważniejszym uczestnikiem jest jego przyszły korepetytor z łaciny, szanowny pan profesor Wacław Koczarski, któremu głos teraz oddaję.

Popielski odchrząknął, bo swąd dymu z nieszczelnego pieca drapał go w gardle. Był zadowolony ze swojej znajomości ruszczyzny nabytej w carskiej niewoli. Z grubsza zrozumiał kunsztowny wywód dyrektora.

– Zebraliśmy się tutaj wszyscy, no, może z wyjątkiem matki mojego przyszłego studenta pani Anny Kowerdy... – odezwał się niskim głosem. – Bo jak słyszałem, zaniemogła...

– Tak, panie profesorze. – Uczeń przerwał Popielskiemu i spojrzał na niego bystro. – Zaniemogła na szkarlatynę. Tak jak ja przed rokiem.

– I ja też byłam chora – odezwała się jego siostra. – Wszyscy się pochorowaliśmy, tylko oprócz papy, bo on daleko.

– Tsssss.... – uciszył ojciec dzieci. – Nie przerywać panu profesorowi!

W odróżnieniu od dyrektora i Kowerdy seniora młodzi ludzie mówili po polsku czysto, bez śladu rosyjskiego akcentu. Popielski wiedział, że w domu rozmawiają po rosyjsku, ale poza domem od dziecka używają polszczyzny.

– Nic nie szkodzi, to jeszcze nie jest lekcja. – Uśmiechnął się i wrócił do przerwanego wątku. – Zebraliśmy się tutaj, bo wszyscy państwo muszą być świadkami mojej deklaracji i warunków, które państwu przedstawię. I wszyscy muszą je zaakceptować. Otóż oświadczam, że jako nauczyciel języków klasycznych w różnych szkołach galicyjskich, chwilowo bez stałej posady, zostałem zatrudniony i opłacony jako korepetytor pana Borysa Kowerdy. Będę pana – spojrzał na ucznia – przygotowywał do zdania materiału z łaciny, co umożliwi panu promocję do klasy maturalnej tutejszego gimnazjum humanistycznego z rosyjskim językiem wykładowym. – Nabrał tchu. – Zostałem z góry opłacony przez urzędujący w Paryżu Komitet Wielkiego Księcia Mikołaja Mikołajewicza. – Stłumił w ustach przekleństwo, gdy wymawiał imię wnuka cara, którego generałowie utopili we krwi polskie powstanie listopadowe. – O moje subsydium wystarał się honorowy prezes karaimskiej gminy wyznaniowej w Wilnie pan Józef Łopatto, u którego przemieszkują państwo Kowerdowie. Mój pokój przy ulicy Krzywej 17 w Wilnie również został opłacony z tych środków. Zdaniem wspomnianego komitetu pan Borys Kowerda jest dobrze rokującym człowiekiem i powinien ukończyć studia wyższe, do których wstępem jest matura. Zadaniem mym jest sprawić, by za niecałe pół roku w maju 1927 roku był on w stanie zdać egzamin z łacińskiego materiału wykładanego w klasie siódmej w polskich gimnazjach humanistycznych i cieszyć się promocją do klasy ósmej. Aby tego dokonać, wspomniany pan Borys Kowerda zobowiązuje się do sumiennego i niezawodnego uczestnictwa w moich lekcjach, których będę mu udzielał aż do maja codziennie w dni powszednie, niedziele oraz święta przez minimum dwie zegarowe godziny w jego pokoju przy ulicy Gimnazjalnej 8 lub u mnie przy ulicy Krzywej 17. Czy tak, panie Kowerda? Co więcej, będę uczył pana właściwego przekładania z łaciny na język polski, natomiast pan, znając wybornie rosyjski, sam już będzie nań tłumaczył wersję polską. Czy zgadza się pan na to wszystko przy świadkach?

Borys wstał i uniósł dwa palce ku górze.

– Tak mi dopomóż Bóg! – powiedział. – Zrobię wszystko, by tego dokonać. To jest moja uroczysta obietnica!

– Przy świadkach przyjmuję pańską obietnicę. – Popielski podał mu rękę. – I zobowiązuję się, że i ja dołożę wszelkich starań, aby dokonać tego wspólnego dzieła. W maju 1927 roku spotkamy się wszyscy w gabinecie pana dyrektora Leonida Bielewskiego i ocenimy, czy dotrzymaliśmy obaj swych zobowiązań. I tak, proszę państwa... I tak oto wypełniłem wolę Komitetu Wielkiego Księcia Mikołaja Mikołajewicza. – Powiódł wzrokiem po obecnych, nie wypuszczając z ręki dłoni Borysa. – On zapłacił moje honorarium, on zapewnił mi wikt i nocleg w Wilnie. „Dlaczegóż on mnie tu ściągnął aż ze Lwowa?", moglibyście zapytać. „Czyżby nie było dobrych nauczycieli w Wilnie, żeby tego bakałarza aż tu ściągać i jeszcze mu wikt i opierunek opłacać?"

– Wiemy! Wiemy, szanowny panie profesorze! – Dyrektor Bielewski pokazał zatroskane oblicze, jakby się obawiał, że Popielski zaraz się obrazi za słowa, które sam przecież wypowiedział. – Żaden z wileńskich profesorów nie ma czasu, by tak często, tak długo, kilka godzin dziennie udzielać korepetycyj, a wielki książę nie chciał powierzać nauczania jakimś studentom czy innym czynnikom niedoświadczonym.

Edward pokiwał głową, zgadzając się z tym wywodem.

– Ja zapewniam państwa, że będę robił wszystko, by tego studenta przygotować do klasy ósmej! I on tam trafi pod skrzydłami księcia i pod moją pedagogiczną pieczą! – powiedział dobitnie.

Wszyscy wokół klaskali i krzyczeli z radości. Wszystkim udzielił się podniosły nastrój. Nawet dyrektor Bielewski wytaszczył się zza swojego biurka i ściskał rękę Sofroniuszowi Kowerdzie, rozpylając wokół mąkę łupieżu. W ten oto sposób zachował w szkole kolejnego ucznia, z których każdy był na wagę złota.

Popielski poczuł znużenie spowodowane odwróconym rytmem pracy. Przymuszony przez epilepsję, która bardzo nie lubiła światła, pracował nocami, a o tej porze zwykle już spał. Poza tym miał dość tej wesołości i sztucznego patosu. Puścił rękę chłopaka i odsunął się od niego. Patrzył nań dłuższą chwilę. Borys Kowerda był szczupłym młodzieńcem o ciemnych włosach opadających mu na czoło niesfornymi kosmykami. Nosił stary garnitur o przykrótkich rękawach, z których wychodziły mankiety nie pierwszej czystości. Narzucony na ramiona płaszcz był niemiłosiernie wytarty, a postrzępiona mucha krzywo zawiązana pod szyją. Z mizerią garderoby kontrastowała siła woli bijąca z oblicza. W jego oczach kryły się mocne postanowienie i wielka zażartość. Jednakże cały ten wyraz twarzy, pełen nadętej powagi, został nieco złagodzony przez lekki kpiący i szczeniacki zgoła uśmieszek. Nie kryła się w nim jednak ani drwina, ani ironia, lecz raczej młodzieńcza nieśmiałość.

Ale może ta nieśmiałość to tylko pozory? – pomyślał Edward. – Musi być człowiekiem odważnym, skoro w klapie marynarki nosi znienawidzonego przez Polaków dwugłowego orła Romanowów.

Podszedł do swego ucznia, dotknął klapy jego marynarki i powiedział twardo ku przerażeniu ojca i siostry:

– Jeszcze jedno. I mówię to znów przy świadkach. Jestem Polakiem i nienawidzę tego herbu, który nosi pan w klapie, bo on symbolizuje tyrańską potęgę, jaka przez ponad wiek ciemiężyła moją ojczyznę. W czasie lekcyj ma pan wyjmować z klapy ten symbol, zrozumiano?

Zapadła grobowa cisza. Borys wyprostował się i patrzył Popielskiemu prosto w oczy.

– Ubolewam nad tym, co czynili carowie dzielnemu narodowi polskiemu – powiedział bardzo powoli. – Gorzkimi łzami płaczę też nad tym, co mojej drugiej ojczyźnie, za jaką Polskę uważam, zrobili bolszewicy. Ale tego symbolu nie zdejmę, bo on zupełnie coś innego znaczy. To nie jest typowy dwugłowy carski orzeł, panie profesorze. Niech pan spojrzy bliżej.

Popielski zdjął z oczu ciemne binokle, które go chroniły przed atakiem epilepsji światłoczułej. Przyjrzał się uważnie znakowi. Rzeczywiście, orzeł był dwugłowy, ale tylko jeden jego łeb i tylko jedna połowa ciała pochodziły z carskiego godła. Drugi zaś orzeł – jakby przyklejony w połowie do pierwszego – był biały i miał głowę identyczną jak ten, pod którym Popielski z milionem innych mężczyzn odpierał sześć lat wcześniej bolszewicką zarazę. Kowerda nosił w klapie symbol będący skrzyżowaniem orła polskiego i rosyjskiego. Znak pojednania obu narodów.

– No cóż... – bąknął Popielski. – Cóż... Nie widziałem dobrze. Pomyliłem się.

Rozległy się oklaski.

– A teraz pan prezes Łopatto zaprasza wszystkich na śniadanie! – krzyknął dyrektor. – Będą kołduny, kawior i bliny! Zapraszam, zapraszam w jego imieniu, panie profesorze Koczarski!

Kwadrans później byli w domu przy ulicy Gimnazjalnej 8, gdzie Józef Łopatto zajmował trzy pokoje, a czwarty nieodpłatnie udostępnił trzyosobowej rodzinie Kowerdów. Drzwi się otwarły szeroko, a Popielski poczuł na swych barkach łomotanie potężnych ramion prezesa gminy karaimskiej i usłyszał tubalny głos.

– Drogi Wacławie! Jakżeśmy się dawno nie widzieli! Co u ciebie, byku krasy?

– Dzień dobry, kochany Józefie! – wykrztusił miażdżony niedźwiedzim uściskiem.

Obaj panowie widzieli się po raz pierwszy w życiu.

MIESIĄC WCZEŚNIEJ. WARSZAWA,

POCZĄTEK LISTOPADA 1926

PIERWSZE PIĘTRA REPREZENTACYJNYCH WARSZAWSKICH kamienic zajmowane były zwykle przez ich właścicieli. Tak samo sprawy się miały w pięknym domu przy Alei Ujazdowskiej 19, który zaopatrzono we wszelkie wygody i utensylia wymagane przez najlepsze towarzystwo, czyli ciepłą wodę, windę, własną małą kotłownię, a nawet w piękny widok na zieleń parku Ujazdowskiego. Na pierwszym piętrze do początku lat dwudziestych mieszkała rodzina właściciela pana Maurycego Spornego, posiadając też dla celów własnych dwa inne dużo mniejsze mieszkania. Na początku dekady rodzina Spornych postanowiła jednak odetchnąć od wielkomiejskiego gwaru i przeniosła się na stałe na Grodzieńszczyznę, do posiadłości w Berżnikach w powiecie suwalskim. Zachowawszy w swym posiadaniu całą kamienicę, postanowili sprzedać znajdujący się w niej najelegantszy apartament oraz jedno z owych mieszkań mniejszych. Trzecie zostawili sobie jako typowe *pied-à-terre*. Wystawili ogłoszenie o sprzedaży, ale w ciężkich latach powojennych trudno im było znaleźć kupca, tym bardziej że i cena, podana w dolarach, nie należała do najniższych. W końcu, nie chcąc jej obniżyć, musieli przyjąć ofertę wynajmu, jaką złożyło im Ministerstwo Spraw Zagranicznych, które uważało, że lokal ten będzie idealny dla jakiegoś konsula albo ambasadora. Tymczasem zamieszkał w nim szef Defensywy Politycznej pułkownik Marian Swolkień. Po trzech latach telefon w Berżnikach się rozdzwonił i ofertę kupna złożył ktoś, komu pan Maurycy Sporny nigdy by nie odmówił.

Ten kupiec mógł sobie pozwolić na nietargowanie się o cenę – wszak należał do najzamożniejszych i najbardziej wpływowych ludzi w Polsce. Nowy właściciel zamieszkał tu w roku 1924, a jego pozycja towarzyska, zwłaszcza zaś słynny na całe miasto cadillac suburban na białych oponach, nadały kamienicy nowego prestiżu. Nowy lokator był człowiekiem spokojnym i taktownym. Ani on, ani jego żona, ani służąca oraz pomieszkujący okresowo krewni nie wtykali nosa w nie swoje sprawy i bardzo ich tu szanowano. Jakby odwdzięczając się za dyskrecję, sąsiedzi przymykali również oczy na pewne dziwactwa właściciela. Jednym z nich było częste udostępnianie swego mieszkania na spotkania pod nieobecność gospodarzy. Skutkowało to pewnym zamieszaniem. Wbrew przepisom porządkowym nieznani ludzie – często obcokrajowcy – kręcili się po klatce schodowej wpuszczani tu niechętnie przez stróża.

Dzisiaj jednak dozorca pan Alojzy Sorówka oniemiał wprost na widok gościa, który wszedł do bramy. Był to pan średniego wzrostu o szczupłym, pociągłym i dziobatym obliczu ciemnej karnacji. Nad wąskimi ustami starannie wypielęgnowane wąsy układały się w dwie fale. Nosił kożuch i wysoką baranią czapę oraz kalosze z wybitymi na nich literami „X.G.K.". Nie to jednak wzbudziło zdumienie poczciwego dozorcy. Kiedy przybysz rozpiął płaszcz i rzucił po polsku: „książę Galaktion Kwaracchelia do mieszkania numer cztery", Sorówka zauważył w rozpięciu kożucha granatowy mundur z akselbantami oraz – o zgrozo! – wielki zakrzywiony kindżał przypięty do pasa. Wyraz twarzy gość miał dziki, oczy przekrwione i na odległość zionął alkoholem.

Poinformowany odpowiednio i przepuszczony przez stróża, wolno ruszył na górę. Po chwili stanął oko w oko ze służącą z mieszkania numer cztery, która na widok broni białej całkiem straciła głowę i wycofała się do środka, zostawiwszy drzwi otwarte na oścież. Książę wszedł, zamknął za sobą, po czym zzuł kalosze, świecąc pięknymi lakierkami, gdy tymczasem służąca bębniła do drzwi gabinetu pana domu, gdzie od kilku minut siedzieli dwaj mężczyźni.

Jeden z nich otworzył i udał się osobiście na powitanie Kwaracchelii. Trzasnął obcasami i skłonił głowę w geście pełnym szacunku.

– Nazywam się Henryk Józewski, czcigodny książę! – powiedział. – A ponieważ ekscelencja raczył przyjść o kwadrans za wcześnie, proszę mi wybaczyć, ale muszę jeszcze dokończyć pewne sprawy w gabinecie naszego kochanego gospodarza. Tymczasem Marianna zajmie się jego ekscelencją, poda herbatę, kawę, ciastka, o, tam. – Wskazał mały salonik. – O, tam zechce się pan udać, drogi książę!

Podwójnie tytułowany mężczyzna skinął uprzejmie głową i rzeczywiście poszedł do małego salonu, świecąc lampasami spodni i lakierkami. Tymczasem Józewski wrócił do gabinetu pana domu, spojrzał na swego towarzysza, pociągnął nosem i skinął mu głową porozumiewawczo.

– Przyszedł o kwadrans za wcześnie i chyba jest pijany albo po dużym pijaństwie. Powiedz mi, Florianie, co musimy o nim wiedzieć, aby przygotować się do rozmowy. Czas nas goni.

Florian Tyzenhauz nie lubił pośpiechu. W jego rodzinnych Rakiszkach w guberni kowieńskiej, na pograniczu Litwy i Inflant Polskich, nikt się nie śpieszył, a pory dnia wyznaczało światło słoneczne. Ten sposób określania czasu był mu bardzo bliski, kiedy jako uczeń niemieckiego gimnazjum realnego w Rydze przyjeżdżał na wakacje do Rakiszek i studiował obyczaje łotewskiego ludu, który nie miał pojęcia o zegarach. Owszem, w czasie studiów medycznych na uniwersytecie w Zurychu doceniał ważną rolę wskazywania czasu. Zegary powodowały, jak przystało na ich szwajcarską ojczyznę, nie tylko to, że nikt się nie spóźniał, ale – co bardzo ważne – nikt też nie przychodził wcześniej, jak ten gruziński książę, który swym przybyciem zmusił Tyzenhauza do błyskawicznego wyrzucenia z siebie kilku zdań na jego temat.

– Niewiele mogę ci o nim powiedzieć, Henryku – mówił bardzo szybko. – Nic więcej niż to, co wiem od naszego człowieka, pułkownika Mikołaja Kandełakiego. Otóż Kandełaki zatelefonował do mnie wczoraj z Bydgoszczy, gdzie przechodzi specjalne kursa wywiadowcze. Poprosił mnie o przyjęcie swojego rodaka. Mieszkający w Warszawie książę Galaktion Kwaracchelia jest fanatycznym wrogiem Sowietów, cieszy się wśród swoich wielkim respektem i nie wylewa za kołnierz. Znany jest w wielu najdroższych lokalach naszego miasta. Wczoraj coś go bardzo wzburzyło i warszawscy Gruzini siłą go ponoć powstrzymali przed jakimś głupim i gwałtownym czynem. Przed zbrodnią, może nawet morderstwem... Kandełaki prosił nas, abyśmy go wysłuchali i za wszelką cenę odciągnęli od szalonych pomysłów. Jego czyn może mieć skutki międzynarodowe, bardzo może zaszkodzić i nam, i naszym gruzińskim przyjaciołom. Nic więcej nie powiedział, pewnie w obawie przed podsłuchem. O wszystkim się dowiemy od samego księcia.

Józewski podszedł do okna wychodzącego na park – pusty o tej rannej porze i szarpany wichrem. Ten trzydziestoczteroletni malarz, od roku przebywający w Warszawie na artystycznym stypendium rządowym, bardzo tęsknił za rozległymi polami swojej Ukrainy i za majątkiem Narutowicze pod Krzemieńcem. Tam wzrok szybował pod niebem i zatrzymywał się dopiero na odległym horyzoncie, tutaj zawsze znajdował jakieś ograniczenia – ściany sąsiednich domów, parkany czy drzewa pobliskich parków. Nie oddałby jednak za nic ekscytującej atmosfery, jakiej teraz miał okazję zakosztować w Warszawie. Ten młody prometejczyk tylko tutaj mógł zbierać intelektualne siły, tylko tu mógł czytać i studiować historię, a jednocześnie ją tworzyć, by potem wyniki swych naukowych eksploracji i osobistych doświadczeń zanieść na Wołyń i wcielać je w życie. W od-różnieniu od dużo starszego od siebie kolegi doktora Tyzen-hauza Józewski bardzo lubił niespodzianki.

Podziękował przyjacielowi kiwnięciem głowy i udał się do gruzińskiego księcia. Poprowadził go do gabinetu. Gość wszedł sztywnym krokiem, przywitał się z Tyzenhauzem, poprosił o powtórzenie jego nazwiska, po czym ciężko zapadł się w fotel. Służąca, postawna i wysoka Marianna, przyciągnęła za nim wózek z małą tacką, na której stały karafka koniaku, kieliszek i popielniczka.

Galaktion Kwaracchelia miał napuchniętą i czerwoną twarz. Kiedy usadowił się wreszcie i westchnął ciężko, w gabinecie rozeszła się silna woń przetrawionego alkoholu. Józewski, który był abstynentem, aż się cofnął pod jej wpływem, Tyzenhauz nawet okiem nie mrugnął.

– Czym możemy panu służyć, ekscelencjo? – zapytał doktor po rosyjsku.

Gruzin uznał to za naturalne, że rozmawia z nim starszy z mężczyzn, a młodszy, który go powitał, jest kimś w rodzaju asystenta, sekretarza, w każdym razie – stoi nieco wyżej od kamerdynera. Przestał zatem zauważać Józewskiego i zwracał się tylko do Tyzenhauza. Używanie języka Rosjan, znienawidzonych wrogów, uważał również za coś naturalnego. Jak mieliby się porozumiewać sojusznicy, którzy byli absolwentami tych samych carskich gimnazjów, uniwersytetów czy szkół kadetów, jeśli nie w języku, w którym zostali wykształceni lub – jak chcieli Moskale – wyhodowani jak żmije na łonie matuszki Rosji?

Gruzin odezwał się chrapliwym głosem.

– Chciałem wczoraj zabić ważnego człowieka Sowdupii. – Zniekształcił i tak już pogardliwą nazwę „Sowdepia", jak określano Związek Sowieckich Socjalistycznych Republik. – Ale moi bracia mnie powstrzymali... Chciałem zabić tego psa nieczystego!

Chlusnął w gardło koniakiem i sięgnął do kieszeni po papierośnicę. Otworzył ją i wyciągnął do Tyzenhauza. Ten wyjął spod gumki czarną wąską cygaretkę i powąchał. Po chwili obaj wypuszczali kłęby gryzącego dymu. Niepalący Józewski dmuchnął na niebieskawe smugi, które się ku niemu zbliżały.

– Wczoraj była ładna pogoda. – Z gardła gościa dobył się groźny warkot. – Wybrałem się z moją córką Tamar na przedstawienie do Cyrku Staniewskich na Ordynacką. W przerwie poszedłem z dzieckiem do bufetu. Tamar siedziała grzecznie przy stoliku, a ja w te pędy do lady, aby kupić cukierków i herbaty dla małej oraz coś na wzmocnienie dla siebie.

Józewski, słysząc „na wzmocnienie", skrzywił się lekko, co nie uszło uwagi Gruzina.

– Kolejka była długa, wciąż w niej stałem, kiedy zadzwoniono na nowe występy. Zawołałem Tamar i kazałem jej iść na widownię i na mnie nie czekać. Napisałem jej na kartce rząd i miejsce, żeby zapytała w razie czego. To rezolutna dzieweczka, dziewięć lat już ma. A ja tylko na chwilę do bufetu. Bo przecież obiecałem dziecku cukierki. Obietnicy ojcowskiej dotrzymać trzeba.

Już ty nie po czekoladki stałeś, pijaku – pomyślał Tyzenhauz, lecz nie zdradził się z tą myślą ani grymasem.

Dziewięć lat! – wściekł się w myślach Józewski. – Już ci to dziecko trafi samo na widownię! Popychane przez prostaków, skołowane na licznych korytarzach!

– Pokrzepiwszy się, poszedłem z cukierkami na nasze miejsca. – Kwaracchelia teraz prawie krzyczał. – A tam nie ma Tamar. Nie ma! Zacząłem szukać, rozgarniać ludzi, pytać! Nikt nie widział dziecka! Nie wróciła na widownię. Biegnę na dół, szukam, nagabuję wszystkich, krzyczę. I nagle jakaś kobiecina, sprząta tu chyba, mówi mi, że widziała dziecko, dziewczynkę moją, widziała! Jak do toalety z jakimś panem szła... Eleganckim, pięknie ubranym, pachnącym perfumą! Tam! Tam!, pokazuje.

Gruzin zaciągnął się cygaretką i wolno wypuścił dym. Twarz jego była purpurowa, a worki pod oczami napuchły sinością jak chmury obciążone deszczem.

– Wchodzę do ubikacji i słyszę jęk mojego dziecka. Widzę cień pod drzwiami. Rusza się i rusza ten cień. Walę w drzwi!

Książę zerwał się z fotela, a barania czapa spadła mu z głowy, odsłaniając gęste, szpakowate i mokre od potu włosy. Jego płuca pracowały, wydając z siebie świsty i zgrzyty.

– Walę, rozbijam drzwi w drobny mak! – krzyknął. – I wpadam do kabiny razem z drzwiami. Moja Tamar siedzi związana na zamkniętej muszli. Buzię ma plastrem zaklejoną. A nad nią chłop jakiś rusza się i jęczy... Rusza się i jęczy...

Zapadła cisza. Za drzwiami gabinetu słychać było trzask parkietu. Pewnie służąca podsłuchiwała zaniepokojona okrzykami Gruzina.

– U nas na Kaukazie... – Kwaracchelia usiadł ciężko w fotelu, patrzył tępo przed siebie, a jego krzyk zamienił się w szept. – U nas na Kaukazie, kiedy mężczyzna jest palony żądzą, idzie taki do zagajnika, rękojeścią kindżału dziurę w ziemi zrobi i z ziemią ojczystą się połączy, w niej nasienie swe zostawi... – Spojrzał bezradnie na Tyzenhauza. Z oczu zaczęły mu kapać łzy. – W ziemi taki zostawi, w ziemi – szeptał. – Ale nie na twarzyczce dziecka niewinnej...

Urwał i się rozszlochał. Obaj prometejczycy stali nad nim z opuszczonymi rękami, nie wiedząc, jak się zachować: czy pocieszać nieszczęsnego ojca, czy wypytywać o dalszy przebieg zdarzeń?

Kwaracchelia spojrzał na nich od dołu. Był zlękniony, zrozpaczony. Zacisnął mocno pięści, ale już nie płakał. Mówił teraz swym zwykłym, zachrypniętym głosem.

– Chwyciłem go za marynarkę. Wyrwał się. Został mi w dłoni kawałek podszewki. Elegancka, ze znakiem słynnym na całą Warszawę. Odepchnął mnie i uciekł. Nie mogłem gonić, dziecko płakało, wyciągało do mnie rączki... Wytarłem jej buzię tą podszewką. Mam ją tutaj.

Sięgnął do kieszeni. Józewski potrząsnął głową ze wstrętem, rzucił się do biurka, zakręcił wałkiem małej maszyny do pisania Remington i położył na stole czysty arkusz.

– Niech pan to położy tutaj, ekscelencjo – powiedział Tyzenhauz, wskazując brodą kartkę leżącą na środku stołu.

Spoczął na niej kawałek białego jedwabiu, na którym naszyta była brązowa metryczka ubrania, w jaką krawcy zaopatrywali garnitury, aby się nie pomylić i wydać właściwy klientowi. Obaj prometejczycy pochylili się i przeczytali nazwę firmy i nazwisko właściciela. Raz, drugi i trzeci. Kiedy podnieśli głowy, Gruzin zobaczył na ich twarzach bezgraniczne zdumienie.

– Tak, tak – powiedział po polsku i odczytał metryczkę. – „Adolf Zaremba, Warszawa, ul. Wspólna 36", a poniżej „W-emu Panu Ambasadorowi Piotrowi Wojkowowi". Co jest za skrót „W-emu", drodzy panowie?

– Wielmożnemu – rozszyfrował go Józewski.

– Wielmożnemu – powtórzył Gruzin, a potem roześmiał się, odsłaniając małe drobne zęby. – Szkoda, że nie „Jaśnie Wielmożnemu"...

Wstał i rozprostował kości, po czym powoli wyciągnął zza pasa kindżał. Zadźwięczało ostrze wyciągnięte z pochwy. Błysnęło na nim światło gabinetowej lampy. Obaj Polacy ani drgnęli.

– Oto, co chciałem zrobić „wielmożnemu". – Kwaracchelia mówił znów po rosyjsku, wskazując palcem drugiej ręki na podłużny arabeskowy wzór na ostrzu. – Aż do tego miejsca chciałem mój nóż zanurzyć w gardzieli tego ścierwa... Aż dotąd. I pokręcić kilka razy...

Jednym ruchem zrzucił na podłogę kartkę papieru z podszewką wydartą z garnituru zboczeńca. Wydał z siebie charkot, jaki pewnie dobywałby się z rozoranej krtani zabijanego.

– Wieczorem pobiegłem z kindżałem do sowieckiej ambasady. Ale moi gruzińscy bracia byli czujni, powstrzymali mnie na ulicy. Najpierw spotkaj się z Polakami, powiedzieli, z ważnymi Polakami. Oni ci powiedzą, co masz robić! No, to powiedzcie mi, panowie Polacy, co robić. Co mnie robić?

Henryk Józewski zaczął chodzić po gabinecie. Miękki dywan w geometryczne wzory tłumił jego kroki. Spacerował, dotykał błyszczącego nowoczesnego biurka i szafy z zasłoniętymi szybkami, jakby chciał, by te solidne sprzęty udzieliły mu zdecydowanej zdroworozsądkowej rady.

O szyby zabębniły krople. Tyzenhauz zbliżył się do okna i zasłonił je gęstymi ciężkimi kotarami, jakby się bał, że ktoś siedzi na czubku któregoś z sieczonych deszczem drzew i ich wszystkich fotografuje.

Pierwszy odezwał się Józewski:

– Zabicie ambasadora Rosji Piotra Wojkowa, jednego z morderców cara, sowieckiego bohatera, grozi panu śmiercią, szanowny książę! A Polsce niewyobrażalnymi wręcz konsekwencjami. Z wojną włącznie!

Kwaracchelia stał wciąż z wyciągniętym kindżałem.

– Nie palisz, przeszkadza ci alkohol – skonstatował, patrząc na Józewskiego pogardliwie. – Masz dzieci, chłystku? W ogóle jesteś żonaty? Jesteś w ogóle mężczyzną?

Malarz miał pociągłą twarz i gęste błyszczące od brylantyny włosy zaczesane na czoło. Ta fryzura oraz delikatna uroda upodobniały go do młodego amanta filmowego. Koledzy po cichu nazywali go Bodo. Jednak jego jasne oczy nie miały w sobie nic łagodnego ani uwodzicielskiego – były spokojne i zimne jak stal. Mało kto miał w sobie tyle opanowania i silnej woli co ów artysta.

– Jestem żonaty od lat siedmiu – odparł cicho. – I jak dotąd nie dorobiłem się dziatwy...

Książę uniósł dłoń i wziął potężny zamach. Świst noża przeciął powietrze i kindżał zadrgał w podłodze między szparami jej wypastowanych desek. Przygważdżał kawałek jedwabiu z napisem „W-mu Panu Ambasadorowi Piotrowi Wojkowowi".

– My, Gruzini, i wy, Polacy, jesteśmy przyjacieli – rzekł, kalecząc nieco polszczyznę. – To nie tylko, że jesteśmy u was i z wami z politycznych racyj. Ale też wy dla nas i my dla was przyjacieli. A u nas na Kaukazie przyjacieli się pomagają, a u nas na Kaukazie za taką straszną zbrodnię na dziecku jest jedna jedyna zemsta. Wycięcie jaj. Kastracja? Tak to się nazywa u was?

Prometejczycy spojrzeli po sobie z zakłopotaniem. Zrozumieli, że Kwaracchelia, przechodząc na język polski, chciał jeszcze mocniej podkreślić wzajemną przyjaźń. Znali zbyt dobrze różne sztuczki emocjonalne, by nie odebrać jego zachowania jako sentymentalnej pułapki, którą na nich zastawił. Gdyby mu teraz odmówili, pojawiłoby się u nich coś w rodzaju poczucia winy.

– Ja nie przyszedł was prosić o radę! Ja zostawiam ten kindżał. Jak wy mi oddacie dzisiaj ten kindżał, to wy wrogi, nie przyjacieli. Jak nie oddacie, to my razem, wy i my, razem... te jaja razem mu wyrżniemy.

Pogładził swe akselbanty, odwrócił się i wyszedł bez pożegnania.

Po jego wyjściu obaj prometejczycy długo jeszcze siedzieli w gabinecie pana domu. Dyskutowali zażarcie o tym, czy wesprzeć księcia organizacyjnie i pozwolić mu rozpłatać gardło Wojkowa, czy też zdecydowanie wpłynąć na gruzińskich przyjaciół, aby powstrzymali furiata. Nie mogli podjąć decyzji. Mieli zbyt mało informacji o aktorach ewentualnego dramatu. Minęło ponure południe, zapaliły się pierwsze latarnie, a oni wciąż rozmawiali, aż osiągnęli porozumienie.

Ani dzisiaj, ani w dniach następnych nie oddali kindżału Gruzinowi.

Spotkali się gdzie indziej 11 listopada 1926 roku. Po wielkiej paradzie na placu Saskim z okazji Święta Niepodległości trzej mężczyźni udali się do słynnej restauracji Simon i Stecki tuż przy pałacu Rady Ministrów przy Krakowskim Przedmieściu. Przywitał ich sam właściciel lokalu, pan Ostrowski. Poprowadził do piwniczki zwanej skarbczykiem, gdzie byli zupełnie sami i mogli rozmawiać swobodnie. Gdy na zwykłej beczce służącej tu za stół kelnerzy rozkładali czysty papier, namiastkę obrusu, a na nim ustawiali kieliszki, butelkę mocnej starki od Korkozowicza, salaterki ze śledziami, sardynkami i z ostrygami pokropionymi cytryną i posypanymi smażonym czosnkiem, goście gawędzili o pogodzie. Kiedy kelnerzy się ulotnili i zamknęli za sobą drzwi, panowie przeszli do spraw ważnych.

Przede wszystkim ustalili, że zawiązują triumwirat i na razie nikt spoza ich grona nie może wiedzieć o ich planie – nade wszystko należy go utajnić przed szefem wywiadu i kontrwywiadu wojskowego podpułkownikiem Tadeuszem Schaetzlem. Potem wymienili się wiadomościami. Józewski wiedział wszystko o brudnych sekretach Wojkowa, Tyzenhauz – wszystko o gruzińskim arystokracie. Właściciel mieszkania przy Alei Ujazdowskiej 19, który tym razem do nich dołączył, wręczył im pewien dokument. Był to zaopatrzony w adnotacje służbowe urzędowy życiorys pewnego policjanta i przez jakiś czas oficera Defensywy Politycznej. Oficer ów nazywał się Edward Popielski i mieszkał we Lwowie.

– Tak, moi drodzy. – Trzeci triumwir cedził słowa, a Tyzenhauz i Józewski patrzyli uważnie na dokument. – Ten Popielski bardzo, ale to bardzo nie lubi lubieżników dziecięcych... No, czytajcie, czytajcie, kochani.

Obaj panowie zagłębili się w lekturze.

Trzeci triumwir wyjął gruziński kindżał i położył go na prowizorycznym stole.

LWÓW, 15 X 26 R.

ŻYCIORYS

Ja, niżej podpisany Edward Aureliusz Popielski urodziłem się dnia 4 września 1886 roku w Borysławiu z ojca Paulina Popielskiego i matki Zofii z Tchórznickich. Ojciec mój był inżynierem w rafinerji „M. Stern i Spółka" tamże. Dziadowie po mieczu byli właścicielami ziemskimi dóbr Korniłówka w okolicach Korsunia w dawnem województwie bracławskiem. Za udział w powstaniu styczniowem mojego dziada Agamemnona Popielskiego herbu Siekierz spotkały dotkliwe kary ze strony władz carskich: konfiskata majątku oraz zesłanie na Syberję. Mimo szykan udało się mojemu dziadowi zachować odpowiedni fundusz, który umożliwił studia mojego ojca, a jego syna, na politechnice w Rydze.

Gdy mam lat dziewięć, w roku 1895, giną moi rodzice zamordowani przez bandytów w czasie podróży kolejowej do Odessy. Ja w tem czasie przebywam w Stanisławowie u wujostwa mego. Po śmierci rodziców wychowaniem mojem i edukacją zajęli się brat mej matki Klemens Tchórzchnicki, profesor geografii w C.K. Gimnazyum I z polskiem językiem wykładowem w Stanisławowie, oraz jego małżonka Władysława z Czerskich. W latach 1897–1905 uczęszczałem do pomienionego powyżej gimnazjum, znaczne postępy czyniąc zwłaszcza w matematyce i w językach klasycznych. Po zdaniu matury w roku 1905, samodzielności większej pragnąc, udałem się bez zgody wujostwa na studia do wiedeńskiej Wyższej Akademii Eksportu Handlowego (Exportakademie), gdzie z oddaniem studiowałem języki obce orjentalne (turecki i perski). Na skromną stancję, wikt i opierunek zarabiałem korepetycjami z zakresu łaciny i greki. Niewystarczające jednak me pobory z racji tych prywatnych lekcyj uzyskiwane zmusiły mnie do zmiany uczelni, na której czesne nie byłoby tak dojmujące. Od roku akademickiego 1906/07 do 1913/14 z pewnemi przerwami spowodowanemi niedostatkiem zdrowia i środków studiowałem na Uniwersytecie Wiedeńskim – najpierw matematykę, później filologię. Dysertacja pt. *Die Prosodie der griechischen Lehnwörter bei Plautus*, napisana pod kierunkiem prof. Edmunda Haulera, i tytuł *doctor philosophiae* były ukoronowaniem moich długich studiów wiedeńskich. W temże czasie byłem aktywnem członkiem organizacji Polskie Towarzystwo Gimnastyczne „Sokół".

W roku 1914 udałem się do Przemyśla, gdzie podjąłem pracę jako nauczyciel suplent w C.K. Gimnazyum z polskiem językiem wykładowem. Po wybuchu wojny zgłosiłem się do wojska austriackiego jako tzw. jednoroczny ochotnik. Przebywałem w twierdzy Przemyśl i po zdaniu egzaminu oficerskiego awansowałem do stopnia porucznika, a potem nadporucznika zwykłego w styczniu roku 1915. Traf chciał, że doceniono moje zdolności językowe i krótko później zostałem zastępcą adiutanta samego komendanta twierdzy Przemyśl, generała Hermanna Kusmanka von Burgneustädten. Po upadku twierdzy w marcu 1915 dostałem się wraz z dowódcą do rosyjskiej niewoli.

W latach 1915–17 przebywałem w niewoli rosyjskiej w Niżnem Nowogrodzie. Na życie zarabiałem hazardem (karty i szachy). W roku 1917 uciekłem z niewoli i pod fałszywem nazwiskiem dotarłem do Biełgorodu do rezerwowego pułku Dywizji Strzelców Polskich pod komendą gen. Tadeusza Bylewskiego. W lipcu 1917 r. pod Husiatynem odszedłem z armii carskiej i do 1918 r. ukrywałem się przed Austriakami w rodzinnem Stanisławowie. W listopadzie tegoż roku, kiedy to miasto stało się stolicą Zachodnioukraińskiej Republiki Ludowej, uciekłem do Lwowa wraz z moją kuzynką Leokadią Tchórznicką, jedyną z rodziny wujostwa Tchórznickich, która ocalała po Wielkiej Wojnie. Niedługo później, dowodząc kompanią ochotników, walczyłem na Persenkówce o miasto Lwów przeciwko ukraińskim oddziałom. W roku 1919 ożeniłem się we Lwowie z aktorką Stefanią Gorgowicz, którą poznałem był kilka lat wcześniej w Wiedniu. (Żona ma zmarła w 1920 przy porodzie zdrowej dziewczynki, której nadałem imię Małgorzata *alias* Margarita, *alias* Rita). W roku 1920 zgłosiłem się na front polsko-bolszewicki i walczyłem na terenie ob. województwa poleskiego i wołyńskiego, głównie w okolicach Mozyrza. Zimą 1920 wróciłem z wojny i wstąpiłem do Urzędu Śledczego Komendy Wojewódzkiej Policji Państwowej we Lwowie, gdzie uzyskałem tytuł aspiranta, a rok później podkomisarza policji. Jesienią i zimą roku 1922 zostałem skierowany do czasowej dyspozycji płk. Mariana Swolkienia, szefa Defensywy Politycznej. Brałem udział w misji „Dziewczyna o czterech palcach" (ściśle tajne). W kwietniu roku 1923 uzyskałem z rąk Pana Ministra Spraw Wewnętrznych awans na komisarza. We Lwowie wraz kuzynką Leokadią Tchórznicką oraz córką Ritą mieszkam do dnia dzisiejszego przy ul. Kraszewskiego 3.

Z poważaniem
Edward Popielski [podpis czytelny]

ADNOTACJE SŁUŻBOWE

Dot. umiejętności. Biegła znajomość języka niemieckiego w mowie i w piśmie, bardzo dobra rosyjskiego, słaba: tureckiego i perskiego.

Dot. stanu zdrowia. Podkom. Popielski zataił w przedstawionem życiorysie fakt swej choroby. Od roku 1895 (data śmierci jego rodziców) cierpi na padaczkę światłoczułą (*epilepsia photosensitiva*), której ataki powodowane są przez drgające źródła światła. Ona to zmusiła go do zmiany kierunku studiów z matematyki na filologię (wykłady i ćwiczenia z tej dziedziny odbywały się w Wiedniu akurat popołudniową i wieczorną porą). Aby się uchronić przed napadami choroby, podkom. Popielski nosi czarne cwikiery i za zgodą zwierzchników pracuje głównie w porze nocnej, za dnia śpiąc i pozostając w domu. Choroba podkom. Popielskiego i jego nietypowe nocne działania zostały zaakceptowane przez lwowskiego komendanta wojewódzkiego Policji Państwowej inspektora Waleriana Wilczyńskiego z uwagi na wysoką efektywność działań policyjnych i śledczych.

Dot. moralności i spraw prywatnych. *Primo*. Wielu informatorów uważa, iż podkom. Popielskiego łączy z panną Leokadią Tchórznicką większa zażyłość niż ta pomiędzy kuzynostwem. Podkom. Popielski nie kryje się ze swoją słabością do płci nadobnej i informatorzy przypuszczają, iż jego comiesięczne kolejowe wycieczki do Krakowa (salonką!) w towarzystwie jednej lub dwu młodych kobiet wiadomej reputacji mają charakter pijackich i erotycznych orgij. Do tej pory nie potwierdzono jednak tych pogłosek, wspomnianych kobiet nie zatrzymano ani nie przesłuchano, a zwierzchnicy podkom. Popielskiego (inspektorzy

Juliusz Brylewski i Walerian Wilczyński) zaprze-
czają zdecydowanie tym doniesieniom, nazywając
je plotkami. *Secundo*. W czasie wiedeńskich lat studenckich podstawowem źródłem utrzymania podkom.
Popielskiego były nie tylko korepetycje, lecz w wielkim stopniu także hazardowa gra w szachy i w karty
w kawiarniach. *Tertio*. W środowisku przestępczem
Lwowa podkom. Popielski jest obdarzony przydom-
kiem Łyssy i cieszy się tam osobliwem respektem jako
ten, co dotrzymuje słowa (danego również czynnikom
przestępczym). Tajne śledztwo poprowadzone pod
mojem kierunkiem nie wykazało żadnych niezgod-
nych z prawem umów pomiędzy podkom. Popielskim
a temże środowiskiem. *Quarto*. Podkom. Popielski
jest w zażyłych stosunkach z wieloma Rusinami, między innymi ze znanym lwowskim medykiem sądowem,
dr. Iwanem Pidhirnym. W czasie wojny polsko-bolsze-
wickiej zawarł liczne przyjaźnie z Białorusinami, zna
osobiście m.in. gen. Stanisława Bułak-Bałachowicza.
Podkom. Popielski wielokrotnie publicznie ogłaszał
swoją nienawiść do Sowietów, tudzież swoją wielką
atencję wobec Marsz. Józefa Piłsudskiego, a zwłaszcza wobec jego planów federacyjnych.

Dot. policyjnych spraw wewnętrznych. Dnia 18 sierpnia br. w Więzieniu Karno-Śledczym przy ulicy Kazimierza Wielkiego 24 we Lwowie został zabity niejaki
Józef Miętki, skazany za czyn lubieżny na nielet-
niej Celinie H. Zabójstwa dokonał i przyznał się do
niego osadzony tamże niejaki Franciszek Socha, lat 62.

Ponieważ Socha był dawnym informatorem podkom. Popielskiego, a sam podkom. Popielski zareagował bardzo żywiołowo na wieść o zbyt niskim jego zdaniem wyroku na Miętkiego i pobił tegoż (zob. artykuły gazetowe z lipca i sierpnia br.), pojawiły się podejrzenia, jakoby podkom. Popielski był zamieszany w to zabójstwo. O ile mi jest wiadomem, śledztwo w tej sprawie prowadzi pokom. Celestyn Brodziński, oddelegowany do Inspektoratu Spraw Wewnętrznych Komendy Głównej Policji Państwowej.

[pieczątka]

Kom. Antoni Cewe

inspektor ds. wewnętrznych

Komendy Głównej

Policji Państwowej

[podpis nieczytelny]

WILNO, POŁOWA STYCZNIA 1927 ROKU

NA WIEŻY BAZYLIKI ŚWIĘTEGO STANISŁAWA, która wyglądała jak grecka świątynia, wybijała godzina ósma rano. Była mroźna niedziela – już szósta, którą Popielski spędził w Wilnie na swej osobliwej posadzie guwernera. I nauczyciel, i uczeń mieli za sobą ponad sześćdziesiąt godzin bardzo owocnych korepetycji, co odpowiadało trochę więcej niż pięciu miesiącom nauki w normalnym wymiarze przeznaczonym na łacinę w gimnazjach humanistycznych. I wynik czasowy, i – co najważniejsze – dydaktyczny był zatem bardzo dobry. Przez cały grudzień – z kilkudniową przerwą na święta, które Edward spędził we Lwowie na łonie rodziny – pracowali rzeczywiście tylko przez dwie godziny dziennie, bo więcej się nie dało wobec innych nauk pobieranych przez Borysa w szkole oraz przy jego zajęciach dziennikarskich, korektorskich i tłumaczeniowych. Po katolickim Nowym Roku korepetytor podwoił jednak na czas jakiś zajęcia, bynajmniej nie dlatego, że uczeń opuszczał się w nauce. Edward chciał nadrobić minione dni, które jako urzędowe święta były wolne od nauki. Udało mu się to wybornie. Wszystko szło zgodnie z planem. Kiedy preceptor stwierdził, że oto osiągnęli półmetek materiału, postanowił uczcić to wydarzenie.

Najpierw chciał udać się jakiejś nocy na przedmieście Zarzecze, do szemranej dzielnicy czerwonych latarń, aby tam skosztować słynnej nalewki tryżdiwinis, trojanki litewskiej, i w jakimś burdelu dać upust męskim siłom. Zrezygnował jednak z tego pomysłu, bo dzielnica była niebezpieczna, o czym dowiedział się kilka lat wcześniej od swojego wileńskiego kolegi Hugona Zemlera. Nie strach stał się jednak głównym powodem rezygnacji z tego rodzaju uciech. Edward, mężczyzna silny i noszący przy sobie rewolwer, a poza tym dobrze obeznany z ponurymi zaułkami Lwowa i jeszcze kilku innych polskich miast, nie bał się ataków bandyterki, lecz skutków, jakie mogą się pojawić po ewentualnej bijatyce czy strzelaninie. Przyjazd furgonu policyjnego, który ktoś zawezwie zaalarmowany hałasem, legitymowanie przez funkcjonariuszy, odpowiadanie na pytania – to wszystko groziło zerwaniem statusu *incognito*, na którym tak bardzo mu zależało. Musiał zatem z żalem ten plan porzucić i wybrać inną, jakąś łagodniejszą formę świętowania cząstkowego sukcesu dydaktycznego. Postanowił otóż zjeść obfite śniadanie – w niedzielę o godzinie ósmej rano, gdy wielu wilnian dopiero wstawało i witało dzień. Dobre śniadanie – nie mówiąc już o chwili zapomnienia w ramionach jakiejś młodej damy – było tym, czego mu w Wilnie najbardziej brakowało. W czasie świątecznego pobytu we Lwowie w każdej wolnej chwili bawił się z córeczką Ritą, lepił z nią bałwana w Ogrodzie Jezuickim lub zjeżdżał na sankach z Wysokiego Zamku, a wieczorami dyskutował lub spacerował po zaśnieżonym mieście ze swoją ukochaną kuzynką Leokadią, kobietą wielkiej bystrości umysłu i subtelnego, ironicznego poczucia humoru. W dwa świąteczne poranki natomiast przeżywał najwyższe uniesienia smakowe, kiedy to zajadał się wspaniałymi sałatkami, szynką i majonezikami, a nawet kotlecikami cielęcymi ze szpinakiem – dziełami sztuki kulinarnej, które wyszły spod pracowitych dłoni ich służącej Hanny o osobliwym nazwisku Półtoranos.

To, co czekało go w Wilnie na stole każdego ranka, nie było nawet cieniem lwowskich smakołyków. Będąc zakwaterowanym w małym pokoiku gościnnym zakładu, oznaczonym szyldem „Przytułek dla starców rosyjskich, ulica Krzywa 17", został zmuszony do jedzenia tego, co spożywali jego rezydenci. Dzień w dzień dostawał na śniadanie zupę uchę z kawałkiem okonia lub płoci albo słodkie kluseczki z miodem, zwane tu „sliżykami".

Ponieważ wiedział, że dobrych śniadań, jakie jadał w domu lub w słynnej lwowskiej jadłodajni u mamy Teliczkowej, skosztuje dopiero w czasie Świąt Wielkanocnych, a na dobre wróci do nich na co dzień dopiero latem, to zdecydował, że tej niedzieli uda się do słynnego hotelu St. Georges sąsiadującego z jeszcze słynniejszym domem handlowym Braci Jabłkowskich przy reprezentacyjnej wileńskiej ulicy, której miano dał, co nie dziwiło wcale, najsłynniejszy człowiek związany z tym miastem, czyli poeta Adam Mickiewicz. Dla jak najmniejszego narażania swojego *incognito* Popielski wybrał najwcześniejszą możliwą porę, czyli moment otwarcia hotelowej restauracji. Wobec braku innych gości tylko szatniarz i kelner zwracali na niego uwagę, o późniejszej porze widziałoby go i ze względu na charakterystyczną aparycję zapamiętało znacznie więcej osób.

Siedział zatem tutaj jako najwcześniejszy dzisiaj i jedyny zresztą klient. Podziwiał przepych pomieszczenia – palmy, witraże, piętrowe lady – wsłuchiwał się w uderzenia zegara na wieży Świętego Stanisława i starannie wsuwał wielką wykrochmaloną serwetę pomiędzy grdykę a kołnierzyk koszuli. Przed nim stał koszyk z czarnym, zbitym, lekko kwaskowatym chlebem, który akurat nie należał do jego ulubionych dodatków. Za to na pewno były nim świecące się od roztopionego masła talarki kartofli, którymi przyozdobiono salaterkę z pierwszym głównym daniem jego porannego posiłku – dwoma cielęcymi nóżkami, rumianymi i chrupiącymi od ciasta, w którym zostały usmażone.

Kiedy Edward je zajadał, popijając aromatyczną herbatą, jakiej mu nalano z ogromnego samowaru, nie myślał o niczym innym poza symfonią smaków w swoich ustach. Po zaspokojeniu pierwszego głodu zapalił papierosa Wybornego

Egipskiego i zrozumiał, że nie było chyba lepszego sposobu na uczczenie swoich dydaktycznych dokonań.

No, może poza przytuleniem jakiejś dziuni – zamarzył. Za chwilę jego myśli wróciły do spraw dydaktycznych. Borys Kowerda był wdzięcznym uczniem. Jego błyskotliwa inteligencja i determinacja przyniosłyby owoce nawet przy mniejszym trudzie pedagogicznym niż ten, który w czasie lekcji wydatkował Popielski. Nauczyciel żartował w duchu, że tego chłopaka nauczyłby łaciny pierwszy lepszy braciszek klasztorny. Kowerda nie popisywał się przy tym swoimi zdobyczami naukowymi. Będąc ze swym profesorem w dość bliskiej zażyłości, nie pozwalał sobie jednak na żadne śmichy-chichy i nie zadawał głupkowatych pytań. Sprzyjał temu oczywiście system ich pracy – twarzą w twarz – nie zaś nauczanie w klasie pełnej chłopców, gdzie przywództwo i autorytet w grupie wykuwa się dowcipkowaniem i błazenadą. Kowerda może i miał skłonność do psot, ale nie miał przed kim psocić.

Przychodził do swego nauczyciela na Krzywą lub – rzadziej – przyjmował go w swym skromniutkim pokoiku na Gimnazjalnej u prezesa Łopatty, na tyłach żeńskiego gimnazjum imienia Elizy Orzeszkowej, i z miejsca był przepytywany z tego, co poznał był poprzedniego dnia. Potem następowały wykład gramatyczny i seria ćwiczeń do nowego materiału, które Popielski wypisywał lub układał nocami. Następnie zabierali się do tłumaczenia czytanek z podręczników, a wobec ostatnich świetnych postępów ucznia do analizy fragmentów *Wojny galijskiej* Juliusza Cezara. To zresztą wymagało od preceptora niejakiego narażenia swego *incognito*. Nie przewidziawszy tak szybkiego tempa pracy, potrzebował on dodatkowych materiałów do nauczania. Musiał zatem się udać do jednego ze swoich punktów kontaktowych, a mianowicie do Państwowych Zakładów Naftowych przy Jagiellońskiej 8, gdzie panu Erazmowi Bispingowi, kierownikowi *pleno titulo* Działu Olejów Gazowych do Napędów Motorów, Smarów Maszynowych, Asfaltu i Parafiny, który był oczywiście człowiekiem zaufanym i nie zadawał niepotrzebnych pytań, zlecił dostarczenie sobie tekstu i dwóch dobrych komentarzy do wspomnianego łacińskiego dzieła. Nie miał poza tym większych kłopotów z nauczaniem. Filologia klasyczna, której poświęcił – licząc także swoje samodzielne i intensywne eksploracje i lektury jeszcze w gimnazjum – prawie pół życia, nie dawała łatwo o sobie zapomnieć.

Kiedy podano drugie danie – makaron zapiekany z grzybami – udało mu się uchwycić i nazwać pewien nieokreślony niepokój, który go kłuł w przeponie od kilku dni.

– Tak, rozumiem – szeptał sam do siebie, nakładając na widelec bryłkę sera, makaronu i grzybów. – Już teraz rozumiem, co mnie tak męczyło.

A źródłem jego turbacji było poczucie fałszu, jakie rozlewało się od dawna w jego głowie. Bo oto został przez swojego ucznia obdarzony bezgranicznym zaufaniem, podczas gdy on, Popielski, chce go niecnie wykorzystać w szpiegowskiej aferze! Młody człowiek okazuje mu niemal synowskie oddanie, a on tylko czeka na właściwy moment, aby mu podrzucić myśl, która może chłopaka wieść na zatracenie. To tak jakby się z kimś zaprzyjaźnić, kogoś hołubić tylko po to, aby przy najbliższej możliwej okazji prosić go o wsparcie w interesach lub, co gorsza, wydać go na czyjąś pastwę!

Ten zgrzyt, który dopiero właśnie teraz precyzyjnie określił, Popielski wyczuł już wcześniej. Starał się go zniwelować w bardzo osobliwy zresztą sposób. Kiedy bowiem dostrzegł, że Borys widzi w nim niemal swojego życiowego mentora, postanowił objawić mu złośliwą stronę swej natury, aby młody człowiek, najwyraźniej poszukujący przewodnika duchowego i idealizujący nauczyciela, nabrał do niego dystansu i dostrzegł w nim jakieś wady. Pewnego dnia na zwykłym codziennym egzaminie zadał uczniowi pytanie o materiał, którego wcale jeszcze nie przerabiali. Spodziewając się braku odpowiedzi, przygotował sobie wcześniej pouczającą i zgryźliwą mowę uświadamiającą Kowerdzie, że jego praca musi znacznie wybiegać poza zakres ich zajęć, jeśli chce uzyskać promocję do klasy ósmej. Ale nie zdołał wygłosić tej pogadanki. Po tym podstępnym pytaniu zapadła cisza przerywana jedynie okrzykami dziewcząt ze szkoły imienia Elizy Orzeszkowej, które na lekcji gimnastyki za ich oknami bawiły się na boisku w śnieżki. Po chwili skupienia Kowerda odpowiedział na pytanie śpiewająco, a zdumionemu nauczycielowi objaśnił:

– Idę za pańskim przykładem, panie profesorze! Wszak sam pan mi mówił, że jako student nie zasnął pan wcale, zanim pierwej nie zrozumiał do końca gramatycznych zawiłości jakiegoś zdania łacińskiego czy greckiego. Tak i ja zrobiłem. Nie wiedziałem, skąd się wziął w tym zdaniu *coniunctivus*, no to takem szukał, takem szukał w gramatyce, aż odkryłem! Chcę być taki jak pan!

Popielski po zjedzeniu makaronu czuł taką sytość, że z pewnym znużeniem patrzył, jak na stół wjeżdża ostatnie danie tego porannego posiłku, czyli kotlet barani, na którym rozpływał się sos soubise. Jak się wyraził zapytany o ten specyfik kelner, „jest on łagodną cebulową odmianą sosu biszamel". Otrzymawszy w ten sposób wyjaśnienie *ignotum per ignotum,* Edward o nic więcej nie pytał i z prawdziwą rozkoszą sam sprawdził na języku delikatną śmietanową specyfikę tego wykwintnego dodatku.

Dzwon u Świętego Stanisława uderzył raz, co oznaczało kwadrans na dziesiątą, kiedy Popielski, zjadłszy na deser plaster żółtego sera oraz gruszkę w syropie, włożył ramiona w rękawy bekieszy podanej mu usłużnie przez jednego kelnera, podczas gdy drugi w tym czasie przynosił mu baranią czapkę, którą Edward kupił trzeciego dnia pobytu w tym mroźnym mieście. Wyłuskawszy po dwadzieścia groszy dla każdego, wyszedł na zaśnieżoną główną arterię Wilna.

Spacer z kwatery na śniadanie wobec śliskości chodników zajął mu o siódmej rano godzinę. Teraz – najedzony i ospały – nie miał zamiaru powtarzać tego wyczynu. Stał przed hotelem i rozglądał się na boki, szukając wzrokiem jakichś sań, które by go zawiozły na Krzywą. Nie dostrzegł jednak żadnych i ruszył noga za nogą w stronę mostu Zwierzynieckiego. Z naprzeciwka szli wielką ławą ludzie, którzy śpieszyli na sumę do bazyliki Świętego Stanisława. Potrącali go i blokowali mu drogę. Co gorsza, po sutym śniadaniu natura go wzywała do oddania długu – na razie cicho i niezdecydowanie. Po lewej stronie mijał właśnie piękne gmachy sądowe i gimnazjum żeńskie, kiedy wezwania te stały się natarczywe i gwałtowne.

Jedyne, co mu teraz pozostało, to udać się na Gimnazjalną do mieszkania „drogiego przyjaciela" Józefa Łopatty i tam uwolnić się od brzemienia. Jak postanowił, tak i zrobił. Czas bardzo go naglił. Załomotał w drzwi tak mocno, że omal ich nie wywalił z futryny.

W mieszkaniu nie było nikogo oprócz Borysa Kowerdy, który, choć zdumiony wizytą preceptora, o nic wszelako nie pytał, wskazał na drzwi do łazienki i dyskretnie usunął się do swego pokoiku.

Po chwili Popielski, rozluźniony i wesoły, wszedł do niego i uśmiechnął się przepraszająco.

– Tak, Borysie. – Na prośbę ucznia od niedawna zwracał się do niego po imieniu. – Nauczyciele też są ludźmi, nie zaś gigantami. Pocą się i czasami muszą skorzystać z latryny. Dziękuję i żegnam się! *Vale, mi puer!*

Uczeń wstał. Śmiesznie wyglądał w połatanej koszuli o bufiastych rękawach, która lepiej pasowałaby do jakiegoś romantycznego wieszcza. Największą przestrzeń niedużego pomieszczenia zajmował duży stół z samowarem i szklankami w metalowych koszyczkach. Pod oknem stało drewniane łóżko, na którym ułożono całe piętra pierzyn i ozdobiono je koronkową narzutką. Popielski wiedział, że tam sypia córka z matką, natomiast jego uczeń zwykle ściele sobie pod stołem. Komoda i nieduża szafa dopełniały wystroju ciemnego wnętrza, przez które przebiegały teraz cienie od chybotliwego płomyka świeczki palącej się w kącie pokoju, pod ikoną, wyobrażającą Świętego Jerzego przebijającego smoka.

– Dzisiaj przyszła mi do głowy pewna myśl, panie profesorze... – bąknął chłopak. – Mogę powiedzieć? Ja mam czas, matka i siostra do cerkwi poszły, a pan profesor ma chwilę? Nie przeszkadzam?

– Słucham! – Popielski zdjął czapę niepewny, czy się rozbierać na dłuższą rozmowę, czy pozostać w bekieszy. – Słucham cię!

– Pamięta pan profesor, jak tłumaczyliśmy początek siódmej księgi Cezara? Tam było zdanie, które szczególnie wryło mi się w pamięć: *In acie praestare interfici, quam non veterem belli gloriam libertatemque, quam a maioribus acceperint, recuperare*. „Woleli zginąć w walce, niż nie odzyskać swej dawnej wojennej chwały i nie odzyskać wolności, co ją im przodkowie przekazali". Dobrze tłumaczę?

– W tekście nie ma „chwały wojennej", lecz jest „chwała wojny", ale zgadzam się, że „wojenna" lepiej brzmi... Nie ma też powtórzonego „nie odzyskać" i jest „wolność, którą przyjęli od przodków", nie zaś... Jak to przełożyłeś?

– Wolność, co ją im przodkowie przekazali...

– No właśnie. – Popielski zdjął bekieszę i usiadł. – Kto inny jest podmiotem zdania, tego podrzędnego. Ale literacko to bardzo dobrze. Masz talent do przekładu, chłopcze. I dobrą pamięć.

Wyjął papierośnicę i poczęstował ucznia. Od niedawna również i ten nowy zwyczaj pojawił się na ich lekcjach.

– Wciąż o tym myślę. – Młodzieniec zaciągnął się mocno. – Słowa Cezara stały się moją dewizą. Wolę zginąć w pierwszym szeregu, niż nie odzyskać wolności, którą cieszyła się niegdyś moja rosyjska ojczyzna.

– Tę wolność zabrawszy pierwej innym ludom, w tym Polakom – wtrącił się zgryźliwie Popielski.

Uczeń zaczął protestować, przepraszając Polskę po raz nie wiadomo już który za błędy matki Rosji. Edward tego nie słuchał. Zamyślił się. Było jasne jak słońce, że oto nadeszła najwłaściwsza chwila, aby ruszyć do celu, który mu postawiono. Jednocześnie wciąż to zadanie od siebie odsuwał jako niegodne, jako skażone fałszem i oszustwem.

Tak naprawdę nie jestem tutaj po to, aby cię uczyć łaciny, mój chłopcze – myślał. – Jestem tu, aby wykorzystać twój czysty zapał, twój młodzieńczy entuzjazm...

– Słyszy pan, panie profesorze? – wybuchnął Borys. – Wcale pan nie słucha!

– Przepraszam. – Popielski, czując senność, potarł powieki. – Zamyśliłem się... Co tam mówiłeś?

– Że nie ma teraz pierwszego szeregu, w którym, jak to Cezar opowiadał, mógłbym walczyć! To ja jestem tym szeregiem, sam jeden! To przecież wasz, polski... Tfu! Co ja mówię? Mój polski poeta Adam Mickiewicz powiedział w *Dziadach*: „Człowieku! gdybyś wiedział, jaka twoja władza, kiedy myśl w twojej głowie, jako iskra w chmurze, zabłyśnie niewidzialna". Tak, panie profesorze, sam sobie będę szeregiem, w którym będę walczył.

Popielski strzepnął papierosa do popielnicy i spojrzał uważnie na płonącą z emocji twarz Borysa Kowerdy. I nagle porzucił obiekcje. Zrozumiał, że kiedy go zachęci do tego ryzykownego czynu, wciąż będzie jego nauczycielem. Nie będzie wprawdzie jego łacinnikiem, lecz życia będzie go uczył. Życia! I wtedy cały fałsz się ulotnił, wszystkie wątpliwości odpadły jak stary suchy tynk.

– Co chcesz zrobić, Borysie?

– Chcę do Rosji, chcę zabić Stalina, chcę zniszczyć bestię, co Rosję podeptała. Wyjadę do Moskwy pod pretekstem studiów, od dawna o tym myślę, nikomu tego nie mówiłem. Tylko panu. Pojadę do Rosji i zrobię to! Pan walczył za swoją ojczyznę z bolszewikami, mnie los nie dał tej szansy! Zbyt młody jestem!

Edward uśmiechnął się pobłażliwie.

– Ostudź swą gorącą głowę, chłopcze! Już na granicy staniesz się dla tajnej policji podejrzanym. Ktoś, kto przyjeżdża zza kordonu, to dla nich wróg numer jeden! Aresztują cię, a potem potrzymają w jakiejś piwnicy. Spotkają cię niewyobrażalne cierpienia. I powiesz im... Powiesz wszystko, a oni ci nie uwierzą... Ty zaś na kolejnych torturach zaczniesz zmyślać. Podawać coraz bardziej nieprawdopodobne i fantastyczne informacje. I wtedy oni zrozumieją, że nic więcej nie wiesz. Nie będziesz im już potrzebny. Wypchają cię na Sybir, gdzie zamarzniesz, albo wrzucą do kloaki, gdzie się gównem zadławisz. Tak się skończy twoja fascynacja Cezarem.

– Co mnie robić, panie profesorze? Co mnie robić?

Uczeń zerwał się od stołu tak gwałtownie, że aż zadźwięczały szklanki z niedopitą herbatą.

I wtedy stało się. Popielski zaczął realizować swą tajną wileńską misję.

– Jest ktoś, Borysie, kto w pełni zasługuje na śmierć. Z twojego punktu widzenia to zbrodniarz, który zabił batiuszkę cara i jego rodzinę. Z mojego punktu widzenia to groźny bolszewik, zaprzysięgły wróg mej ojczyzny. Mieszka w Polsce i chełpi się swoją nietykalnością. Jest ze wszech miar godny śmierci. Ty sam nie dasz rady, ja też. Ale jeśli będzie nas dwóch...

– Przypomniała mi się teraz pewna sentencja, której mnie pan profesor nauczył. – Twarz ucznia ułożyła się w wielki wykrzyknik. – *Viribus unitis*. Wspólnymi siłami. Czyż nie tak?

– Bardzo dobrze – uśmiechnął się nauczyciel. – Ale to nie musi koniecznie być *instrumentalis*. To może być również *ablativus absolutus*. Wtedy zinterpretujemy tę frazę jako „zjednoczywszy siły".

WCZEŚNIEJ. LWÓW,

KONIEC LISTOPADA 1926 ROKU

W TEN LISTOPADOWY WIECZÓR WE LWOWSKIM MIESZKANIU przy Kraszewskiego 3 toczyło się zwykłe rodzinne życie. Sześcioletnia Rita Popielska leżała na podłodze i rysowała kredkami na kartonie to, co najbardziej lubiła, czyli wystrój wnętrz. Ta szczupła dziewczynka o ciemnych wijących się włosach odznaczała się wielką wyobraźnią przestrzenną.

Kilka tygodni wcześniej zupełnym przypadkiem wypatrzyła wśród ojcowskich papierów plan sytuacyjny jakiegoś miejsca zbrodni. Był to szkic dołączony do dokumentów śledztwa, przedstawiający widok z góry jakiegoś dużego sześciopokojowego mieszkania z wyraźnie wyrysowanym na czerwono ludzikiem, który oznaczał zwłoki. To jednak nie symboliczny nieboszczyk najbardziej zainteresował Ritę, lecz rozstawienie mebli. Natychmiast przerysowała szkic i po swojemu wypełniła go sprzętami.

W ciągu kilku tygodni czynność tę powtórzyła wielokrotnie. Nigdy nie była do końca zadowolona z efektu, co powodowało u niej pewne rozdrażnienie. Nic jednak bardziej nie irytowało małej niż niedorzeczne ojcowskie pytania typu: „a dlaczego sofa jest pod oknem?" lub „czyż nie należałoby przesunąć komody trochę w lewo?". Już wtedy uważała ojca – całkiem słusznie zresztą – za kompletnie pozbawionego zmysłu upiększania czegokolwiek oprócz samego siebie. Ten dandys, który przed wyjściem do komendy kilkakrotnie przymierzał krawat do koszuli i marynarki, by się upewnić, że barwą z nimi harmonizuje, zapewne zgodziłby się z tą surową oceną. Był jednak nie tylko elegantem, ale również kpiarzem, a najbardziej lubił nieszkodliwie, jak sądził, drwić ze swej sześcioletniej księżniczki. Ta zaś wcale nie uważała ojcowskich żartów za niewinne i zabawne. Reagowała na nie jawnym zniecierpliwieniem, a kiedy okazywało się, że tatuś nie ustaje w dogadywaniu, wybuchała wręcz gniewem.

Uważała w głębi duszy, że papa nie traktuje jej poważnie, i bardziej od przekomarzania lubiła chwile ciszy – takie jak teraz, gdy siedział z papierosem w ulubionym fotelu pod stojącym zegarem, którego drzwiczki mimo surowych zakazów tak lubiła otwierać, od czasu jak tylko nauczyła się chodzić. Zerkała na ojca, spodziewając się głupich pytań, ale te nie następowały. W skupieniu grał w szachy sam ze sobą. Widziała kanty starannie wyprasowanych spodni, które wychodziły spod bordowej pikowanej bonżurki. Z jej rękawów co chwila pobłyskiwały złote spinki, gdy ojciec przestawiał figury na szachownicy. Wiedziała, że rozgrywa teraz jakieś partie ze starej niemieckiej gazety, oprawionej u introligatora, po tym jak jako trzyletni berbeć mocno ją naddarła, przez co omal nie dostała najdotkliwszej możliwej kary, czyli stania w kącie przez kwadrans.

Dzisiaj jednak nic nie zwiastowało żadnych rodzinnych perturbacji. Była zwykła niedziela. Dziecko już miało za sobą nudy porannej mszy i miły spacer z tatusiem i z ciotką Lodzią po Ogrodzie Jezuickim zakończony wizytą w cukierni Zaleskiego. Po tych wszystkich przewidywalnych niedzielnych zdarzeniach nastąpiły kolejne: pieczenie ciasta przez Hannę i koncert fortepianowy ciotki.

Dziecko, delektując się cynamonowym aromatem szarlotki, przysłuchiwało się dźwiękom walców i mazurków Chopina wyczarowywanych pod smukłymi palcami Leokadii. Niekiedy przy jakichś szczególnie tęsknych i żałosnych muzycznych frazach dziewczynka odrywała się od swego zapamiętałego projektowania wnętrz mieszkalnych i długo patrzyła w zamyśleniu na kuzynkę taty, która zastępowała jej matkę i zapoznawała małą z kobiecym spojrzeniem na świat.

Męską jego stronę, czyli takie cechy jak zdecydowanie, porywczość, pewność siebie i mrukliwość, poznawała, obserwując ojca, kobiecą zaś, przypatrując się służącej Hannie i właśnie dystyngowanej ciotce. Ta pierwsza była egzaltowana, gadatliwa, ciepła i radosna, druga zaś zdystansowana, ironiczna, mądra i przenikliwa. Pierwsza łamała wszelkie zasady – na przykład wpadając w trakcie jakiegoś przyjęcia do salonu wypełnionego najlepszym lwowskim towarzystwem tylko po to, aby poinformować, że pan Studeńko, właściciel warsztatu samochodowego w podwórzu, „na schody wejść ni moży, burmyło jeden, bo taki fest zapaćkany". Druga – o ile Rita mogła sięgnąć pamięcią – nigdy nie uroniła łzy, obdarzała swe otoczenie bladym uśmiechem nader rzadko, często natomiast celnymi powiedzeniami, godnymi – jak mawiał tatuś – jakiegoś „Szatana", bo tak dziecko przekształcało sobie nazwisko Chateaubriand. Rita lubiła się przytulać do ciepłego i pachnącego mąką fartucha Hanny, ale jeszcze bardziej do pachnących perfumami Pixavon jedwabnych bluzek i sukienek Leokadii. Oczywiście nie potrafiła nazwać tych wszystkich cech, które wyczuwała instynktownie u swych opiekunek, ale wiedziała jedno: chciała być taką kobietą jak ciocia Lodzia, która by się uśmiechała tak często jak Hanna.

I tym razem służąca szeroko się uśmiechnęła, kiedy weszła do salonu. Niosła w dłoni świąteczną kartkę, którą ktoś właśnie podrzucił pod drzwi. Wiedząc, że pan pochłonięty partią szachów niechętnie reaguje na przerywanie mu tej śmiesznej – zdaniem wszystkich trzech kobiet – czynności, wręczyła Leokadii kartonik ze zdjęciem wielkiej ustrojonej łańcuchami choinki na tle gór. Pianistka przerwała grę.

– Zbyt wcześnie na życzenia świąteczne – powiedziała do siebie nieco drżącym głosem i zaczęła cicho czytać.

Zaciekawiona Rita nie spuszczała z niej oczu. Twarz ciotki poczerwieniała i stała się tak pąsowa jak róża przypięta do opaski otaczającej jej ciemne, gustownie pofarbowane włosy. Natomiast usta Leokadii pobielały, przyjmując prawie kolor jej lejącej się eleganckiej sukienki z paskiem wyszywanym w meandry. Hanna patrzyła na panią w przerażeniu, Edward oderwał się od swych szachów. Doskonale wiedział, co tak wzburzyło spokojną zwykle kuzynkę. To była szósta taka kartka w ciągu ostatnich trzech lat.

Leokadia wolno wstała od fortepianu i podeszła do Edwarda. W długich palcach dzierżyła widokówkę. Trzymała ją za róg, jakby nie chciała się pobrudzić.

– Drogi Edwardzie – z oblicza Lodzi zniknął rumieniec, a z jej głosu drżenie – może byś w końcu zrobił porządek z tą wstrętną kobietą?! Jak długo będzie zatruwać życie naszej rodziny? Czas na męskie działanie, nieprawdaż?

Rita widziała, jak ojciec czyta kartkę, a potem przykłada do niej płomień zapałki. Słyszała, jak mocnym, dudniącym głosem mówi: „Ostatni raz ta harpia do nas pisze, obiecuję ci, Leo!". Patrzyła za tatusiem, kiedy ten wychodził z salonu. Pobiegła za nim do przedpokoju i nasłuchiwała, jak się ubiera w swoim gabinecie. Wyszedł w futrze i w meloniku. Ucałował ją przed opuszczeniem mieszkania.

Kiedy Rita z powrotem wbiegła do salonu, Leokadia siedziała na kanapie, trzymała przed oczami nadpaloną kartkę i pobladłymi ustami odczytywała cicho świąteczne życzenia. Nie zauważyła małej.

Ta zaś wyraźnie słyszała dziwne słowa, wypowiadane przez ciotkę.

Ślę ci nienawistne życzenia świąteczne. Obyś tych świąt nie dożył, ty i twoja flama. Oby się twoja córka ośćmi zadławiła. Kreślę się z nienawistnymi pozdrowieniami, niedoszła twoja Sybilla.

Dziecko nic z tego nie rozumiało.

* * *

NATOMIAST JEJ OJCIEC POJMOWAŁ AŻ ZA DOBRZE. Kiedy zbiegał ze schodów, przed jego oczami przepływały sceny z ostatnich trzech lat. Najpierw przypomniał sobie chwilę, kiedy po raz pierwszy w słuchawce telefonu usłyszał jej głos. Prowadził sprawę o kryptonimie „Dziewczyna o czterech palcach" i musiał kontaktować się ze swoimi mocodawcami tajemnym kanałem komunikacyjnym, aby przedstawiać im postępy śledztwa, przyjmować rozkazy i wydawać zlecenia. Tym medium była specjalna linia telefoniczna, na końcu której o każdej porze dnia i nocy czuwała Sybilla, bo tak Edward nazwał tę dziewczynę o ponętnym, zachrypniętym lekko głosie. Po zakończeniu śledztwa poznał jej prawdziwe imię, Alicja, i ją samą – równie zmysłową jak głos.

Miał wtedy lat trzydzieści sześć i był od dwóch lat wdowcem, ona zaś liczyła dwadzieścia trzy wiosny i była rozpuszczoną, lekkomyślną pannicą z zamożnego domu, skłonną do flirtu, tańca i zabawy. To, co między nimi wybuchło, mógłby porównać tylko do porywu namiętności, który sprawił, że za kulisami wiedeńskiego teatrzyka Ronachera chwycił w objęcia swoją przyszłą żonę Stefanię i – napotkawszy jej uległość – omal nie wyzionął ducha w momencie, którzy Francuzi nazywają „małą śmiercią". Z Sybillą cały ten cykl znany wszystkim kochankom świata: sinusoida tęsknoty i dzikich uniesień w hotelach, zdawał się powtarzać aż do chwili, gdy Popielski padł przed nią na kolana z bukietem róż i z pierścionkiem zaręczynowym. Wtedy dziewczyna spojrzała na niego poważnie i odpowiedziała, że o ile jeszcze może zaakceptować jego córkę Ritę, a nawet zastąpić małej matkę i ją wychować, o tyle nigdy nie zgodzi się na bytność w ich wspólnym domu innej kobiety, a mianowicie jego kuzynki Leokadii. To jest jej *condicio sine qua non* i Edward ma przed sobą dwie drogi: „Albo z nią, Alicją, i bez starej panny, albo ze starą panną, ale bez niej".

Edward poprosił wtedy o kilka chwil samotności. W tym czasie wspominał swoje życie w pięknym Stanisławowie, gdzie przygarnął go, osieroconego dziewięcioletniego epileptyka, wuj Klemens Tchórznicki, profesor miejscowego gimnazjum. Jego dzieci, w tym starsza o trzy lata Leokadia, stały się – oczywiście po wielu kuksańcach i kłótniach – jego prawdziwym i ukochanym rodzeństwem. Przypomniał sobie spotkanie z kuzynką tuż po Wielkiej Wojnie, gdy Leo, jak ją poufale nazywał, przypadła do niego z płaczem, czego nigdy wcześniej i nigdy później nie widział, i powiedziała, że ona jedna z całej rodziny ocalała z okropieństw wojny. Pamiętał, jak sam się wtedy rozszlochał – po raz drugi w życiu od śmierci rodziców – i zapewniał ją wśród łez, że jest mu siostrą i nikt ich nigdy nie rozdzieli.

Minął kwadrans i Edward oznajmił Sybilli swoją decyzję. Uśmiechnęła się zimno i powiedziała sucho: „Twój wybór". Bukiet róż otrzymała jakaś uliczna dama, gdy tego wieczoru czekał na pociąg do Lwowa. Nie pamiętał, co się stało z pierścionkiem.

Wszystko to przemknęło Edwardowi przez głowę teraz, kiedy zbiegał po schodach, przeczytawszy kolejny nienawistny komunikat. Nie wiedział, dokąd biegnie, ale potrzebował czasu i spokoju, aby powziąć wobec Sybilli jakiś ostateczny plan.

Wyszedł przed dom i rozejrzał się dokoła wśród gęstej zadymki fruwającej w żółtym świetle latarń. Od strony ulicy Matejki zjeżdżał wolno w dół wielki automobil. Kiedy się zbliżył do Popielskiego, zatańczył lekko na śniegu i zahamował. Był to piękny cadillac suburban na białych oponach. Jego błyszcząca karoseria takiegoż koloru nabierała wśród wirujących płatków śniegu jakiejś bajkowej szlachetności. Popielski zdrętwiał. Tego już było zbyt wiele. Pełna wściekłości kartka od Sybilli i ten samochód, jedyny chyba taki w Polsce, który był własnością jej stryja a jego dawnego mocodawcy.

Przypadek? – przeszło mu przez głowę.

Prawe tylne drzwi otwarły się i Edward ujrzał nieznanego sobie mężczyznę około pięćdziesiątki. Policjant pochylił się lekko i jednym spojrzeniem zlustrował wnętrze.

– Oprócz mnie nie ma tu nikogo, panie komisarzu. – Pasażer uśmiechnął się lekko i uchylił cylindra. – Żadnego gangstera z karabinem maszynowym. Czy uczyniłby mi pan zaszczyt i dałby się pan zaprosić na kolację? Stolik w Warszawie już zarezerwowałem. Pan pozwoli, że się przedstawię. Doktor Florian Tyzenhauz. Jestem kolegą...

– Powiedziałbym raczej „przyjacielem" niż „kolegą" – przerwał mu Popielski nieco arogancko. – Koledze to prezes Chłapowski nie pożyczyłby swego ukochanego auta.

– Trafnie powiedziane, komisarzu. Nic dodać, nic ująć.

Tyzenhauz pokiwał głową z aprobatą, szerzej otworzył drzwi i wsunął się głębiej do luksusowego automobilu, robiąc Popielskiemu miejsce.

* * *

– KTO TO JEST? JAKIŚ ZASŁUŻONY LWOWIANIN? – zapytał doktor Tyzenhauz.

To były pierwsze słowa, jakie padły między nimi, gdy już weszli do kawiarni Warszawa, oddali szatniarzowi futra, a kelner poprowadził ich do stolika pod oknem. Przyjaciel Tadeusza Chłapowskiego, jednego z najbardziej wpływowych ludzi w Rzeczypospolitej, wiceprezesa Krajowego Towarzystwa Naftowego, wskazał brodą na widoczny w zawiei śnieżnej wysoki pomnik i ponowił swe pytanie.

– Franciszek Smolka – odpowiedział Popielski, czując galicyjską dumę. – Polityk, prezydent parlamentu w Wiedniu. Pomysłodawca kopca Unii Lubelskiej na naszym wspaniałym wzgórzu Wysoki Zamek. Własnoręcznie pchał taczki z ziemią, czym wszystkim bardzo zaimponował.

– Tak... Człowiek, który chciał uświetnić wspaniałą unię polsko-litewską, godzien jest pomnika – odezwał się zamyślony Tyzenhauz, patrząc na kelnera, który właśnie przybiegł i prężył się przed nimi jak struna, chcąc przyjąć zamówienie.

Popielski nie był głodny i po usilnych zachętach zamówił stopkę wódki Baczewskiego i kotleciki cielęce z truflami na zimno. Tyzenhauz natomiast auszpik z ryb, a w sprawie napitku poszedł w ślady swego towarzysza. Siedzieli w części barowej, w niebieskiej sali, zwanej przez kelnera marmurową, od sali restauracyjnej oddzielonej estradą oraz niewysokim drewnianym płotkiem, nad którym powiewały firanki. Słuchali walców wiedeńskich, wygrywanych przez kilkuosobową orkiestrę kameralną, i przyglądali się bywalcom lokalu, którzy w ogromnej mierze należeli do grona współobywateli żydowskiego pochodzenia, czyli jednej trzeciej mieszkańców miasta. Byli tutaj znani Popielskiemu z widzenia adwokaci, przemysłowcy i kupcy oraz mniej znana żydowska młodzież – wygłupiający się i dokazujący mężczyźni w studenckich czapkach oraz towarzyszące im modnie ubrane dziewczyny, wesołe i krzykliwe.

– Jak pan woli, abym się do niego zwracał? – Tyzenhauz ponownie przerwał milczenie. – Poruczniku? Czy komisarzu?

– Najlepiej bez tytułów. – Popielski zapalił papierosa. – Komisarzem jestem w pracy, a porucznikiem byłem kiedyś, gdy prezes Chłapowski łudził mnie, iż zostanę przyjęty do Defensywy Politycznej. Cóż, kolejna obietnica bez pokrycia, doktorze. Nie chcę, aby tytuł porucznika mi o tym przypominał.

– Wyczuwam gorycz w pańskim głosie – rzekł wolno major. – Ale jednak zgodził się pan przyjąć moje zaproszenie.

– Powiedzmy, że to zbieg okoliczności, a ja nie lekceważę zdarzeń o małym prawdopodobieństwie. Właśnie myślałem o prezesie Chłapowskim, a tu podjeżdża do mnie jego automobil... Zdarzyło się panu doktorowi podświadomie przewidywać przyszłość?

Tyzenhauz też zapalił i nie odpowiedział na pytanie.

– Pańska gorycz jest zrozumiała. – Spojrzał z zainteresowaniem na wiszące na ścianach gazety, zapięte w potężne lakierowane uchwyty. – Zupełnie zrozumiała. Po sprawie „Dziewczyny o czterech palcach” oczekiwał pan czegoś więcej niż podziękowań i zegarka... Ale nikt nie zaoferował panu stanowiska. Wiem dlaczego. Pańska obecność przypominałaby niektórym o kompromitacji wywiadu w tamtej sprawie. Z idealistycznego i z patriotycznego punktu widzenia, jaki był bliski Marszałkowi, byłoby to niewskazane.

Choć Popielski nie dał po sobie poznać, jak mocno i w jak czuły punkt został trafiony, to jednak drobny grymas, który przez sekundę zagościł na jego twarzy, nie uszedł uwagi Tyzenhauza.

– Proszę mnie posłuchać, panie komisarzu. – Spojrzał mu prosto w oczy. – Jestem blisko z wieloma ważnymi ludźmi w naszym kraju i doskonale wiem, że od pół roku, czyli od przewrotu majowego, Marszałek nie jest już nastawiony do świata tak idealistycznie.

Uniósł stopkę. Stuknęli się, wypili, chuchnęli, zagryźli. Popielski poczuł na języku jedyny w swoim rodzaju smak trufli, którymi przyprawione były kotlety cielęce.

– Odkrywam przed panem karty, komisarzu. – Tyzenhauz odchrząknął. – To, co chcę panu zaproponować, jest wiadome tylko trzem ludziom. Z których dwóch, Henryk Józewski i ja, jest prometejczykami, trzeci to pan prezes, który nas wspiera finansowo i organizacyjnie.

Popielski znów drgnął, słysząc nazwisko Józewskiego, tak często wymieniane z wielkim szacunkiem przez ukraińskich przyjaciół, których miał wielu we Lwowie. Kiedy rząd złożony z nacjonalistów i chłopów ugiął się przed żądaniem Moskwy i postanowił w styczniu 1924 roku wydalić z Polski sojusznika Piłsudskiego i zwolennika bliskiej współpracy z Polakami Symona Petlurę, Józewski ukrywał go gdzieś przed policją, czym zyskał sobie wielki szacunek wszystkich tych, którzy głęboko wierzyli w sojusz polsko--ukraiński, a do takich niewątpliwie należeli i Popielski, i jego lwowscy przyjaciele.

– Mamy nowy rząd, komisarzu, a sprawami zagranicznymi, jak pan wie, zawiaduje August Zaleski. O ile on sam ostrożnie dobiera słowa, o tyle jego współpracownicy już nieco mniej. Niejaki Roman Knoll, długoletni dyplomata i podwładny naszego Zalesiątka, powiedział *expressis verbis* w wywiadzie prasowym, że idea federacji z Ukraińcami i Białorusinami to przebrzmiała pieśń przeszłości. Tak się właśnie wyraził, rozumie pan?

Popielski milczał, zdegustowany opinią Knolla, i wpatrywał się w rozmówcę, jakby szukając w nim fałszu. Nie znalazł go. Ten szpakowaty szczupły mężczyzna wyglądał jak personifikacja szczerości. Jego szlachetne rysy były cokolwiek zaburzone mocną, kwadratową szczęką. Znamionowałaby ona upór, zdecydowanie albo nawet pewną brutalność, gdyby tych cech nie łagodziły duże oczy. Patrzyły one spokojnie znad podpuchnięć, które wraz z niezdrową ziemistą cerą mogły świadczyć albo o bezsenności, albo o skłonności do pijaństwa. Tę drugą cechę Popielski wykluczył, ponieważ Tyzenhauz miał jasną cerę bez żadnych zaczerwienień.

– Knoll i Zalesiątko pragną za wszelką cenę ugody z Sowietami i forsują ją jako zdroworozsądkową. Mówią: „Przecież zawsze będziemy mieli rosyjskiego sąsiada, trzeba z nim ułożyć stosunki i robić dobre interesa, a nie szarpać się i szarpać". Za tym głosem rozwagi – przybysz z Warszawy uśmiechnął się ironicznie – stoją wielkie pieniądze. Nasi przemysłowcy i bogacze, którzy węszą rozległe rynki zbytu, gdzie brak konkurencji, przyjęli Cziczerina jak jakiegoś księcia. Przyjęcia, rauty, teatr... Tak było, panie komisarzu. A potem wśród wystrzałów szampana powstała Polsko-Sowiecka Izba Handlowa.

Popielski czytał w gazetach o wizycie Gieorgija Cziczerina, ludowego komisarza spraw zagranicznych, we wrześniu roku 1925. Znał też plotki o jego pobycie w Warszawie. W świecie policyjnym mówiono, że usłużne szefostwo hotelu Bristol, wiedząc o upodobaniach gościa, zatroszczyło się o dyskretne dostarczenie mu dla zabawy młodych chłopców, ale ponoć odmówił, panicznie bojąc się kompromitacji i szantażu.

– Ale my, prometejczycy, nie chcemy ugody z Moskwą – mówił Tyzenhauz z wielkim ogniem. – Wiemy, że oni zawsze będą wykorzystywać sprawy gospodarcze jako narzędzie presji. My chcemy Moskali niepokoić i kąsać. Nie możemy pozwolić na to, aby pojawiła się tak zwana normalność, bo dla nich będzie ona tylko blichtrem, tylko wytchnieniem. My z nimi walczymy! I zabijemy ich ambasadora, uniemożliwiając *eo ipso* wszelkie brudne interesa!

Estrada zaczęła się powoli kręcić. Obróciła się i po chwili muzycy orkiestry kameralnej pojawili się z trąbkami i saksofonami jako jazz-band. Huknęła skoczna muzyka. To był najmodniejszy obecnie taniec – shimmy. Młodzi ludzie zaczęli skakać. Popielskiemu zdawało się, iż przesłyszał się w tym hałasie. Kotlet nabity na widelec zawisł w połowie drogi do ust.

– Nie przesłyszał się pan, panie komisarzu. – Tyzenhauz czytał w jego myślach. – Ów ambasador, w ich nazewnictwie *połpried*, czyli *połnomocznyj priedstawitiel*, nazywa się Piotr Wojkow. To jeden z zabójców carskiej rodziny, półbożek bolszewicki, prywatnie kanalia i zboczeniec płacący ladacznicom w parku Skaryszewskim w Warszawie. Raz został tam złapany na obnażaniu się, ale zwymyślał policjanta, pokazując mu papiery dyplomatyczne. Niedawno napastował małą dzieweczkę, córkę jednego z naszych gruzińskich przyjaciół.

Kiedy Popielski to usłyszał, rozdzwoniło mu się w uszach. Uniósł stopkę i wypił jednym haustem.

– Ojciec dziecka przebiłby go kindżałem bez mrugnięcia oka, ale go powstrzymaliśmy. Gdyby to zrobił, spotkałyby go przykre konsekwencje. Sowieci domagaliby się jego wydania. Zalesiątko *et consortes* nie wahaliby się ani chwili i w łapy Sowietów trafiłby nasz gruziński towarzysz broni, walczący z nami ramię w ramię przeciwko bolszewikom w roku dwudziestym! Kiedy się o tym dowiedzieliśmy, nasz triumwirat stanął przed pytaniem: co robić, aby ocalić przyjaciela, pomścić cierpienie, jakie spotkało nieszczęsne dziecko, a przy tym zniszczyć kurs ugodowy i rozsierdzić Sowietów? Otóż to wcale nie jest kwadratura koła! Po wielu godzinach dyskusyj wiemy jedno: trzeba zabić gada. Zabójcą nie może być nasz Gruzin, bo sąd wcale nie uzna za okoliczność łagodzącą ojcowskiego gniewu na to, co ta kanalia bolszewicka zrobiła jego córce. Sam pan dobrze wie, jaki wyrozumiały stosunek mają nasze sądy do lubieżników krzywdzących dzieci.

Muzyka ucichła, rozległy się brawa. Niedaleko nich jakiś podpity jegomość natarczywie usiłował przekonać do czegoś kelnera. Ten był jednak nieugięty i wskazywał dłonią na wiszącą przy barze tabliczkę. Popielski wychylił się i przeczytał: „Kredytu nie udziela się". Położył palec na ustach, dopóki ów jegomość nie odszedł. Tyzenhauz pstryknął palcami i na stół wjechała repeta – i wódki, i zakąsek.

– To co chcecie panowie zrobić? – zapytał w końcu Edward.

– Pan go zabije, Popielski. – Zapytany odparł tak naturalnie, jakby mówił o pogodzie. – Pan go zabije, ale nie sam. Wraz z młodym Białorusinem, gimnazjalistą z Wilna, który nienawidzi Sowietów bardziej niż dziesięciu takich jak ja czy pan. I powiem panu, jak to się wszystko potoczy. Ów młodzieniec ma kłopoty z językami klasycznymi, a pan jest przecież doktorem filologii. Pojedzie pan do Wilna na jakieś pół roku, a w tym czasie finansową i wcale hojną, dodajmy, opiekę nad pańską rodziną roztoczy nasz nieoceniony właściciel cadillaka. Tymczasem pan, nauczając chłopaka łaciny, zaprzyjaźni się z nim i zainspiruje go do działania. I obaj zabijecie Wojkowa. Obaj. On zniszczy jednego z bolszewickich bohaterów, a pan pomści krzywdę dziecka, tak jak pan pomścił Celinkę Hulczuk. Niech się pan nie dziwi, wszystko o panu wiemy i może pan nam zaufać. Oczywiście po tym wszystkim wejdzie pan do ruchu prometejskiego jako człowiek do specjalnych poruczeń i zajmie się ważniejszymi zadaniami państwowymi.

Edward wstał i pochylił się ku swemu rozmówcy.

– Mną się nie manipuluje, rozumie pan, panie cacany! –
Zgrzytnął zębami. – To ja manipuluję innymi. Dziękuję za
miły wieczór i żegnam pana! A tak poza tym wie pan co,
doktorze? Ja dałbym medal temu Wojkowowi za to, że zabił cara!

Tyzenhauz ujął Popielskiego za przegub. Nie ścisnął
wprawdzie, ale Edward wyczuł siłę w jego dłoniach.

– On nie tylko cara zabił, panie komisarzu – syknął. –
On zabił wielu innych ludzi. W tym pańskich rodziców. Tak.
Piętnastoletni Piotr Łazariewicz Wojkow był wśród bandytów, którzy napadli w roku 1895 na pociąg relacji Czer-
niowce–Odessa. Większość pasażerów zabito, kobiety po-
hańbiono. O ile się nie mylę, wśród ofiar znaleźli się pańscy
rodzice.

Ogolona głowa policjanta nabrała buraczanej barwy.

– Niech pan siada, a ja powiem panu, jak obaj uniknie-
cie więzienia. Pan i ten gimnazjalista. Kowerda się nazywa.
Borys Kowerda.

Popielski usiadł ciężko i wypił dwa kieliszki wódki z rzę-
du. Nie zakąsił. Siedział przy stole w dziwnej pozycji – jakby
się chciał zsunąć z krzesła. Ręce zwisały mu bezwładnie.
Orkiestra zaczęła grać kolejną skoczną melodię.

– Kim pan jest, doktorze? – zapytał.

– Naprawdę jestem lekarzem – odparł Tyzenhauz. – Ale,
jak się pan domyśla, raczej nie pracuję jako higienista na
pensji dla panien z dobrych domów.

CZĘŚĆ II

PCHNIĘCIE

– Sojusz Polski z państwami, które tak jak Polska żywiły uzasadnione obawy przed Rosjanami i przed ich wściekłą żądzą odwetu, stawał się kwestią palącą – mówił Greymore. – Zmierzając w tym właśnie kierunku, stworzono w 1922 roku koncepcję Międzymorza, *Intermarium*, czyli przestrzeni, która miałaby być jedną wielką fortecą powstrzymującą moskiewskie siły idące na podbój Europy. Pomysł ten, będący zresztą lżejszą odmianą idei federacyjnej, znalazł zwolenników właśnie wśród tych państw, które przed wojną należały do imperium Romanowów, czyli Finlandii, Estonii i Łotwy. Litwa natomiast zdecydowanie odrzuciła alians z Polską, obawiając się nie bez podstaw, że z sojusznika zamieni się wkrótce w wasala. Do tych obaw dołączyła nienawiść i urażona duma, które eksplodowały tam po tym, jak dwa lata wcześniej Polska w podstępny sposób, przypominający pucz wojskowy, odebrała Litwie jej historyczną stolicę Wilno zamieszkaną jednak w tym czasie, co trzeba przyznać, głównie przez Polaków, Żydów i Rosjan. Polska musiała zatem postawić na inne państwa niż Litwa. Początkiem realizowania planu *Intermarium* była umowa warszawska z roku 1922. Finlandia, Estonia, Łotwa oraz Polska podpisały w Warszawie układ sojuszniczy, który jednak nigdy nie wszedł w życie. Nie ratyfikowała go bowiem Finlandia, zrywając *eo ipso* cały alians. Oficjalnie uczyniła to pod naciskiem Niemiec, ale nie będzie chyba jednak przesadną sugestią z mojej strony, jeśli współwinnego obalenia tej umowy poszukam także na Kremlu. Krótko mówiąc, Lenin będący już w zaawansowanym stadium syfilisu na wieść o upadku umowy warszawskiej kazał otwierać szampany.

Greymore zaczerpnął tchu.

– Tak, proszę państwa, to nie pierwszy wypadek, gdy wydarzenia na europejskiej scenie politycznej były jednakowo korzystne i dla Rosji, i dla Niemiec. Pojawia się tutaj pytanie: czy oba te państwa, pognębione, sfrustrowane i ziejące nienawiścią do sąsiadów, współpracowały ze sobą przy tworzeniu tych korzystnych dla siebie faktów? Niech odpowiedzią na to pytanie będzie łacińska maksyma prawnicza *qui fecit, cui prodest*, „ten uczynił, komu to jest na rękę". Oba byłe imperia połączył wspólny los pariasów marzących o statusie maharadżów. Oba odpychane przez europejskie elity zaczęły do siebie lgnąć. Pierwszym dyplomatycznym ciosem wymierzonym w Polskę był sowiecko-niemiecki układ w Rapallo z roku 1922, owoc współpracy dobrze nam już znanego starego wyjadacza i negocjatora Adolfa Joffego oraz byłego arystokraty Gieorgija Cziczerina, gwiazdy sowieckiej dyplomacji, o której jeszcze wiele usłyszymy na naszych wykładach. Oczywiście pod gładkimi notami tego układu kryły się ponure tajne protokoły o współpracy wojskowej, gospodarczej i wywiadowczej. Nie trzeba wielkiej przenikliwości, aby się zorientować, kto stanie się celem przyszłego ataku. Rzecz jasna, państwa, jak nazywali je Niemcy, „sezonowe", które miały czelność powstać na ziemiach niegdysiejszych imperiów! Największym z nich była Rzeczpospolita Polska.

Tymczasem cała Europa, pogrążona w powojennej biedzie, przymykała oczy na coraz większe rozzuchwalenie Rosji. Intelektualiści zachodni, zaślepieni rzekomą sprawiedliwością rewolucji, sławili pod niebiosa brutalnych pretorianów Lenina, otrzymując od niego w zamian pogardliwe określenie „pożytecznych idiotów". Nic zatem dziwnego, że w tej atmosferze dyplomaci sowieccy sondowali, na co mogą sobie pozwolić. Jednym z nich był niejaki Christian Rakowski, Bułgar zresztą z pochodzenia, wcześniej bajecznie bogaty finansista wspierający bolszewików, następnie trockista brutalnie zamordowany przez stalinowskich siepaczy w latach trzydziestych. Ów Rakowski podczas rozmów z Brytyjczykami w marcu 1924 roku zażądał wręcz odebrania Polsce jej ziem wschodnich.

Kiedy rząd w Warszawie zareagował oficjalną pełną oburzenia notą protestacyjną, ataki przybrały łagodną postać troski o pomyślność ludów żyjących na tych terenach. Pół roku później znany nam już Cziczerin nie domagał się wprawdzie aneksji polskich Kresów Wschodnich, lecz jedynie płakał nad dolą tamtejszych narodów i pytał na forum międzynarodowym, czy mają one nieskrępowaną możliwość rozwijania własnej kultury. Twierdził, że te ziemie nie posiadają określonego statusu i powinny być przedmiotem ustaleń pomiędzy mocarstwami, do których oczywiście zaliczał swój kraj.

W tym czasie pożyteczni idioci znad Wisły, czyli prorosyjscy nacjonaliści i goniący za zyskami bogacze, zdawali się ślepi na tę dyplomatyczną ofensywę i z uporem godnym lepszej sprawy apelowali do „zdrowego rozsądku narodu", by znormalizować stosunki z wielkim sąsiadem. Agresywne wypowiedzi najwyższych rangą polityków w Moskwie wcale nie przeszkadzały polskim nacjonalistom później, we wrześniu 1925 roku, przyjmować Cziczerina w Warszawie z pompą godną wschodniego satrapy. Ich mentor i guru, jeden z wielkich ojców polskiej niepodległości Roman Dmowski, ugościł wtedy Rosjanina u siebie, okazując mu wielką przyjaźń i atencję, a ten odwdzięczył mu się mianem „niekoronowanego króla narodowców". Logicznym dopełnieniem wzajemnych umizgów było powstanie wiosną 1926 roku w Warszawie Polsko-Sowieckiej Izby Handlowej, naszpikowanej agentami Razwiedupru.

Wyraz „normalizacja" stał się zaklęciem większości polskich elit politycznych. Nawet stary wojownik Józef Piłsudski, który w maju 1926 roku zdobył władzę w wyniku zamachu stanu, dał zielone światło różnym dyplomatom, którzy w wywiadach prasowych szafowali tym słowem na prawo i lewo. Nie trzeba tu dodawać, jak bardzo wzburzeni byli tym polscy prometejczycy.

W tej beczce miodu, jaką były w latach dwudziestych sukcesy sowieckiej dyplomacji i jej służb specjalnych, znalazła się też łyżka dziegciu. Była nią sprawa Maurice'a Conradiego. Temu Rosjaninowi szwajcarskiego pochodzenia bolszewicy w czasie rewolucji zabili ojca, brata i wuja. Poprzysiągł on zemstę i w roku 1923 zemsty tej dokonał na ich wybitnym przedstawicielu, rezydującym w Szwajcarii dyplomacie sowieckim Wacławie Worowskim. W lozańskim hotelu Cecille zastrzelił go i oddał się w ręce policji. Proces Conradiego był szeroko relacjonowany przez europejską prasę i zamienił się w sąd nad bolszewickim reżymem. Trybunał, poruszony elokwencją słynnego adwokata Théodore'a Auberta opisującego potworności rosyjskiej rewolucji, uniewinnił Conradiego, uznając jego czyn za „idealistyczny". Na Kremlu zawrzało. Helwetów zaatakowano na dwóch frontach, na obu zresztą nieskutecznie. Rosja zerwała stosunki handlowe ze Szwajcarią, co zamożnych mieszkańców tego alpejskiego kraiku niewiele obeszło. Drugi front natomiast stał się domeną służb specjalnych. To one pod wodzą polskiego renegata Feliksa Dzierżyńskiego wzięły na celownik mecenasa Auberta, który był tak poruszony historią bolszewickiego bestialstwa, że założył coś w rodzaju międzynarodówki antykomunistycznej. Ów nieustraszony alpinista był dwukrotnie celem zamachu sowieckich służb specjalnych i dwukrotnie uszedł z życiem.

O sprawie Conradiego dużo pisano nad Wisłą, a na biurka szefów polskiego wywiadu i kontrwywiadu codziennie trafiały relacje ze szwajcarskiej sali sądowej. Te wszystkie materiały major Florian Tyzenhauz, wybitny prometejczyk, bardzo starannie zbierał, selekcjonował i przekazywał kopistom. Robił to kierowany pedantycznym usposobieniem. Nie sądził, że kiedyś wszystkie one bardzo mu się przydadzą.

– ZOSTANĘ UNIEWINNIONY JAK SŁYNNY Moris Morisowicz Konradi? – zapytał Borys Kowerda. – Ale przecież inny zamachowiec, Smaragd Łatyszenko, został skazany na dwanaście lat! A też dokonał swego czynu z pobudek idealistycznych!

Popielski długo zastanawiał się nad odpowiedzią. W ten ciepły kwietniowy poranek roku 1927 siedzieli obok siebie na północnym zboczu wileńskiej Góry Zamkowej, zwanej również Górą Gedymina, i palili papierosy. Wyglądali na dwóch przyjaciół albo na ojca i syna, którzy rozkoszują się krystalicznym powietrzem poranka i podziwiają wspaniały widok na Antokol, jaki rozpościerał się przed ich oczami. Spomiędzy świerków i dębów błyskały niebieskie, łączące się tutaj, wstęgi rzeki Wilii i jej dopływu Wilejki. Za jej ujściem wykwitała posępna, lecz malownicza bryła więzienia wojskowego położonego nad samym brzegiem. Nieco dalej znajdowało się boisko Szóstego Pułku Piechoty Legionów, skąd dochodziły teraz okrzyki żołnierzy rozgrywających poranny mecz piłki nożnej. Bardziej na wschód widoczne były koszary oraz Góra Trzykrzyska, ozdobiona potężnymi trzema krzyżami dla odpędzania litewskich pogańskich duchów, które – jak podawały legendy – wracały chętnie tam, gdzie przed wiekami syciły oczy kaźniami dokonywanymi na rozkaz Kiejstutów i Olgierdów.

Minęło już pięć miesięcy od czasu, jak Popielski zamieszkał w Wilnie. Swoją misję pedagogiczną doprowadził do szczęśliwego końca, i to przed czasem. Uczeń był bardzo dobrze przygotowany zarówno do zdania egzaminu z łaciny, który umożliwiłby mu promocję do klasy maturalnej, jak i do zabicia ambasadora Wojkowa, za co – jak obiecywał mu preceptor – zostanie na pewno uniewinniony.

Pojawił się też skutek uboczny tych korepetycji, które były jednocześnie ukrytą inspiracją. Nauczyciela i ucznia połączyła silna więź. Edward polubił chłopca i czuł się za niego odpowiedzialny, Borys – porzucony *de facto* przez ojca – widział w swym korepetytorze mentora i przewodnika duchowego. Od czasu gdy Popielski po sutym śniadaniu w hotelu St. Georges odwiedził go i zasugerował zabicie Wojkowa, Kowerda obsesyjnie wracał do tej kwestii. Gdyby Edward zdecydowanie nie oponował i nie zmuszał podopiecznego do rozbioru gramatycznego Wergiliańskich czy Horacjańskich tekstów, to ten pewnie by nie mówił o niczym innym jak tylko o zamachu na ambasadora, „podłego i zdradzieckiego mordercy cara". Kiedy chłopak w marcu pokazał Popielskiemu siedmiostrzałowy rewolwer Mauzer, który – jak twierdził – dostał, by chronić przed komunistami wydawcę tygodnika „Białoruskie Słowo", preceptor udał się natychmiast do Państwowych Zakładów Naftowych przy Jagiellońskiej 8, gdzie pan Erazm Bisping odebrał od niego meldunek składający się z dwóch słów: „Zapłon zaskoczył".

– I co, panie profesorze? – zniecierpliwił się Kowerda. – Nic mi pan nie odpowie na mój argument o Łatyszence?

– Przepraszam. – Popielski się uśmiechnął. – Chyba zapadłem tu w sen jak Gedymin przed wiekami... Tylko że mnie się nie śnił żelazny wilk i ja nie założę tu żadnego grodu. Ale wracając do twojego pytania, chłopcze. Powiedz mi, dlaczego mnich Smaragd Łatyszenko zabił cztery lata temu w Warszawie metropolitę Jerzego.

– Bo metropolita Jerzy Jaroszewski chciał polski Kościół prawosławny oderwać od Moskwy, a Łatyszenko uważał tę secesję za zbrodnię.

– Dobrze. To powiedz mi teraz, który z nich dwóch realizował interesy Moskwy.

– Oczywiście Łatyszenko, jego czyn był po myśli Rosjan. Oni chcieli, by Cerkiew w Polsce była niemalże ich agenturą!

– Dziwisz się więc, że polski sąd skazał na dwanaście lat kogoś, kto działał w interesie Moskwy? To przecież jasne jak słońce, które teraz przygrzewa nam w plecy.

Borys obejrzał się za siebie. Za nimi w pełnym słońcu stała ośmiokątna Baszta Gedymina z powiewającą na wietrze polską flagą.

– Ty po zastrzeleniu Wojkowa będziesz w zupełnie innej sytuacji niż prorosyjski Łatyszenko – ciągnął Popielski. – Adwokatom tego mnicha trudno było go bronić. Owszem, jego czyn był idealistyczny, ale wynikał z jakichś teologicznych mrzonek, bo oderwanie polskich wyznawców prawosławia od ich moskiewskich zwierzchników miało być zdaniem oskarżonego świętokradztwem. A to już jest kwestią wiary, której sąd nie podzielał. Tymczasem twój czyn, młodzieńcze, będzie karą za okrucieństwo rewolucji. Już widzę, jak najsławniejsi adwokaci rzucą się, aby bronić cię gratis i *pro publico bono*. Ich nazwiska staną się sławne w całej Polsce, kiedy będą wychwalali twój młodzieńczy idealizm!

Jak słynny Aubert, który reprezentował Conradiego, tak teraz jakiś legendarny obrońca lwowski czy warszawski odmaluje zbrodnie bolszewizmu z całą siłą swej elokwencji. Demonstracje pod sądem domagające się twojego uniewinnienia również wywrą presję na sędziów. I oni cię puszczą wolno, Borysie, a tłumy będą wiwatować! Wrócisz do swej matki i siostry opromieniony sławą bohatera. Wszystko to się stanie pod jednym wszakże warunkiem: po zastrzeleniu Wojkowa oddasz się w ręce policji ze słowami, że zabiłeś go jako symbol nieludzkiego terroru. Jeśli będziesz uciekać albo, nie daj Boże!, strzelać do policji, to czeka cię zagłada.

Uczeń zasępił się i spojrzał z obawą na nauczyciela.

– A pan profesor? – powiedział cicho, a potem podniósł głos. – A pan?! Przecież pan również będzie szedł z rewolwerem na tę kanalię. Tak się umawialiśmy. Pan też odda się policji? Wtedy nie będę się mógł bronić w sądzie, że jako idealista działałem w pojedynkę! Pańska obecność będzie świadczyła o spisku, a spisek to przecież premedytacja, nie idealizm!

Wojkow zabił mi rodziców i każdy polski sąd uzna moją zemstę za uzasadnioną. – Popielski chciał powtórzyć argumentację, do jakiej Tyzenhauz się uciekł we lwowskiej kawiarni Warszawa, ale ugryzł się jednak w język i nie rzekł nic.

Pojawienie się nauczyciela, który ni stąd, ni zowąd zasugerował Kowerdzie zabicie ambasadora, można by jeszcze śmiało uznać za przypadek. Gdyby jednak Edward się przyznał, iż zabójstwo jest częścią jego osobistej vendetty, chłopak mógłby się poczuć potraktowany instrumentalnie. Poza tym byłoby nadzwyczaj podejrzane, że ów mściciel nagle się zjawia w życiu Borysa jako korepetytor w chwili, gdy uczeń potrzebuje tych korepetycji jak kania dżdżu. To wszystko wyglądałoby na jakiś niecny tajemniczy plan, a nikt nie chce być marionetką w rękach nieznanych manipulatorów.

– Nie martw się o mnie – odpowiedział w końcu Popielski. – Ja będę cię chronił, a zabiję Wojkowa tylko wtedy, gdy chybisz. Katem i mścicielem w jednej osobie zostaniesz ty, a ja pomocnikiem kata. Ty zabijesz, a ja dobiję. Ty będziesz sztyletnikiem jak ci zdecydowani młodzi ludzie, co w czasie powstania styczniowego swoje ostrze kierowali przeciwko...

Popielski zawahał się i umilkł. Nie dokończył: „przeciwko ludziom cara, jego najwyższym urzędnikom". Wszak miał do czynienia z admiratorem monarchy! Kowerda tego nie zauważył. Jego myśli krążyły w innych rejonach.

– Sztyletnik. – Chłopak się uśmiechnął. – Ładnie to brzmi po polsku. A jak byłoby to po łacinie?

– *Sicarius* – odpowiedział nauczyciel. – Jest też polska forma: sykariusz.

Młodzieniec powoli powstał z miejsca. Jego oczy płonęły, a ramię wzniósł jakby w rzymskim pozdrowieniu.

– Wie pan profesor, dlaczego tak nalegałem, abyśmy się spotkali właśnie tutaj, na Górze Zamkowej? Dlaczego właśnie na tej polanie, na tym placyku na północno-wschodnim zboczu?

Popielski pokręcił przecząco głową.

– Być może stąpamy teraz po kościach polskich bohaterów, powstańców styczniowych. – Głos Kowerdy wznosił się w patetycznych rejestrach. – To są pańscy bohaterowie, ale i moi...

Umilkł. Edward patrzył na niego w zdumieniu – nie mniejszym niż to malujące się teraz na twarzy jakiegoś jegomościa, który w przekrzywionym kapeluszu wszedł pomiędzy drzewa, aby sobie ulżyć, a na polanie zobaczył jakiegoś młodzieńca wykonującego teatralne gesty. Stojący obok chłopca łysy mężczyzna spojrzał groźnie na intruza i poranny spacerowicz w pokrytej listowiem brudnej marynarce – najwyraźniej zasnął w lesie po wczorajszej libacji pod chmurką – pobiegł w stronę wijącej się u stóp zbocza alei Syrokomli.

– Jacy „twoi", Borysie? Wszak to byli Polacy, a ty jesteś Białorusin!

– Widzi pan te nazwiska na tablicy pamiątkowej koło krzyża? – Kowerda się odwrócił i wskazał na krzyż stojący pod Basztą Gedymina. – Tam są takie nazwiska jak Zygmunt Sierakowski, Konstanty Kalinowski, Bolesław Kołyszko. Powieszeni przez Moskali na placu Łukiskim, a potem pochowani po cichu, pohańbieni brakiem pogrzebowej ceremonii. Miałem w szkole białoruskich kolegów o podobnych nazwiskach. Ci powstańcy mówili po polsku, ale rozumieli po białorusku, litewsku, żydowsku! To sól tej ziemi, sól mojego Wilna!

Nagle podszedł do Popielskiego i nieoczekiwanie chwycił go za ramiona.

– Zrobimy to, panie profesorze! Zabijemy gada! – krzyknął. – Tu, na Górze Zamkowej, pod Basztą Gedymina Białorusin zawiera przymierze z Polakiem! Niech będzie ono proroctwem przyszłej białorusko-polskiej federacji, do której niech dołączą inni: Żmudzini, Łotysze, Litwini i Ukraińcy! Niech się spełni sen o wielkiej Rzeczypospolitej wielu narodów, wielu języków! Dzisiaj zawieram tutaj z panem przymierze! Ślubuję, że dokonam mordu założycielskiego. Jak Romulus zabił Remusa i założył Rzym, tak i my, zabijając naszego słowiańskiego brata, ale też ambasadora szatańskiego reżymu, położymy podwaliny pod przyszłe międzymorskie mocarstwo, pod *civitas intermarina*!

Sięgnął po teczkę leżącą w trawie. Otworzył ją. Słońce błysnęło na ostrzu bagnetu.

– Zawieramy tu przymierze. – Rozciął sobie skórę na przedramieniu, w stronę przegubu spłynęła ciemna strużka krwi. – Ja ślubuję, że zabiję ambasadora piekieł Piotra Wojkowa. Ślubuję, że nigdy pana nie wydam, w najgorszym śledztwie, w najgorszych katuszach! Pan Bóg powiedział w Drugiej Księdze Kronik: „Nie wiecie, iż Pan Bóg Izraelski podał królestwo Dawidowi nad Izraelem na wieki, jemu i synom jego przymierzem soli". Tak, sól konserwuje, sól potwierdza. Oto zawieram z panem przymierze soli, panie profesorze!

Kowerda posypał ranę solą i zacisnął usta. Ani jęk się z nich nie wydobył. Edward sięgnął po bagnet pobrudzony krwią swego ucznia. Wyjął z mankietu złotą spinkę z bursztynem, zawinął ją w czystą chusteczkę. Powoli podwijał rękaw koszuli. Młodzieniec przygryzał wargi i nie spuszczał z niego oczu.

– Ślubuję – powiedział Popielski dobitnie i przeciął skórę poniżej łokcia – że dobiję Piotra Wojkowa, jeśli twój strzał będzie niecelny. Ślubuję, że zrobię wszystko, abyś uniknął więzienia!

Krew wylała się z rany ciepłym strumykiem. Popielski podał Kowerdzie dłoń. Ich skrwawione ręce mocno się zwarły.

Góra Gedymina, pamiętająca pogańskie jeszcze czasy, nadała mistycznego znaczenia temu przymierzu.

Przez całe swoje późniejsze życie Popielski żałował, że je zawarł.

EDWARD POPIELSKI WYSZEDŁ Z HOTELU LITEWSKIEGO przy Chmielnej 19. Minął okazałą narożną kamienicę na rogu ulicy, której nazwa, „ulica Zgoda", budziła w nim mieszane uczucia. Jako purysta językowy, który ostatnie pół roku spędził na nauczaniu gramatyki łacińskiej, uważał, że nazwa powinna raczej brzmieć „ulica Zgody".

Tego upalnego poranka nie zawracał sobie jednak już głowy osobliwościami nazewniczymi. Miał zadanie do wykonania. Szedł szybkim krokiem w stronę Marszałkowskiej. Za paskiem spodni uwierał go pistolet Browning.

Major Florian Tyzenhauz wyszedł ze składu aptecznego mieszczącego się na parterze kamienicy na rogu ulic Siennej i Wielkiej, gdzie znajdował się tajny punkt kontaktowy. Zjawił się tam kwadrans wcześniej i z biura hurtowni zatelefonował, aby podjąć ostateczną decyzję. To, czego się dowiedział, sprawiło, że nagle każdym porem skóry zaczął wydzielać lepki pot.

– Nie można do tego dopuścić! Nie można! – krzyknął.

Odłożył słuchawkę i wstał. Upał, który zwykle nie robił na nim wrażenia, teraz oblepił go gorącą falą. Blada twarz mężczyzny poszarzała. Zabrał leżące na biurku małe lusterko i wypadł na ulicę. Podobnie jak Popielski daleki był od podziwiania warszawskiej architektury, choć właśnie opuszczał jedno z jej wybitniejszych dzieł – secesyjny dom Pankiewicza ozdobiony wysmukłą wieżyczką. Z kapeluszem w jednej dłoni i z lusterkiem w drugiej pobiegł ulicą Wielką wśród wyniosłych kamienic w stronę Złotej i Chmielnej. Roztrącał ludzi, uskakiwał przed dorożkami i furgonami, które o poranku rozwoziły towar do eleganckich sklepów Śródmieścia. Wrzeszczał przy tym:

– Kurwa mać! Z drogi, fajansiarzu jeden z drugim!

Tyzenhauz bardzo rzadko przeklinał.

Borys Kowerda zbliżał się do celu. Wiedział – bo sprawdził to kilkakrotnie – że z Nalewek, gdzie od tygodnia wynajmował pokój u niejakiej Sury Fenigsztejn, do warszawskiego Dworca Tymczasowego idzie się nie dłużej niż dwa kwadranse. Choć uwielbiał stare uliczki i małe kamieniczki Wilna, a nowoczesna architektura zwykle pozostawiała go obojętnym, to jednak nie mógł się nie zatrzymać przed najwyższym budynkiem Polski, wieżowcem PAST-y, przypominającym nieco średniowieczne zamczysko.

Może widzę to dzieło po raz ostatni? – usprawiedliwił się sam przed sobą i ruszył w stronę Złotej i Chmielnej.

Zbliżał się do dworca jak codziennie rano od tygodnia. Pociąg do Moskwy odchodził za pięć dziesiąta. Borys Kowerda wiedział, że dzisiaj spotka tu Wojkowa.

Pod pretekstem starania się o wizę kilkakrotnie był w ambasadzie Związku Sowieckich Socjalistycznych Republik przy ulicy Poznańskiej 15 i czekał na ambasadora Piotra Wojkowa, aby dobrze mu się przyjrzeć. Pewnego dnia jeden z urzędników, zniecierpliwiony wyraźnie jego ciągłymi prośbami o audiencję u szefa, krzyknął nań ostro i pokazał mu drzwi. Wtedy zadzwonił telefon. Urzędnik stanął na baczność, odebrał i raz jeszcze machnął ręką na Kowerdę, ponawiając tym gestem nakaz natychmiastowego oddalenia się. W tym momencie wstał i ruszył ku młodzieńcowi ponury typ, który siedział w hallu pod palmą i czytał „Kurier Poranny". Na szczęście – pewnie z powodu upału – szedł bardzo wolno.

Urzędnik skupił się na rozmowie tak bardzo, że przestał zauważać Borysa. Powtarzał do słuchawki: „Tak, dokładnie tak", przerywając tę frazę nie mniej służalczymi: „Oczywiście!" oraz „Tak jest, towarzyszu przedstawicielu pełnomocny!". Petent tymczasem przysunął się do lady i chciwie słuchał. Donośny głos ambasadora dudnił w słuchawce i doszedł uszu młodzieńca. Urzędnik otrzymał rozkaz, by odwołać jutrzejszą poranną wizytę u golibrody, bo Wojkow zamierza spotkać się na dworcu z kolegą wracającym z Londynu i odjeżdżającym do Moskwy. Kowerda usłyszał wszystko oprócz nazwiska owego podróżnika.

Kierowca i goryl Wojkowa Jerzy Grygorowicz był już bardzo blisko i patrzył groźnie na chłopaka. Ten szybko go minął i wyskoczył z ambasady. Grygorowicz przez chwilę się zastanawiał, czy go nie gonić. Ostatecznie machnął ręką, usiadł znów pod palmą i wrócił do ostatniej szpalty „Kuriera Porannego", gdzie znalazł coś, co go nadzwyczaj zainteresowało. W gazecie, przez którą wcześniej uważnie obserwował natręta, znajdowało się ogłoszenie o „uczciwej aktorce, która ma nadzieję na godną zapłatę w zamian za udzielanie lekcyj śpiewu". Takie anonse znał dobrze i on sam, i jego szef. Zwykle zdolności aktorskie takich dam ograniczały się do udawania erotycznej ekstazy. Zanotował numer ogłoszenia i zapomniał o dziwnym petencie.

Ten minął teraz wieżowiec PAST-y i szedł w kierunku dworca. Jego kieszeń obciążał rewolwer Mauzer M1879, zwany „zig-zag". Za kilka minut wylecą z niego dwie kule.

Edward Popielski przeskoczył przez ruchliwą ulicę Marszałkowską, wpadł w Chmielną i zbliżał się do Dworca Tymczasowego. Była to brzydka, niesymetryczna i drewniana bryła o dachu półokrągłym i pokrytym papą. Do wejścia do budynku, zwieńczonego nędznym, trójkątnym tympanonem, prowadziły schody o kilku stopniach. Kiedy Popielski postawił nogę na jednym z nich, gdzieś z boku do jego oczu, ukrytych za czarnymi binoklami, doszedł jakiś błysk. Kątem oka dostrzegł ruch po swojej lewej ręce.

Tymczasem Piotr Łazariewicz Wojkow, odziany w eleganckie letnie białe ubranie z kortu, siedział w dworcowym bufecie i zaśmiewał się do rozpuku z opowieści swojego starego przyjaciela Arkadija Rosenholca – dyplomaty, którego w Londynie uznano za *persona non grata* i odesłano do Moskwy. Kiedy ambasador poruszał głową, drżały gęste włosy, wznoszące mu się nad czołem wysokim, jakby polakierowanym czubem. Niezwykle podobało mu się powiedzenie przyjaciela, że „nie ma nic gorszego niż angielskie żarcie i angielska kurwa". Bardzo był też rad, że Rosenholcowi przypadł do gustu nowy automobil, którym się pochwalił, zanim poszli do bufetu na kawę.

Wojkow czuł w kieszeni znajomy ciężar browninga. Od czasu gdy po wizycie w pewnym burdelu przy ulicy Rycerskiej został zaatakowany przez szajkę żydowskich nożowników i cudem uszedł z życiem, zawsze nosił przy sobie broń. Wszystkiego można było się spodziewać po tym podłym mieście, które go jednocześnie odpychało i fascynowało.

Jego wesoły nastrój na chwilę się ulotnił. Obejrzał się za siebie. Stawał się podejrzliwy, kiedy nie towarzyszył mu Grygorowicz. Ten zaś stał się zbędny, po tym jak Rosenholc wysiadł z pociągu i – przywitawszy się z przyjacielem – oświadczył, że na dalszą podróż do Moskwy nie potrzebuje ani tytoniu, ani alkoholu, ani żadnego jedzenia, a o to wszystko miał się zatroszczyć, zgodnie z pierwotnym planem Wojkowa, właśnie szofer ambasady. Ten, nie mając zatem niczego do roboty, został odprawiony z dyskretnym zadaniem – miał mianowicie sprawdzić, jak wygląda aktorka, która udziela lekcji śpiewu. Opuścił zatem obu panów, by wykonać polecenie.

Florian Tyzenhauz wpadł na Chmielną i znalazł się pomiędzy Popielskim, który właśnie postawił nogę na schodach prowadzących do hali dworca, a Kowerdą wychodzącym szybkim krokiem z Zielnej. Mózg majora jeszcze raz analizował sytuację. Zgodnie z tym, co usłyszał, nie może dopuścić do zabójstwa Wojkowa – to raz. Jest teraz pomiędzy dwoma zamachowcami – to dwa. Nie zatrzyma ich obu jednocześnie – to trzy. Któremu przeszkodzić? Jeden z nich jest starym doświadczonym wojakiem, który szlify oficerskie zdobywał na Wielkiej Wojnie, drugi zaś nieopierzonym żółtodziobem, który strzelanie trenował pewnie wśród drzew podwileńskich Ponar. Wybór był jasny. Podbiegł z lusterkiem do Popielskiego. Wiedział, jak go powstrzymać.

Borys Kowerda zobaczył spoconego człowieka z kapeluszem w dłoni biegnącego w stronę wejścia na dworzec. Nie było to niczym dziwnym. Ludzie w pośpiechu w tym miejscu to normalny widok. Biegnący mężczyzna był już przy Popielskim. Młodzieniec, udając, że nie zna Edwarda, minął ich obu i wszedł do głównego hallu. Było tu gorąco jak w rosyjskiej bani. Rozpalona słońcem papa dachu podniosła temperaturę o kilka stopni. W centralnej części stał kiosk, wokół którego okręcała się kolejka podróżnych. Wachlowali się gazetami i kapeluszami. Kowerda nie patrzył na rozkład jazdy, doskonale wiedział, z którego peronu odjeżdża pociąg do Moskwy. Wczoraj, nie mogąc spać, opuścił ubogie mieszkanie Sury Fenigsztejn, był na dworcu i wszystko sprawdził.

Wojkow i Rosenholc zaśmiewali się w drzwiach bufetu. Każdy z nich chciał puścić przodem kolegę, przez co przez chwilę blokowali przejście. Komentując to wesoło, ruszyli na peron, skąd za kwadrans odjeżdżał dalekobieżny do ich ukochanej stolicy. Dwaj umundurowani kolejarze patrzyli na nich spod oka. Kiedy Rosjanie weszli na peron, wciąż rechocząc ze śmiechu, jeden z kolejarzy zaczął długim prętem opukiwać koła, drugi zaś stanął na stopniach z gwizdkiem w zębach i uśmiechał się do podróżnych.

Popielskiego oślepił błysk słońca, które się odbijało od lusterka. Blask zaczął tańczyć na jego źrenicach. Świetlne refleksy wdarły się w mózg. Synapsy zostały nimi zaatakowane. Neurony zaczęły tworzyć niezwykłe skupiska. Poczuł dziwne tchnienie – poznał je był dobrze. Ze zgrozą nazywał je *ventus epilepticus*. Epileptyczny wiatr. Upadł przed wejściem na dworzec. Kapelusz zsunął mu się z głowy. Obcasy eleganckich butów zaczęły walić o trotuar.

Tyzenhauz wyrzucił lusterko i wpadł do hallu dworca. Nigdzie nie widział młodego Białorusina. W odróżnieniu od niego nie wiedział, z którego peronu odchodzi międzynarodowy do Moskwy. Sprawdził to teraz i rzucił się w tamtym kierunku. Wtedy usłyszał strzały, a wokół niego zakłębili się uciekający w panice ludzie.

Borys Kowerda zaczął walić z mauzera, gdy tylko wyszedł z pary buchającej od lokomotywy. Skoro tylko ujrzał jego – delegata piekieł. Bolszewickiego opryszka. Widział, jak się śmieje – szeroko i radośnie. Pierwsza kula przeszyła ambasadorowi bok. Pochylił się i odwrócił, sięgając do kieszeni. Druga trafiła go w plecy, rozrywając eleganckie letnie ubranie. Okręcił się na pięcie jakby wykonywał taneczną ewolucję.

A jednak Wojkow strzelił. Był zbyt słaby, aby unieść dłoń. Kamień peronu, trafiony kulą, rozprysł mu się pod nogami. Zadźwięczała blacha pociągu, uderzona rykoszetem. Ambasador osunął się na kamienne podłoże. Rosenholc się nad nim pochylił. Kowerda uniósł ręce nad głową.

– To za Rosję! Mszczę się za Rosję! Za miliony ludzi! – krzyknął. – Zabijam cię jako członka Kominternu!

W prawej dymił mu rewolwer, kiedy podbiegło do niego dwóch umundurowanych policjantów.

– Rzuć broń! – wrzasnął jeden z nich.

Młodzieniec posłusznie uczynił, co mu nakazano.

Tyzenhauz wpadł na peron. Stanął jak wryty, kiedy zobaczył Piotra Wojkowa leżącego w kałuży krwi i skuwanego kajdankami Borysa Kowerdę. Nie zauważył, jak szybkim krokiem zbliżyli się do niego dwaj kolejarze. Uderzenie w nerkę odebrało mu oddech, uderzenie w splot słoneczny zasłoniło oczy mgłą. Osunął się na peron.

– Coś się stało temu panu! – krzyknął ktoś z tłumu gęstniejącego na peronie. – Może zawał?

– Jeszcze jeden zastrzelony? – zapytał sprzedawca z kiosku, który właśnie tam wpadł.

Tylko ci dwaj ludzie spośród gapiów zainteresowali się losem Tyzenhauza. Lecz potem znów odwrócili się ku leżącemu Wojkowowi i dwóm posterunkowym podtrzymującym pod pachy młodzieńca, który smutno się uśmiechał. Jakaś przekupka sprzedająca pomarańcze nie spuszczała jednak oka z kolejarzy, którzy zanosili majora do pociągu stojącego na bocznicy.

Dobre chłopaki, te nasze kolejarze – pomyślała. – Jakiś starik zasłabł od skwaru, to go zabrali ocucić. Sanitariusze, nie kolejarze! Anioły!

Pogotowie odwiozło Piotra Łazariewicza Wojkowa do Szpitala Dzieciątka Jezus przy ulicy Żelaznej, oddalonego od dworca o pięć minut jazdy automobilem. Umarł, kiedy szedł trzeci kwadrans na jedenastą. Sekcja zwłok dokonana przez profesora Wiktora Grzywo-Dąbrowskiego wykazała, że jeden strzał – od przodu – był niegroźny, natomiast drugi – od tyłu – przebił płuco. Do opłucnej wylały się prawie cztery litry krwi. Morderca cara zginął tak jak niegdyś jego ofiary.

Na Kremlu zawrzało. Przez większe rosyjskie miasta przetoczyły się robotnicze demonstracje, żądające wypowiedzenia wojny Polsce i zniszczenia raz na zawsze przeklętego Kraju Przywiślańskiego. Dwa dni później w barbarzyńskim akcie ślepych represji zamordowano na moskiewskiej Łubiance dwadzieścioro przedstawicieli starej rosyjskiej arystokracji.

Oba sąsiadujące kraje stanęły na krawędzi wojny. Prometejczycy nie zacierali jednak rąk z radości. Zwłaszcza że jeden z ich najważniejszych przywódców tego upalnego czerwcowego dnia zniknął jak kamfora.

WARSZAWA, ŚRODA, 15 CZERWCA 1927 ROKU,

TRZY KWADRANSE NA JEDENASTĄ RANO

MIMO WYRAŹNEGO ZAKAZU, jaki otrzymał pół roku wcześniej od majora Tyzenhauza, Popielski od początku do końca uczestniczył w rozprawie Sądu Doraźnego w Warszawie, gdzie miał zapaść wyrok w sprawie Borysa Kowerdy. Obecność Edwarda na sali sądowej była niewskazana, twierdził prometejczyk w listopadzie ubiegłego roku we lwowskiej kawiarni Warszawa, ponieważ Edward mógłby zostać tam rozpoznany przez kogoś ze znajomych zamachowca – przez ojca, matkę, siostrę lub dyrektora rosyjskiego gimnazjum w Wilnie. Być może obrońcy zechcieliby wtedy wezwać na świadka korepetytora, który miałby mówić o zaletach ducha i umysłu swego ucznia. A stąd już tylko krok dzieliłby Popielskiego od katastrofy. Podczas przesłuchania wyszłoby na jaw oczywiste *curiosum*: oto brutalny policjant, podejrzany w sprawie zabójstwa Józefa Miętkiego, udaje, i to pod fałszywym nazwiskiem „Koczarski", nauczyciela. Gdyby wtedy miał wyjaśniać, dlaczego opiekunowie Kowerdy nie zatrudnili jednego z kilkudziesięciu łacinników mieszkających w Wilnie, musiałby wskazać na Józefa Łopatto jako na animatora całej tej akcji edukacyjnej. Oczywiście ten mógłby powiedzieć, że taka była wola urzędującego w Paryżu Komitetu Wielkiego Księcia Mikołaja Mikołajewicza, ale czy to zmyliłoby prokuratora? Nie musiałby zbyt głęboko szukać, aby odkryć, że prezes wileńskiej gminy karaimskiej jest aktywnym działaczem politycznym i jednym z czołowych prometejczyków. Co już groziłoby zdemaskowaniem całego spisku. Co więcej, pojawienie się Popielskiego na sali rozpraw było jedynym zagrożeniem, ponieważ wpływy służb wywiadowczych, jak zapewniał Tyzenhauz, sięgały wszędzie i wszędzie można było ukręcić łeb podejrzeniom – poza niezależnym od władz politycznych sądem.

Popielski, zdając sobie sprawę z niebezpieczeństwa, jakie niosłaby jego obecność na procesie Kowerdy, podjął osobliwą i groteskową – jak to określiła Leokadia – decyzję pojawienia się na sali rozpraw w swoistym przebraniu. Mimo zastrzeżeń kuzynki sięgnął do najgłębszego zakamarka najniższej szuflady swojej szafy, gdzie leżała peruka – wzgardzona i wyśmiana. Ten imieninowy prezent, otrzymany niegdyś od kpiarskich kolegów, nakładał jedynie wtedy, gdy chciał rozbawić swoje kobiety. Kiedy biegał w peruce po przedpokoju, chrząkając, nie wiadomo dlaczego, jak dzik, Rita piszczała z radości, służąca Hanna pękała z uciechy, a Leo na chwilę traciła swój tajemniczy uśmiech Mony Lisy.

Popielski spędził we Lwowie tydzień, po czym pojechał do Warszawy, przebrany właśnie w perukę oraz w stary wytarty i pocerowany garnitur. Prosto z dworca udał się dorożką do sądu okręgowego na Miodową. Ciemnych binokli nie miał na nosie, a przed ewentualnym atakiem padaczki zabezpieczył się dubeltową porcją lekarstw, przez co był nieco senny.

W to upalne czerwcowe południe siedział ściśnięty pomiędzy dwiema potężnymi jejmościami na przepełnionej sali w pięknym siedemnastowiecznym pałacu Paca przy ulicy Miodowej, będącym miejscem obrad jednodniowego sądu doraźnego, zwoływanego w najpilniejszych tylko sprawach. Spod sztucznych włosów wypływały mu strużki potu, które dyskretnie ocierał. Peruka zapewnia kiepskie *incognito*, ponieważ jej posiadacz zawsze jest przedmiotem mniej lub bardziej wyraźnych kpin, co oczywiście sprawia, że ludzie poświęcają mu wiele uwagi. Ale nikt z audytorium nie patrzył dzisiaj na masywnego, obficie pocącego się mężczyznę z dziwnymi, nieco sztywnymi i odstającymi włosami. Oczy wszystkich były utkwione w oskarżonym, sędziach, prokuratorze oraz w aż czterech adwokatach.

Przesłuchania świadków trwały prawie dwie godziny. Ze strony sowieckiej zdarzenia relacjonowali szofer ambasadora Wojkowa Jerzy Grygorowicz oraz – za pośrednictwem tłumacza – Arkadij Rosenholc, który z uwagi na tragiczne wypadki do Moskwy ostatecznie nie pojechał. Ich zeznania potwierdzili dwaj policjanci, posterunkowi Marian Jasiński i Konstanty Dąbrowski, którym się poddał zamachowiec. To i owo dorzuciła też Sura Fenigsztejn, w której mieszkaniu Kowerda znalazł tymczasowe lokum. Wincenty Arendarski, przewodniczący trzyosobowego składu sędziowskiego, uznał, że na tym zostanie zakończona część śledcza, i zarządził przesłuchanie świadków, których zeznania miałyby lepiej oświetlić motywację oskarżonego.

Wtedy przed trybunałem przewinął się cały korowód mieszkających w Wilnie Rosjan i Białorusinów, mówiących po polsku lepiej lub gorzej, lecz zawsze z pięknym wschodnim zaśpiewem. Zeznania rodziców i siostry ukazały wszystkim jasny obraz Borysa. Sofroniusz Kowerda, wyglądający, jakby mocnymi trunkami dodał sobie animuszu, podkreślał ciężką pracę swego syna na rzecz całej rodziny. Anna Kowerdowa wypunktowała jego skromność i ciepłe uczucia rodzinne, a Irena Kowerdówna wrażliwość i nadzwyczajne zdolności umysłowe.

Popielski, drżąc, aby dziewczyna dla udowodnienia tej ostatniej cechy nie powołała się na korepetytora pana Koczarskiego, zgadzał się z całego serca z charakterystyką swego ucznia.

Dyrektor gimnazjum rosyjskiego w Wilnie pan Leonid Bielewski oraz zatrudniony tamże nauczyciel religii ksiądz prawosławny Józef Dziczkowski zgodnym chórem podkreślali zalety moralne chłopca: jego głębokie zainteresowanie sprawami wiary i uczestnictwo w nabożeństwach w cerkwi. Przy okazji ten ostatni świadek wychwalał częste przystępowanie Kowerdy do sakramentu spowiedzi.

Koledzy gimnazjalni oraz dziennikarze i współpracownicy białoruskich gazet, gdzie młodzieniec był tłumaczem, redaktorem i korektorem, poinformowali o innych cechach oskarżonego, przez które przytępione zostały nieco wcześniejsze zachwyty. Borys był – według tych świadków – nerwowy, melancholijny i kłótliwy. Wszyscy zgadzali się co do tego, że ich kolega nienawidził komunistów, jako sprawców całego zła w Rosji.

Popielski bardzo się zdziwił, kiedy sędzia Arendarski w pewnej chwili prześlizgnął się gładko ponad sprzecznością, jaka pojawiła się po zeznaniach Hipolita Judyckiego, pracownika wileńskiej drukarni, w której Kowerda był korektorem. Borys stanowczo obstawał, że pistolet kupił właśnie od Judyckiego, podczas gdy ów energicznie temu zaprzeczał. Sędzia zdawał się nie przejmować sprzecznością zeznań Kowerdy i Judyckiego. Płynnie przeszedł do nowych wątków.

Nie jest szczególarzem – pomyślał Popielski z pewną ulgą. – Nie ma zamiaru przydybać Kowerdy na jakichś kłamstewkach. Na pewno chce nadać procesowi charakter ogólny. Przecież niedługo państwo sowieckie będzie oskarżane jako diabelski twór! Po co się rozdrabniać?

Ta konstatacja poprawiła mu humor, który jednakże zaraz został popsuty, i to zeznaniami samego oskarżonego.

Kowerda odpowiadał bardzo pewnie i zdecydowanie, co kontrastowało nieco z przesłodzonym obrazem wrażliwego intelektualisty, jaki odmalowała rodzina. Najgorsze było to, że nie potrafił pokazać, że był naocznym świadkiem jakiegoś szczególnego bolszewickiego bestialstwa.

Popielski był zły sam na siebie, że nie wypytał o to swojego ucznia, zawierzywszy Tyzenhauzowi, który twierdził we lwowskiej Warszawie, że Kowerda przeżył rzeczy okropne. Tymczasem z zeznań oskarżonego wynikało, że ani jego, ani rodziny nie spotkało nic strasznego. On sam widział tylko, jak bolszewicy drwili sobie z popa, który później ponoć został przez nich obdarty z szat i utopiony w przerębli. Samego młodzieńca nie spotkały natomiast nigdy dotkliwe represje, może oprócz pogardliwego określenia „burżujczyk" i zrzucenia mu kiedyś z głowy czapki. Ten fragment zeznań nie brzmiał bardzo poważnie, nic zatem dziwnego, że został przyjęty przez publiczność uśmieszkami i parsknięciami. Mniej jednak parskała, gdy Kowerda opowiadał, jak przeżył napad bolszewików na pociąg, w wyniku czego on sam został wyrzucony z wagonu i musiał z Grodna do Wilna jechać „na parowozie". Na tym skończyły się jednak „prześladowania", jakim był poddany przez rewolucjonistów.

Adwokat Marian Niedzielski próbował mu przyjść z pomocą i wydobył od niego informację, że ogromne i przerażające wrażenie zrobiła na oskarżonym książka *Zapiski pisarza* Michaiła Arcybaszewa, emigranta rosyjskiego, zmarłego trzy miesiące wcześniej w Warszawie. Opisywał on w niej przejmująco rewolucję bolszewicką jako krwawą łaźnię i wszechświatową katastrofę, jako spełnienie marzeń Szatana.

Wtedy Popielski zrozumiał, że cała linia obrony, opierająca się na analogii do sprawy Conradiego, jest boleśnie słaba. Maurice Conradi, straciwszy z ręki bolszewików ojca, brata i wuja, był przekonującym aniołem zemsty. Kowerda – mszczący się na bolszewikach pod wpływem literackiej wizji Arcybaszewa – stawał się w oczach sędziów niewiele więcej niż egzaltowanym wyrostkiem, który cierpienia przeżywa jedynie w swej bujnej wyobraźni.

Po wysłuchaniu zeznań oskarżonego sąd ogłosił półgodzinną przerwę. Popielski nie opuszczał sali w obawie, że ktoś zajmie mu miejsce, i dalej się dusił pod peruką, w której pot uwolnił chemiczną woń kleju.

Po przerwie zabrał głos prokurator Kazimierz Rudnicki. Ten doświadczony prawnik celnie wypunktował to, czego się Edward obawiał. Wyśmiał wręcz wspomnienia z rewolucji jako śmieszne, dziecinne, zdeformowane. Zrzucenie czapki przez bolszewików ironicznie uznał za „smutne" i „deprecjonujące", wiedząc doskonale o tym, że te przymiotniki mocno kontrastują z miałkością samego czynu. Oskarżyciel skupił się też – wobec niejasnych odpowiedzi Kowerdy na pytania o narodowość – na jego nieokreślonej tożsamości.

– Czy oskarżony uważa za swą ojczyznę Białoruś, Polskę czy Rosję? – wołał. – To bardzo ważne, panowie sędziowie! Bo w imieniu jakiego narodu wystąpił Kowerda, zabijając posła Wojkowa? Trudno to określić. Czy wobec niejasnych narodowych deklaracyj nie słuszniej byłoby przyjąć, że oskarżony zrobił to we własnym, osobistym imieniu? A jeśli we własnym, to co nim kierowało? Wiem, panowie sędziowie! Nieokiełznana pycha! Czy okazał jakieś wzruszenie, jakiś afekt po śmierci Wojkowa! Bynajmniej! Ludzie pyszni nie okazują uczuć. Czy podał jakieś przekonujące uzasadnienie swej zbrodni? Bynajmniej! Kierowały nim pobudki literackie, dziennikarskie, a przecież nikt nie powie, że dziennikarstwo i literatura zawsze mówią prawdę. Tak, panowie sędziowie! Wnoszę, aby Rzeczpospolita, przemawiająca waszymi usty, srogo ukarała tego pyszałka, nie patrząc na jego młody wiek. On przecież bezrozumnie, z literatury tylko czerpiąc wiadomości, zabił człowieka, który ufnie żył na polskiej ziemi!

Czterej adwokaci – dwóch Polaków, jeden Żyd i jeden Rosjanin, wszyscy gwiazdorzy warszawskiej palestry – ruszyli na pomoc oskarżonemu i każdy z nich wygłosił płomienną mowę, apelując do uczuć sędziów, już choćby przez to, że zgodnie nazywali Kowerdę „chłopcem".

Mecenas Marian Niedzielski odmalował z całą swą elokwencją przejmującą scenę, jak to „biedny chłopiec", kochający wiarę i religię, widzi bestialskie traktowanie prawosławnego księdza. Ten stary wyjadacz sądowy skupił się potem głównie na zabitym Wojkowie. Długo, szczegółowo i nadzwyczaj przekonująco roztrząsał kwestię prawną, czy można uznać sowieckiego ambasadora za funkcjonariusza publicznego. Jeśli nie można, a do tego się skłaniał mecenas, należy oddać sprawę Kowerdy sądowi okręgowemu, nie zaś poddawać ją pod obrady sądu doraźnego.

Dobrze – pomyślał Popielski. – Gra na czas!

Mecenas Niedzielski na koniec swej mowy znów wrócił do kwestii pryncypialnych i wziął „górne C".

– To wyście, bolszewicy – grzmiał – obrali terror jako środek tyranii, zaś terror tego chłopca jest tylko odpowiedzią na wasze bestialstwa! Jest zadośćuczynieniem sprawiedliwości.

Adwokat pochodzenia rosyjskiego Paweł Andrejew eksploatował wątki religijne i patriotyczne, skupiając się na dywagacjach prokuratora, zgodnie z którymi Borys Kowerda sam nie wie, kim jest. Dla mecenasa nie ulegało wątpliwości, że można być patriotą białoruskim i rosyjskim jednocześnie.

– Kowerda cierpiał nad nieszczęściami ojczyzny swojej – wywodził. – Wojkow zaś reprezentował nie ojczyznę Kowerdy, lecz nowy, okropny, z krwi powstały i krwią niewinną tuczący się nowotwór państwowy, który nawet ze swoich sztandarów zdarł imię Rosji!

Znakomity retor odwoływał się przy tym do własnego pochodzenia.

– Z liczby trzech obrońców to mnie jednemu, jako człowiekowi z matki Polki i ojca Rosjanina pochodzącemu, oskarżony jest najbliższy. Jest mi on bliski i zrozumiały, bo nie zapomniałem, com winny ojczyźnie ojca mego. Nie zapomniałem i nie zapomnę mowy, w której kształtowano moją duszę i wpajano pojęcia prawa, sprawiedliwości, miłości i honoru!

Po tym patetycznym wystąpieniu mecenas Mieczysław Ettinger, pochodzący ze znanej zasymilowanej żydowskiej rodziny prawniczej, poszedł jedną z dróg zarysowanych pierwej przez swego kolegę Niedzielskiego i zaczął precyzyjnie definiować terminy prawne. Jego interpretacje określeń „sąd doraźny" oraz „obcy funkcjonariusz publiczny" były ostre jak cięcia skalpelem. Popielski – choć laik – podpisałby się pod tymi logicznymi rozbiorami pojęć.

– Wszelkie czyny przestępne przeciwko obcym funkcjonariuszom kodeks traktuje jako skierowane przeciw zwykłym jednostkom, ignorując stanowisko pokrzywdzonych – mówił Ettinger. – Zabójstwo obcego posła powoduje odpowiedzialność na równi ze zwykłym zabójstwem!

Popielski zmartwiał, obawiając się, że przez sprowadzenie zamachu na Wojkowa do statusu „zwykłego zabójstwa" zostanie odebrany aktowi Kowerdy cały patriotyczny i idealistyczny sztafaż.

– A zwykłe zabójstwo, powtarzam „zwykłe", nie zaś kwalifikowane, jest przecież rozpatrywane przez zwykłe sądy, nie doraźne! – kończył swój wywód mecenas, imponując Edwardowi żelazną logiką. – Zabójstwo zwykłej jednostki jest czymś innym niż zabójstwo „funkcjonariusza publicznego". Jeśli rozszerzymy pojęcie „funkcjonariusza publicznego", to w imię elementarnej logiki musimy uznać, że nasze ustawy mówiące o urzędniku mają na myśli każdego urzędnika, nie tylko polskiego, a mówiąc o państwie, każde państwo, nie tylko Rzeczpospolitą! Doszlibyśmy tą drogą *ad absurdum*!

Ostatni z adwokatów, mecenas Franciszek Paschalski, znów wszedł do krainy podniosłych słów i teatralnych gestów. Jego mowa wywołała na sali entuzjazm, a nawet łzy.

– Sędziowie, nie ma władzy, która mogłaby żądać śmierci Kowerdy! – wołał. – Tej śmierci nie mają prawa żądać nawet ci, przeciwko którym Kowerda symbolicznie wymierzył swój strzał. On przejął ich metodę działania, nie jego to wina, że innej służy idei. Jego dziecięcej głowy nie może żądać też społeczeństwo i naród polski. Ten naród swoich pamięta bohaterów. Ja wierzę, że wyrok wasz, w którym majestat narodu zawierać się winien, światu całemu pokaże, że

Polska, swego cierpienia pamiętna, innych niedolę zrozumieć umie.

Sędzia Wincenty Arendarski po tej przejmującej mowie obrończej zarządził godzinną przerwę, po której miał zostać ogłoszony wyrok. Sędziowie, adwokaci i prokurator opuścili swe miejsca, a oskarżonego wyprowadzono. Żaden widz nie wyszedł jednak z ław dla publiczności z tych samych obaw, jakie wcześniej przyświecały Popielskiemu. Tkwił w swym niezbyt wygodnym miejscu jak skamieniały, wpatrując się w brudne nieco ściany sali, w wyryte na marmurowych tablicach łacińskie prawnicze paremie, w godło Rzeczypospolitej i w potężne okna wychodzące na budynki Archiwum Hipotecznego. Teraz słychać było wyraźnie dochodzące od strony ulicy Miodowej i kościoła Kapucynów okrzyki tłumu:

– Uwolnić Kowerdę!

– Uwolnić zabójcę bestii!

– Precz z Sowietami!

Popielski, patrząc na łacińskie sentencje, nagle poczuł smutek. Tyle miesięcy uczył chłopca pięknego języka Rzymian, a ten tak pojętny uczeń, szczery, dobry młodzieniec, być może teraz wyląduje w więzieniu! Nagle do uczucia smutku dołączyła się gorycz.

Jeśli trafi do więzienia – powiedział w myślach sam do siebie – to tylko dlatego, że ty go tam wpakowałeś, stary draniu!

Kiedy po godzinie weszli prawnicy, a dwaj woźni posadzili Kowerdę na miejscu dla oskarżonych, gorycz stała się nieznośna i paląca. Co gorsza, zaczęła się pogłębiać wraz z każdym słowem wiceprezesa sądu okręgowego i przewodniczącego sądu doraźnego pana Wincentego Arendarskiego.

Najpierw sędzia rozprawił się z argumentacją obrony podającą w wątpliwość to, że Piotr Wojkow był funkcjonariuszem publicznym. Zdaniem sądu był nim z całą pewnością, a na dowód słuszności tej konstatacji Arendarski zasypał wszystkich paragrafami i prawniczymi formułami. Potem sąd uznał, że zamach na Wojkowa wcale nie był motywowany politycznie i idealistycznie, ponieważ nie był zamachem na bolszewika, lecz na przedstawiciela obcego państwa.

– Aczkolwiek obrona usiłowała w ofierze zamachu Kowerdy widzieć nie posła Związku Sowieckiego, ale przedstawiciela Kominternu, bo takie słowa wykrzyknął oskarżony, mierząc do Wojkowa – czytał Arendarski – to jednak takiego poglądu sąd żadną miarą podzielić nie może jako wyraźnie sztucznego i niepopartego żadnem dowodem przynależności Wojkowa do Kominternu!

Popielskiemu zaczęło robić się słabo, gdy usłyszał taki małoduszny argument. Już wiedział, że wszystko zmierza w złym kierunku. Przed jego oczami pojawiła się scena sprzed miesiąca. Dźwięczały mu w uszach jego własne słowa: „Ślubuję, że zrobię wszystko, byś uniknął więzienia!".

Czy zrobiłem wszystko? – pytał sam siebie, wycierając pot, który zaczął mu barwić kołnierz marynarki. – Czy zrobiłem naprawdę wszystko? Nie! Powinienem wstać teraz i powiedzieć: „Razem z nim to zaplanowałem, to ja go zainspirowałem! Posadźcie mnie zamiast tego chłopaka!".

I nagle ujrzał Ritę i Leokadię, które przychodzą do Brygidek, gdzie zostaje osadzony po takim wyznaniu. Leokadia żyje w biedzie, pokątnie się prostytuuje, wyprzedawszy wszystkie cenne przedmioty. Rita płacze i wyciąga rączki do tatusia.

– Zabójstwo na terenie Polski dokonane przez emigranta z pogwałceniem obowiązku wdzięczności za prawo azylu, i do tego na osobie przedstawiciela obcego państwa – ciągnął sędzia – czyli z wielką szkodą dla moralnego prestiżu Rzeczypospolitej i dla jej interesów politycznych, wymaga wzmożenia represji karnej.

Popielskiemu mrok zasnuł oczy. Nie była to na szczęście epilepsja, lecz zwiastun omdlenia. Mógł tylko w jeden sposób jemu przeciwdziałać. Zerwał z głowy perukę i poczuł lekkie tchnienie powietrza, które go ocaliło. Dwie sąsiadki odsunęły się, patrząc z mieszaniną strachu i obrzydzenia. Ktoś z tyłu lekko się zaśmiał.

– Sąd jednomyślnie orzekł. – Sędzia Arendarski podniósł głos. – Mieszkańca miasta Wilna Borysa Kowerdę, lat dziewiętnaście, syna Sofroniusza i Anny, skazuje na pozbawienie praw z artykułów 25, 26, 30, 34 i 35 Kodeksu karnego i na bezterminowe ciężkie więzienie oraz zwrot kosztów sądowych.

Na sali rozszedł się szmer oburzenia. Niektórzy zaczęli krzyczeć:

– Hańba! Hańba!

– Dlaczego nie powiedzieliście, obrońcy, że Wojkow zabił cara?! – wrzasnął Popielski.

Jego głos zginął we wrzawie. Wyrwał się z ławy i rzucił ku drzwiom sali. Nikt nie zwracał na niego uwagi. Ludzie wstawali i machali rękami.

Edward wydostał się na korytarz. Wyrzucił do kosza mokrą od potu perukę cuchnącą klejem. Oparł się o ścianę i słuchał, jak zza niedomkniętych drzwi sali dochodzi odgłos walenia sędziowskim młotkiem i okrzyki woźnych. W końcu tumult się uspokoił i sędzia czytał dalej. Popielski słyszał na korytarzu wyraźnie końcówkę wyroku:

– Na mocy paragrafu 775 sąd postanawia złożyć do pana prezydenta Rzeczypospolitej za pośrednictwem pana ministra sprawiedliwości wniosek o złagodzenie Kowerdzie kary ciężkiego więzienia do lat piętnastu.

Kiedy skazanego wyprowadzono na korytarz, Popielski stanął z nim twarzą w twarz. Wokół kłębili się ludzie. Trzaskała magnezja lamp fotograficznych. Młodzieniec lekko się uśmiechnął, nie patrząc w kierunku swego mentora. Nagle zatrzymał się i podwinął rękaw koszuli i marynarki. Wyraźnie widoczna była świeża blizna po nacięciu, jakim miesiąc wcześniej zostało przypieczętowane ich przymierze na Górze Gedymina.

I wtedy uczeń spojrzał na swego nauczyciela, i powiedział:

– Przymierze soli, przymierze soli.

CZĘŚĆ III

PRZEBITE PŁUCO

Wykład profesora Rogera Greymore'a trwał już prawie trzy kwadranse. Mówca widział lekkie znużenie studentów, ich ukradkowe ziewnięcia, spojrzenia kierowane pod ławkę na ekraniki telefonów, by sprawdzić, która godzina albo czy są jakieś nowe informacje w mediach społecznościowych.

– Poproszę jeszcze o kilka minut uwagi. – Uśmiechnął się do słuchaczy. – Wiem, że po punkcie kulminacyjnym mojego wykładu, jakim było zabójstwo ambasadora Wojkowa, w ówczesnej nomenklaturze zwanego również posłem, odczuwacie naturalną chęć wytchnienia. Zaraz przejdziemy od historii do teraźniejszości i wrócicie do Coventry *Anno Domini* 2019. Ale zanim to zrobicie, proponuję, abyście nie opuszczali krainy przeszłości, lecz przenieśli się duchem z Warszawy do Londynu *Anno Domini* 1927. Ta wędrówka, mam nadzieję, będzie chwilowym urozmaiceniem, odpędzi senność i zamknie pierwszą część naszego wykładu.

Studenci oderwali oczy od telefonów, spojrzeli na wykładowcę z uwagą, niektórzy wyjęli z kieszeni paczki papierosów i położyli je na pulpicie, inni potarli oczy i skronie. Byli gotowi na nowe punkty kulminacyjne.

– A zatem jesteśmy w Londynie, stolicy imperium, w którym słońce nie zachodzi. Nawet nie zdajemy sobie sprawy, że działa tutaj cała siatka sowieckich szpiegów. Na Trafalgar Square albo na Saville Road ich może nie ma, ale w robotniczych dzielnicach

East Endu wprost się roi od komunistycznych agitatorów. Rosja Sowiecka słusznie uważała Anglię, bo tak będziemy teraz w skrócie nazywać Zjednoczone Królestwo, za swojego najpoważniejszego przeciwnika w ówczesnej Europie, za najsilniejsze mocarstwo świata i ostoję znienawidzonego imperializmu. Nic zatem dziwnego, że szpiegowskie działania przeciwko ojczyźnie Karola Dickensa stały się na Kremlu priorytetem. Funkcjonariusze Wydziału Wywiadu Zagranicznego, czyli INO...

Przerwał i napisał po rosyjsku oraz w transkrypcji *Innostrannyj Otdieł*. Wiedział, że pisanie na tablicy, i to w obcym alfabecie, zawsze ożywia audytorium.

– ... funkcjonariusze Wydziału Wywiadu Zagranicznego powołanego w roku 1920 wypowiedzieli Anglii tajną wojnę. Prowadzili ją, jak to zawsze w Rosji, a i dzisiaj podobnie, pod przykrywką organizacji gospodarczych. Jedną z nich była firma Arcos zajmująca się oficjalnie zacieśnianiem sowiecko-brytyjskich kontaktów handlowych. Od początku stała się ona obiektem dyskretnych obserwacji Scotland Yardu. Inwigilacja ta stała się jeszcze intensywniejsza, kiedy do władzy w roku 1924 doszli konserwatyści, a premier sir Stanley Baldwin krzyknął w stronę Moskwy: „Ręce precz od Anglii!". Nastąpił wtedy okres wojen podjazdowych, na otwarty atak trzeba było zaczekać trzy lata. A przypuszczono go 12 maja 1927 roku, niecały miesiąc, powtarzam, niecały miesiąc przed zabójstwem w Warszawie Piotra

Wojkowa. Proszę dobrze zapamiętać tę zbieżność czasową!

Nabrał tchu i zaczął relacjonować wydarzenia w tempie komentatora sportowego:

– Tegoż to dnia o czwartej trzydzieści po południu do siedziby wspomnianego Arcosu przy Moorgate 49 w Londynie weszło dziewiętnastu detektywów ze Scotland Yardu wraz z towarzyszącymi im umundurowanymi policjantami w liczbie dwudziestu jeden. Dołączyło do nich trzydziestu strażników miejskich, czyli funkcjonariuszy Metropolitan Police. Razem siedemdziesięciu mężczyzn. Zajęli oni błyskawicznie wszystkie piętra i prawie wszystkie pokoje. Mówię „prawie", ponieważ jeden pokój, pozbawiony klamek, był zamknięty od wewnątrz, a zabarykadowany tam urzędnik sowiecki, szef szyfrantów, niejaki Anton Miller, pośpiesznie palił papiery. Nie udało mu się jednak zniszczyć wszystkich. Po wyważeniu drzwi policjanci znaleźli liczne dokumenty potwierdzające ścisłą współpracę Międzynarodówki Komunistycznej z partiami komunistycznymi w Wielkiej Brytanii i Ameryce. Znaleziono dowody na działalność wywrotową tajnych służb sowieckich skierowaną przeciwko Anglii oraz na szkolenie dywersantów na statkach Arcosu. Nie mówiąc już o szyfrach, adresach i kontaktach, które natychmiast zaczęto sprawdzać. Akcja była szybka, brutalna, „chuligańska", jak wrzeszczeli angielscy pożyteczni idioci i gazety rosyjskie, oraz... całkowicie bezprawna, bo Rosjan, zgodnie z zawartym w roku 1920 porozumieniem, chroniły immunitety handlowe. A jednak wbrew temu, co zarzucała jej opozycja, z Partią Pracy na czele, była ona także niezwykle skuteczna. Sowieckie służby specjalne otrzymały bolesny cios, z którego zdołały się podnieść dopiero w latach trzydziestych, kiedy to stworzono jedną z najgroźniejszych i najskuteczniejszych grup szpiegowskich w historii, a mianowicie Piątkę z Cambridge. Wróćmy jednak do burzliwych wydarzeń z maja dwudziestego siódmego roku. Po ataku na Arcos z Anglii wydalono ponad czterysta sowieckich *personae non gratae*, z ambasadorem Arkadijem Rosenholcem na czele.

Wykładowca uśmiechnął się tajemniczo.

– Mówi wam coś to nazwisko? Tak, to ten sam, który wracając do Moskwy, spotkał się w Warszawie ze swoim przyjacielem Piotrem Wojkowem. Może ich spotkanie było przypadkowe, a może ustalone dużo, dużo wcześniej. Tego nie wiemy. Wiemy natomiast jedno: propagandowe wykorzystanie śmierci carobójcy z całą pewnością było już częścią dobrze zaplanowanej akcji. Podniósł się krzyk, że zabójstwo Wojkowa jest jednym z etapów wielkiej imperialistycznej krucjaty podjętej przez Anglię obok akcji „Arcos" i innych drobniejszych incydentów. Czyż nie budzi się teraz w was choćby cień podejrzenia, że zamach dokonany przez Kowerdę przydał się trochę Rosji w propagandowej nagonce na Londyn? Że był jej na rękę? Że trochę racji mógł mieć mieszkający w Genewie, uznany za szalonego, brat Wojkowa, który w liście do krakowskiej gazety „Ilustrowany Kurier Codzienny" twierdził, że to Arkadij Rosenholc miał zabić Wojkowa, ale Kowerda nieświadomie odwalił za niego całą brudną robotę? A czy istniały inne powody, dla których ktoś w Moskwie mógł pragnąć śmierci Wojkowa? Otóż tak! Na grobie pod murami Kremla napisano, że był bohaterem, ale już nie wspomniano, że Piotr Wojkow kompromitował dyplomację sowiecką, a wszystkie zaproszenia na warszawskie salony omijały go łukiem ku rozpaczy jego żony. Nie było oczywiście wzmianki, że osiągnął on prestiżowe dno, kiedy jego erotyczne wyczyny na ławkach w jednym z warszawskich parków stały się głośne, a dopiero ostre reakcje, być może i samego Cziczerina, sprawiły, że wynajął na stałe pokój w jednym z tanich hotelików i przyjmował tam uliczne damy. Nikt nie wyrył na nagrobnej płycie słów, że ten malwersant, który wydawał garściami państwowe pieniądze, śmiał się wszystkim w twarz i nie bał się żadnych konsekwencji, ponieważ chodził w glorii tyranobójcy! Tak, moi drodzy, trzeba przyznać, że na Kremlu nie wszyscy płakali po Wojkowie. – Greymore spojrzał na zegarek. – Gdybyż o tym wszystkim wiedział nasz Edward Popielski, toby się kilka razy zastanowił, czy zimą 1926 roku przyjąć propozycję Tyzenhauza. Tymczasem nasz policjant popadł w nowe tarapaty. Zaraz po wyjściu z sądu został aresztowany. Ale o tym opowiem państwu po przerwie.

POPIELSKI WYSZEDŁ Z KOŚCIOŁA KAPUCYNÓW, gdzie spędził prawie trzy kwadranse, usiłując ochłonąć po wyroku, jaki został wymierzony Borysowi Kowerdzie. Obszedł gmach sądu i znalazł się na ulicy Hypotecznej, a potem Daniłowiczowską dotarł do Bielańskiej. Mimo że w czasie swej ostatniej bytności w stolicy nie odwiedził tego rejonu miasta, a przecież lubił poznawać nowe miejsca, teraz nie zwracał większej uwagi na otoczenie. Nie spojrzał nawet na gmach nieczynnego Teatru Bogusławskiego ani na potężny Bank Polski przypominający angielskie zamczysko. Nie patrzył na boki ani przed siebie z obawy, że musiałby komuś spojrzeć w oczy i dostrzegłby tam potępienie swojego postępku, przez który szlachetny i zdolny młodzieniec straci piętnaście lat życia i dopiero w roku czterdziestym drugim wyjdzie z więzienia – zapewne jako człowiek chory, zgorzkniały, zdegenerowany.

Szedł noga za nogą, wbijając wzrok w trotuar i nie osłaniając głowy przed palącym słońcem, jakby w ten sposób chciał sam siebie ukarać. Nagle ujrzał wypastowane wysokie buty i jasnokawowe spodnie. Nie musiał podnosić wzroku. Wiedział, jakiego koloru jest latem dolna część umundurowania polskich policjantów.

– Pójdzie pan z nami! – usłyszał warknięcie.

Stali przed nim dwaj posterunkowi w czapkach i w letnich granatowych bluzach z przewiewnego materiału. Ich oczy patrzyły uważnie i nie można się było w nich doszukać pogardy czy kpiny. Byli spięci, skoncentrowani, spoceni.

– Na jakiej podstawie? – wykrztusił.

– Podejrzenia o włóczęgostwo! – usłyszał.

Potrząsnął głową z niedowierzaniem. Niewyspany i psychicznie sponiewierany sądowymi zdarzeniami, wiedział, że wygląda nieszczególnie bez nakrycia głowy i krawata. Do włóczęgi było mu jednak daleko. Nie zionął alkoholem, nie śmierdział moczem ani gnojem. Wyglądał jak człowiek bezrobotny lub jak majster, który włożył zwykłe ubranie – ani robocze, ani odświętne.

Czuł, że coś jest nie w porządku i że będzie chyba zmuszony podnieść głos i postawić funkcjonariuszy na baczność, zdradzając swą prawdziwą tożsamość. To jednak mogło wydarzyć się tylko na komisariacie. Tu, na ulicy, czekały go – w razie stanowczego sprzeciwu – uderzenia pałek, kajdanki i kopniaki.

– Idziesz z nami? – zapytali obaj jednocześnie. – Czy też...

Dotknęli swych pałek i krzywo się uśmiechnęli. Byli jak bliźniacy, nawet braki w uzębieniu mieli w tym samym miejscu.

– Idę – odparł Popielski.

Wskazali mu miejsce pomiędzy sobą. Ruszyli ulicą Daniłowiczowską, którą otwierał potężny ośmiopiętrowy gmach, a tuż za nim ciągnęły się małe kamieniczki, wręcz domki z płotami, zza nich zaś łypali na Popielskiego ciekawscy. Po chwili posterunkowi i ich aresztant wchodzili do okazalszej nieco kamienicy z szyldem „Komisariat XII".

W środku było tak jak we wszystkich komisariatach w Polsce. Brązowe malowano na olejno lamperie i brudna podnoszona lada. Za ladą siedział zły na cały świat dyżurny, a nad jego głową zwisał smętnie lep na muchy. Pod ścianami stały szafki na akta i stary samowar. Śmierdziało też tak jak we wszystkich komisariatach: marnym tytoniem palonym przez aresztantów, ciężkimi kwiatowymi perfumami, którymi skrapiały się prostytutki, i przetrawionym alkoholem bijącym od pijaków. Wszyscy stali teraz za kratami i wpatrywali się w nowego aresztanta.

Do tego wszystkiego dołączyła się także przenikliwa woń potu. Popielski uświadomił sobie, że dochodzi ona nie tylko od otyłego policjanta, który wstał od lady, ale – o zgrozo! – od niego samego.

Dyżurny otarł głowę, włożył na nią czapkę i poprawił pasek pod brodą. Spoglądał na Edwarda dłuższą chwilę, sapiąc przy tym potężnie. W jego małych oczach, ledwie widocznych pomiędzy rumianymi policzkami a spuchniętymi nieco powiekami, pojawił się jakiś cień. Pagony munduru, obszyte białym otokiem, były puste, co wskazywało na rangę starszego przodownika.

– Wsadzić go do dwójki! – krzyknął na swoich podopiecznych i odwrócił się plecami do Popielskiego.

Jeden z posterunkowych wskazał Edwardowi drogę. Ten porzucił myśl ujawniania się. Pociąg do Lwowa miał dopiero późnym wieczorem, chciało mu się spać, a prycza w areszcie raczej nie odstręczała tego starego wojaka, któremu w czasie wojny bolszewickiej zdarzało się sypiać po lasach, krzakach i pod mostami.

Coś go jednak zaniepokoiło i chwilowo odpędziło sen. Nie przeszukano go, nie spisano żadnego protokołu. To mogło oznaczać jedno: z jakichś względów nie chcą go mieć w ewidencji. Pozostawało tylko pytanie o owe względy. Odpowiedzi mogły być dwie – uspokajająca i złowroga.

Zgodnie z pierwszą policjanci byli leniwi i w tym upale nie chciało im się działać. Zamierzali wkrótce wypuścić spokojnego i trzeźwego człowieka, na jakiego, miał nadzieję, wyglądał. Czemu jednak w takim razie jeszcze tego nie zrobili? I tu pojawia się odpowiedź złowroga. Dostali rozkaz z góry, aby go zatrzymać, a po chwili się zjawi ktoś z tejże góry i zacznie go przesłuchiwać. To by zaś oznaczało, że rozpoznał go na sali jakiś tajniak, który powiadomił zwierzchników, a jego samego śledził później i w kościele, i podczas smutnego spaceru uliczkami Śródmieścia.

Po minucie znalazł się w pojedynczej celi, do której wchodziło się osobnym korytarzem. Na ścianach zobaczył nie tylko wyżłobienia wyryte łyżkami do zupy czy też dziury, powstałe, gdy ktoś uparcie tarł monetą o tynk. Wszędzie widniały też daty, imiona, krzyże i serca przebite strzałą. Za tym wszystkim kryły się banalne historie więzienne – ktoś wyznawał miłość, ktoś mówił o cierpieniu, a jeszcze ktoś pisał intymny pamiętnik.

Popielski położył się na pryczy. Zdjął już wcześniej marynarkę, zwinął ją w kłębek, po czym tę prowizoryczną poduszkę podłożył sobie pod głowę. Z niechęcią pociągnął nosem i zapadł w sen.

Ale nie był to pokrzepiający sen, lecz dławiący koszmar. Śniło mu się, że jest właśnie tutaj, w tej celi, i co chwila ktoś podchodzi do krat, spoziera przez nie ze złością i wypowiada oskarżenia pod jego adresem.

– Nie zasługujesz, Edwardzie, na miłość moją i dziecka. – Leo przesunęła swoimi smukłymi palcami po kratach, jakby grała na harfie. – Bo jesteś podlec, a podleca nie możemy kochać. Spójrz na swoje nacięcie na przedramieniu, które posypałeś solą. Spójrz, wymacaj je i obwieszczaj wszystkim, krzycz: „Pusta obietnica! Pusta obietnica!".

– Tak, pusta! Bez pokrycia – mówił z rosyjskim akcentem Sofroniusz Kowerda, który przy kracie zastąpił Leokadię. – Ty dał mojemu nieszczęsnemu chłopcu pustu obietnicu. Ślubował mu, że zrobisz wszystko, żeby nie trafił do tiurmy, ale ślubów ty nie dotrzymał, a?

– Silne uczucia rodzinne cię ogarnęły, prawda? – śmiała się Leo, która stanęła obok ojca skazanego. – Bałeś się, że trafisz do więzienia, jeśli się przyznasz do współudziału w zamachu. Bałeś się, że zostaniemy wtedy biedne, same. Ja będę musiała poszukać sobie bogatego kochanka, takiego, co bardziej na intelekt patrzy niż na ciało, bo moje już podwiędło nieco. Czterdzieści trzy lata to nie wiek dla rozpustnicy, ale na heterę, z którą się dyskutuje, to już chybabym się nadawała, *n'est-ce pas*? Wiem, że tego się bałeś i dlatego nie pomogłeś temu biednemu młodzieńcowi. Teraz pewnie rozsadza cię złość i energia! Chciałbyś wiedzieć, dlaczego sąd wymierzył tak wysoki wyrok. Chciałbyś poprowadzić w tej sprawie własne śledztwo i znaleźć odpowiedź: kto oprócz ciebie złamał obietnicę? Tyzenhauz? A może ktoś inny?

– Tyzenhauz zaświecił ci zierkałem w oczy? – zapytał Kowerda senior. – Zaświecił. Uratował cię przed policją? Uratował. Nawet gdyby ty wolny był i mógł śledztwo prowadzić, to co? Co będzie, jeśli ty by odkrył, że Tyzenhauz wszystkiemu winien? Że to on popchnął mojego chłopca do zguby... Ty mu nic nie zrobisz, bo on ciebie spasił, uratował, a? Ty wdzięczny musisz być.

Leo i Sofroniusz odeszli od kraty: ona ze smutnym uśmiechem, on ze łzami w kaprawych oczach. Ich miejsce zajął mężczyzna średniego wzrostu, o nieco przydługich włosach, które nadawały mu wygląd artysty.

– Musi pan teraz zniknąć na jakiś czas – mówił cicho, lecz wyraźnie Tadeusz Chłapowski, wiceprezes Krajowego Towarzystwa Naftowego. – Nie wiemy, czy Kowerda pana jednak nie wyda. Ślubowanie ślubowaniem, ale ręce wrogów prometeizmu sięgają również poza mury więzień i mogą do wszystkiego zmusić ludzi o wiele silniejszych psychicznie niż ten chłopiec!

Klucz zazgrzytał w zamku. Chłapowski wszedł do celi i usiadł na pryczy. Pociągnął nosem i otworzył papierośnicę.

Edward zapalił. To już nie był sen. Dym z papierosów Wybornych Egipskich zabił odór celi. W snach byłoby to niemożliwe, w snach nie ma zapachów – chyba że dochodzą z realnego świata.

– Do Lwowa jedzie już moim autem pewien funkcjonariusz w randze kapitana. Za kilka godzin zapuka on do pańskich drzwi przy Kraszewskiego 3 i poinformuje pannę Leokadię, że pan żyje i że przez jakiś czas nie będziecie się widzieć. Roztoczy nad pańską rodziną opiekę, i tę realną, i tę finansową. Będą obserwowani przez czujne oko Dwójki.

Wstał i przeciągnął się, aż zatrzeszczały mu kości. Popielski patrzył na rozmówcę tępym, niczego nierozumiejącym wzrokiem.

– Pewnie pan ciekaw, jak tu się znalazł – ciągnął Chła-powski. – Otóż zatelefonowałem do pana do Lwowa, aby się upewnić, czy pan posłuchał zakazu, jaki wystoso-wał Tyzenhauz. Po zamachu miał pan pozostać z rodziną i pod żadnym pozorem nie pojawiać się na rozprawie. Jakież było moje zdziwienie, kiedy się dowiedziałem od pańskiej córeczki, że wyjechał pan do Warszawy! Pewnie zabronił pan o tym mówić pannie Leokadii oraz waszej służącej. O dziecku pan nie pomyślał, a to ono akurat odebrało! – Urwał i obserwował, jak się zmienia twarz Popielskiego. Trafił w sedno. – Spodziewałem się zatem pana w Warszawie. Mój człowiek na rozprawie miał tylko jedno zadanie: rozpoznać pana. W przerwie do mnie za-telefonował. „Na sali siedzi dziwny typ w peruce, ale bez binokli, podobny do Popielskiego, spocony jak mysz", oto jego słowa. Wydałem odpowiednie rozkazy, mam pewne możliwości wpływu na warszawską policję... Należy do nich również to, że nikt nam teraz nie przeszkodzi, kiedy będziemy opuszczać – pociągnął nosem – to skądinąd śmierdzące miejsce.

Edward wstał i spojrzał ostro na Chłapowskiego.

– Co za banialuki mi pan tu opowiadasz! – ryknął. – Co mnie to wszystko obchodzi?! Chłopak trafił za kratki! A Tyzenhauz obiecał, obiecał! Że nigdy, że nigdy!

Chłapowski obejrzał się za siebie.

– Ciszej, Popielski! I bez nazwisk! Wspomniany przez pana człowiek na pewno wyjaśniłby, dlaczego nie dotrzy-mał obietnicy.

Aresztant zerwał się z pryczy.

– No, to niech mi to wyjaśni, do ciężkiej cholery! Gdzie on jest, kurwa jego mać?!

– W kostnicy na cmentarzu – odparł spokojnie prezes.

RZECZYWIŚCIE POLICJANCI Z KOMISARIATU XII niczego nie komentowali, kiedy Chłapowski, przyjacielskim gestem wziąwszy Popielskiego pod ramię, uprzejmie ich pożegnał, zaręczając, że pochwali ich dyskrecję i służbową postawę przed przełożonym, komisarzem Wacławem Goławskim. Zasalutowali prezesowi, Popielskiego traktując jak powietrze, co mu bynajmniej nie przeszkadzało. Na ulicy czekała na nich dorożka, którą na rozkaz starszego przodownika sprowadził tu jakiś obdartus.

Było późne popołudnie i wciąż mocno doskwierał upał. Edward, ochłonąwszy nieco, schował się w głąb dorożkarskiej budy i z roztargnieniem słuchał objaśnień fiakra, który najwyraźniej wziął ich za turystów.

– Jedziemy, szanowni panowie, ulicą Tłomackie! – wołał. – Niechże szanowni spojrzą, jaka piękna synagoga, a koło niej studnia zwana Grubą Kaśką! A teraz to jesteśmy na ulicy Leszno, tu po lewej Ministerstwo Skarbu...

Popielski nie zwracał uwagi na te turystyczne atrakcje. Jego myśli były zupełnie owładnięte tym, co usłyszał był od Chłapowskiego jeszcze w komisariacie, gdy czekali, aż ulicznik sprowadzi tam dryndę.

Wedle relacji prezesa pani Barbara Tyzenhauzowa była bardzo zaniepokojona, kiedy jej mąż nie wrócił do domu

7 czerwca. Następnego dnia po południu zgłosiła zaginięcie na policji i powiadomiła również Chłapowskiego, wiedząc, że ma on bardzo dobre stosunki w policji warszawskiej i że nie dopuści do tego, aby sprawa zaginięcia jej męża została odłożona *ad acta*, co się często zdarzało. Wielu funkcjonariuszy powątpiewało w takie zniknięcia.

– Taki byk, jeden z drugim, wróci zaraz do żonki od jakiejś minikiurzystki czy aktoreczki, kiedy forsa mu się skończy – powiadali z kpiącym uśmieszkiem.

Tym razem nikt nie drwił ze sprawy Tyzenhauza – przynajmniej jawnie – a prezes rzeczywiście poruszył niebo i ziemię. I nic. Major przepadł jak kamień w wodę.

Dwa dni wcześniej, czyli prawie tydzień po zaginięciu, panią Tyzenhauzową obudziła w nocy służąca. Kobietę zerwał ze snu jakiś dziwny dźwięk. Wyszły obie do ogrodu. Zobaczyły otwarte drzwi do piwnicy. Za chwilę w cichej uliczce willowej rozległ się rozdzierający krzyk. Major Florian Tyzenhauz wisiał u powały i lekko się kołysał.

– Reszty dowie się pan za chwilę – mówił wtedy Chłapowski. – Kiedy go pan zobaczy.

Za szpitalem dziecięcym przy ulicy Leszno skręcili w Młynarską, która – jak wyjaśniał niestrudzony fiakier – winna się raczej nazywać Cmentarną, gdyż były przy niej aż trzy nekropolie. Zajechał przed jedną nich, ewangelicko-augsburską. Tam zainkasował dwadzieścia groszy i przestał się bawić w *cicerone*.

Przed wejściem wisiało obwieszczenie zwane w całej Polsce klepsydrą, a na nim wydrukowana była informacja o pogrzebie „śp. majora doktora Floriana Tyzenhauza, dnia 16 czerwca o godz. 8 ½ rano", o czym zawiadamiała „pogrążona w smutku wdowa i dalsza rodzina".

Weszli na cmentarz, gęsto porośnięty drzewami, pełen pięknych grobów i kaplic, z których na Popielskim wielkie wrażenie zrobiła zwłaszcza jedna – cała wykonana z żeliwa. Poszli jednak do zupełnie innej, która służyła, jak to ujął Chłapowski, „za kościół i za katakumby jednocześnie". Stał przed nią zwykły furgon bez żadnego napisu zaprzężony w konia, który na widok dwóch przybyszów przestał jeść obrok z worka i wlepił w nich wzrok.

Prezes otworzył furtkę w żelaznym parkanie, którym był otoczony duży budynek kaplicy w formie greckiej świątyni o tympanonie podpartym czterema kolumnami. Drzwi wejściowe, nad którymi widniał napis: „Kaplica Halpertów 1834", były zamknięte, ale nie musieli się długo dobijać. Po kilkunastu sekundach otworzył im ponury nieogolony typ w drelichu roboczym – jeden z trzech identycznie ubranych, którzy stali za nim, patrząc na przybyszów z równą obojętnością co ich koń. Któryś z nich oznajmił, że właśnie zaczynają swoją robotę „szykowania trupa do pochówku".

Prezes kiwnął im głową i powiedział, by sobie zrobili przerwę na papierosa, co zaraz skwapliwie uczynili. Poprowadził swego towarzysza za ołtarz, gdzie przez małe wrota przedostali się do zakrystii, a stamtąd zeszli po żelaznych schodkach do piwnicy.

W skąpym świetle jednej żarówki nagie ciało majora Floriana Tyzenhauza leżało na katafalku ze złożonymi rękami.

Jego tors był pozszywany chirurgicznymi nićmi, a sine paznokcie odstawały od palców, sprawiając wrażenie, jakby je ktoś przymocował do skóry niewielką ilością kleju. Na twarzy rozlewały się krwawe plamy, a pod pachami widać było pojedyncze strupy – jakby ślady po gaszeniu papierosów. W nosie, w półotwartych ustach oraz w oczach bieliły się jajeczka much.

Panował tu chłód, który Edward nazwałby przyjemnym, gdyby nie trupia woń, jaka zatruwała powietrze. Nie zabiły jej żadne specyfiki pachnące miętą i lawendą, które stały na stole w pootwieranych blaszankach. Na nim samym woń rozkładu nie robiła większego wrażenia, ale nie był pewien, czy Chłapowski był równie odporny. Te obawy były jednak bezpodstawne.

– Ludzie z zakładu pogrzebowego już zaczynali pudrować jego szyję. – Prezes podszedł do trupa i dotknął palcem grdyki leżącego. – Ale niech pan spojrzy. Jest tu dobrze widoczna bruzda wisielcza. Pan major wisiał w swej piwnicy na rurze gazowej. Na szyi zaciskał mu się włochaty powróz. Ale to nie on go udusił. Wczoraj podczas sekcji zwłok znaleziono na jego ubraniu kawałki słomy. Co więcej, na ciele było dużo nitek, które nie pochodziły z tego powrozu. Widziałem takie nitki wielokrotnie, kiedy rozdzieraliśmy na wojnie prześcieradła, by zrobić z nich bandaże. Typowe pozostałości po rozdarciu pościeli.

– Swoiste liny wisielcze z prześcieradeł – mruknął Popielski. – Często sporządzają takie więźniowie. A słoma pochodzi z sienników, przecież nie z ogrodu willi. Chyba nie trzymają tam krów.

– Tak, panie poruczniku. – Chłapowski potarł powieki opuszkami palców. – Właśnie tak. Wygląda na to, że Tyzenhauz się powiesił, ale na pewno nie w swojej piwnicy, bo na miejscu nie znaleziono nawet śladu ani słomy, ani tych nitek z prześcieradła, a muszę panu powiedzieć, że przeszukaliśmy każdy centymetr powierzchni. Policjanci z Komisariatu XVI na Mokotowie mieli bezsenną noc. Jest wielce prawdopodobne, że major powiesił się gdzieś indziej i wcześniej na prześcieradle, stąd te nitki, a potem go powieszono po raz drugi. W piwnicy, na powrozie. Ale niech pan teraz patrzy!

Prezes wskazał na plamę pod uchem zmarłego.

– No co? – zdziwił się Popielski. – Zwykły siniec!

– To nie jest zwykły siniec – zaprzeczył Chłapowski. – Wczoraj profesor Grzywo-Dąbrowski pokazał mi podczas sekcji zwłok, że to pigment od pieczątki. Która, jak się wyraził profesor, „weszła w kontakt z łojem skóry i pigment się utrwalił". Co to była za pieczątka?

– Prześcieradło i pieczątka – głośno myślał Edward. – Pościel jest tak oznaczana w więzieniach i w szpitalach. Ale to raczej więzienie, bo w szpitalach chyba nie ma już słomy w siennikach, tylko są materace. Powiesił się zatem na więziennym prześcieradle, a słoma to z więziennego siennika. A później ktoś przetransportował go po nocy do domu. Umieścił, a właściwie powiesił, ciało na rurze w piwnicy. Dziwne... Bardzo dziwne.

– Jeszcze dziwniejsze jest to, że dzisiaj z samego rana dostaliśmy od Moskali tajną zaszyfrowaną depeszę – usłyszeli donośny głos i ciężkie kroki na schodach prowadzących do kostnicy. – Zawarto w niej taką oto propozycję... Sowieci poprosili o wymianę szpiegów. Cytuję: „Dajcie nam naszego zasłużonego agenta Floriana Tyzenhauza, a my w zamian dostarczymy wam legendarnego księdza Teofila Skalskiego. Wymiana pod Ostrogiem". Tak stało w depeszy.

Popielski wiedział, kim jest ksiądz Skalski. Dzielnym kapłanem, który dodawał otuchy Polakom i bronił ich przed bolszewicką tyranią. Szanowanym przez trzysta tysięcy rodaków, którzy po haniebnym traktacie ryskim zostali odcięci nową granicą i znaleźli się po stronie sowieckiej. Aresztowanym przez sowiecką tajną policję w Kijowie, a potem osadzonym na moskiewskiej Łubiance. Nie miał zielonego pojęcia natomiast, kim jest mężczyzna na schodach.

– Moskale sugerują, że był ich agentem – mówił dalej przybysz, a w kiepskim świetle pojawiły się jego błyszczące brązowe półbuty, białe jedwabne skarpety i jasne spodnie. – Tyzenhauz agentem! Ten wściekły pies na Moskali, który wraz z wami zabił posła Wojkowa! Członek waszego przeklętego sprzysiężenia, które działało w najgłębszej tajemnicy, tak że nawet ja, nawet ja, nic o tym nie wiedziałem!

Ostatnie frazy zostały prawie wykrzyczane. Człowiek ten zszedł do myjni zwłok i spojrzał na dokonujących oględzin trupa. Był wysokiego wzrostu, a na jego ubranie składał się świetnie skrojony letni garnitur i szary krawat w fioletowe skośnie paski. Pociągła twarz, po bokach której odstawały ostro zakończone uszy, była jeszcze młoda. Mógł liczyć sobie równie dobrze lat trzydzieści, jak i czterdzieści – ale Popielski lokowałby jego wiek bliżej tej pierwszej granicy. Miał przenikliwe jasne oczy, surowy wyraz twarzy i rzadkie włosy pokryte brylantyną i zaczesane gładko do góry. Edward zdał sobie sprawę, że na pewno widział już to oblicze w jakiejś gazecie.

– Moskale sugerują – ciągnął elegant, zbliżając się do katafalku – że major Florian Tyzenhauz, mój ukochany Florek, był ich agentem. Nienawidzili go tak bardzo, że nawet po śmierci chcą obryzgać go błotem. Musimy obalić te oskarżenia, musimy wyjaśnić, dlaczego Moskale kalają pamięć brata mego! – Dotknął dłoni leżącego i odwrócił się gwałtownie. – Kto ma to wyjaśnić, panowie? – krzyknął, patrząc na Chłapowskiego. – Kto ma uniewinnić tego wspaniałego człowieka? Czy ty, prezesie, masz na to czas? A może tym się zajmie nasz drogi Henryk Józewski, którego już szykują na wojewodę wołyńskiego? Kto zedrze zaschnięte gówno z człowieka zbrukanego oskarżeniem o zdradę?

Spojrzał na Popielskiego.

– Pan ma to wyjaśnić – warknął. – Pan poprowadzi śledztwo, które oczyści Floriana i wyjaśni, skąd Moskale o wszystkim wiedzieli, bo chyba wiedzieli, nieprawdaż? Przecież porwali go właśnie w chwili waszego zamachu na tego erotomana! Nie mogę sprawy powierzyć nikomu innemu, tylko panu, Popielski, członkowi tego, chyba trzeba by rzec: sprzysiężenia!

Edward patrzył na przybysza, niczego nie rozumiejąc.

– *Pardon*, zapomniałem się panu przedstawić. – Gość trafnie odczytał pytanie w jego oczach. – Jestem podpułkownik Tadeusz Schaetzel. Słyszał pan coś o mnie?

– Szef Dwójki – odrzekł Popielski i pomyślał, że gdyby na ulicy spotkał szefa polskiego wywiadu i kontrwywiadu wojskowego, to uznałby go pewnie za buchaltera czy innego gryzipiórka.

Coś skrzypnęło za drzwiami. Chłapowski podskoczył do wejścia, wszedł po schodach na górę. W tym czasie Schaetzel się nie odzywał i – sam wytwornie ubrany – patrzył dość krytycznie na nędzne odzienie Edwarda. Po chwili prezes wrócił i starannie zamknął drzwi od kostnicy.

– To był szczur – powiedział.

– Ale w pańskim mieszkaniu, prezesie, szczurów chyba nie ma, prawda? – Ton Schaetzla był nader kąśliwy. – Słyszałem od Henryka, że pod drzwiami pańskiego gabinetu podłoga trzeszczy, osobliwie wtedy, kiedy się panowie naradzają.

– To moja służąca... – przerwał mu Chłapowski z lekką irytacją. – Ona jest nieśmiała i boi się przeszkadzać w naradach. Długo się nie może zdecydować, czy zapukać, czy nie, i drepce, niebożę, pod drzwiami.

– Sprawdzimy pańską służącą, sprawdzimy – zapewnił podpułkownik i spojrzał znacząco na Popielskiego: – Pańskich bliskich również, poruczniku. Musimy wiedzieć, skąd Moskale wiedzieli o waszym głupim planie! O waszym zamachu! W ten sposób dotrzemy do tych, co porwali i zabili Floriana. Ale teraz wyjdźmy stąd, panowie! Tu jest nie do wytrzymania.

Znaleźli się w kaplicy. Było tu cieplej niż na dole w kostnicy i nie czuć było trupiego odoru. Usiedli w ławkach przed ołtarzem, Popielski i Chłapowski w pierwszej, Schaetzel w drugiej.

– Hipoteza moja jest następująca. – Szef Dwójki potarł wąsiki, które zgodnie z panującą modą nie wystawały poza linię ust. – Sowieci wiedzieli o zamachu. A oto dowód. Tego feralnego dnia sprzedawca w kiosku w hallu dworca wypadł na peron, by zobaczyć, co się dzieje. Ujrzał wówczas dwóch mężczyzn w kolejarskich mundurach, którzy ciągnęli za sobą elegancko ubranego pana. Przedstawiony przez niego rysopis pasuje do Floriana. Człowiek ten uznał, że to ktoś, kto zasłabł od upału. Kolejarze potwierdzili jego domysł. – Sapnął gniewnie. – Jednak moim zdaniem było zupełnie inaczej. Jestem pewien, że owi kolejarze pozbawili przytomności majora i dokądś go zawlekli. Podejrzewam, że do jakiegoś pociągu, który zaraz miał odjechać. Niestety, nie wiemy, do którego. Wypytaliśmy kogo tylko można na dworcu, czy ktoś widział, dokąd ciągnięto Floriana. Nikt nic nie widział, oczy wszystkich zwrócone były na Wojkowa...

– Może o to bolszewikom chodziło? – przerwał mu Popielski. – Tyzenhauz, ich wróg numer jeden, znika w zamieszaniu na dworcu. Ale z drugiej strony, czy byliby tak, że tak powiem, rozrzutni, że poświęciliby życie swego ambasadora za jednego spośród prometejczyków?

Schaetzel nie odpowiedział na to pytanie. Spojrzał szybko na Edwarda, jakby był zły, że ten mu wchodzi w słowo.

– Kolejarze to sowieccy agenci – ciągnął. – Wiemy to z całą pewnością. Znamy ich nazwiska. Ksawery Składnik i Henryk Jugerman. Swym przełożonym byli znani z sympatii komunistycznych, a po siódmym maja ulotnili się jak kamfora. – Nie spuszczał oczu z Popielskiego. – I tutaj idzie pan słuszną drogą, poruczniku. Jeśli pracowali dla Razwiedupru, to dlaczego nie uratowali Wojkowa przed

Kowerdą, tylko zajęli się Tyzenhauzem? Przecież wiedzieli, że na dworcu jest ich ambasador, i widzieli Kowerdę idącego z bronią na Wojkowa! Oto jest pytanie! Niech mi na nie pan odpowie, poruczniku Popielski! Dlaczego nie uratowali ambasadora?

Edward uderzył się po kieszeniach, szukając papierosów, ale porzucił myśl o paleniu. Byli w końcu w kościele. Spojrzał na ołtarz i na niszę, która była wypełniona wielką figurą Chrystusa, jakby oczekiwał inspiracji z nieba.

– Jeśli rzeczywiście ci kolejarze to sowieccy agenci... – rzekł powoli. – To oznacza, że Sowieci zamierzali porwać majora. Mogli to uczynić na wiele różnych sposobów, panie pułkowniku. Z domu, z restauracji, skądkolwiek. Ale widać wyraźnie, że chcieli wykorzystać zamieszanie na peronie. A skąd wiedzieli, że powstanie jakiekolwiek zamieszanie, kiedy Wojkow będzie wychodził z bufetu czy też spacerował po peronie z Rosenholcem? Skąd o tym wiedzieli?, pytam. Oto możliwa odpowiedź: sami chcieli je wywołać. Czyli sami chcieli zabić Wojkowa. A to by oznaczało, że ten nieszczęsny chłopiec i ja robiliśmy to, czego Sowieci chcieli.

Popielski ostatnie słowa wypowiedział nieco wyższym tonem. Potem chwycił się za głowę. W jego oczach zalśniły łzy wściekłości.

– Nie czas na gorzkie żale, poruczniku, wiem, że dręczą pana wyrzuty sumienia. – W głosie Schaetzla zabrzmiało współczucie. – Ale wróćmy do podstawowej wątpliwości: dlaczego Sowieci chcieli zabić własnego ambasadora? Mamy tu pewne przypuszczenia. Nie wszyscy w Moskwie go kochali. On ich kompromitował. Był nienasyconym lubieżnikiem. Inni dyplomaci gardzili i nim, i jego głupią żoną, nigdzie go nie zapraszano. A Moskale są bardzo czuli na punkcie prestiżu, nie mówiąc już o tym, że na rautach można wyciągnąć od podpitych rozmówców wiele ciekawych informacyj. Doszły nas też słuchy, że dopuścił się jakichś poważnych nadużyć finansowych, ale jako carobójca był nietykalny. Ale nietykalny wyłącznie dla swoich. I ci „swoi" mieliby kłopot z głowy, gdyby go zabił jakiś desperat, jakiś młody idealista... Jak Borys Kowerda.

Zapadła cisza. Przerwał ją Popielski.

– Major Tyzenhauz miał przecież na ciele ślady tortur! – zawołał z zupełnie innej beczki. – Odłamane paznokcie, boki poprzepalane papierosami... A jeśli był torturowany przez agentów, tych kolejarzy, to on sam nie był żadnym ruskim szpiegiem! Moskale go oczerniają, ale robią to nader nieudolnie! Albo blefują, albo kłamią! Tylko czemu miałoby to wszystko służyć?

– To prawda – mówił Schaetzel w zamyśleniu. – Nie wiemy, czego chcą od nas Sowieci. Wielce prawdopodobne, że wydobyli od niego informacje o znienawidzonych przez siebie prometejczykach. A także o panu, panie poruczniku. Z drugiej strony, Florian był twardy. Prawdopodobnie nie powiedział im nic, a oni teraz, mszcząc się na nim, oczerniają go swoją propozycją wymiany, udając, jakoby nic nie wiedzieli o jego śmierci... Tak, to zapewne zemsta, panie poruczniku. Moskale to nie tylko zimni szachiści, oni także wpadają we wściekłość i postępują nieracjonalnie. Może właśnie teraz, w furii, iż nie udało im się nic wydobyć z człowieka, dla porwania którego pozwolili na śmierć swego ambasadora... Może właśnie teraz w swej bezsilności chcą oczernić całe środowisko prometejskie. Przez skórę czuję, że my, prometejczycy, daliśmy się im rozegrać, że padliśmy ofiarą jakiejś prowokacji. Jak pan widzi, dużo jest tych „być może", dużo znaków zapytania. Ale pan wszystkie je wykreśli, poruczniku. Pan znajdzie odpowiedzi!

Popielski otworzył usta, ale nie zdołał nic wyrzec.

– Milczeć! – szef Dwójki podniósł głos. – To rozkaz! Pan nie ma wyboru! Jeśli chciał pan zapytać o los pańskiej rodziny, to zapewniam, że mój adiutant kapitan Andrukiewicz pewnie w tej chwili gawędzi z pańską kuzynką przy herbatce. I rozciąga nad nią parasol ochronny od Sowietów... Ja nie pytam, poruczniku, czy pan to raczy zrobić! Zrobi pan to dla nas i dla siebie. *Per fas et nefas*. Wszelkimi godziwymi i niegodziwymi metodami.

– Co mam konkretnie zrobić?

Schaetzel natychmiast się uspokoił. Rozparł się wygodnie w ławce i długo patrzył na Edwarda.

– Lubię takie pytania. – Lekko uśmiechnął się pod wąsem. – Oto pańskie zadanie: odkryje pan, dlaczego major Tyzenhauz popełnił samobójstwo i dlaczego Moskale chcą go oczernić. Czy rzeczywiście stoją za zamachem na Wojkowa? Czy byliście ich marionetkami? Tym się pan zajmie!

Popielski wstał i chodził przez dłuższą chwilę w kółko, pocierając dłonią nieogolony podbródek, a jego kroki odbijały się echem od kasetonowego półokrągłego sklepienia. W końcu zatrzymał się i zapytał, nie patrząc na szefa polskiego wywiadu:

– Dlaczego ja? Dlaczego nie mogą tego zrobić pańscy ludzie, pułkowniku?

Ten długo milczał. W końcu się odezwał:

– W obecnej sytuacji politycznej nie mogę tego zrobić. Zdradzę panom teraz tajne informacje wagi państwowej. Niedługo, jeszcze tego lata, zostanie zawarty wielostronny międzynarodowy pakt o wzajemnej nieagresji, zaproponowany przez ministra spraw zagranicznych Francji Aristide'a Brianda. Pakt o światowym bezpieczeństwie. Polska go podpisze i Marszałek chce, aby Rosja również to zrobiła. Pewnie dlatego zapadł taki surowy wyrok w sprawie Kowerdy. Żeby nie drażnić Moskali. Wszystkim ta sprawa bardzo przeszkadzała, moi panowie, a teraz wszyscy chcą ją szybko odłożyć *ad acta*. Marszałek osobiście kazał mi o niej zapomnieć!

Sięgnął po papierosa, ale go nie zapalił, lecz jedynie obracał w palcach.

– Odpowiadam na pańskie pytanie, poruczniku – mruknął. – Jeśli ktoś odkryje, że moi ludzie rozgrzebują sprawę Wojkowa, będę spalony za to, że zrobiłem coś wbrew woli Marszałka. Pożegnam się ze stanowiskiem. A jeśli nasze służby pana złapią albo wyda pana Kowerda, to i ja, i prezes Chłapowski wyprzemy się naszej znajomości z panem. Oczywiście zabezpieczywszy pierwej byt pańskiej rodziny. Stawiam sprawę jasno. Może pan trafić do więzienia, ale na krótko. Marszałek pamięta o pańskiej roli w sprawie „Dziewczyny o czterech palcach". Posiedzi pan pół roku, a potem wyjedzie na dłużej, aby zejść wszystkim z oczu. Na przykład do ukochanego przez pana Wiednia jako *charge d'affaires* naszej ambasady. Jednak tylko wtedy gdy pana złapią. Ale to się nie stanie. Pan jest za sprytny. – Zaczerpnął tchu. – Oprócz tego, że dałem panu rozkaz, użyję dwóch argumentów sentymentalnych. Jest pan chyba winny wyjaśnienie temu biednemu studentowi, którego nieświadomie wsadziliście na piętnaście lat, nieprawdaż? Jest pan chyba też coś winny Florianowi za to, że zajączkami z lusterka uchronił pana przed aresztowaniem. Tak, tak, Popielski, niech się pan nie dziwi, my wszystko wiemy. Lekarz, który się zajął panem na dworcu, znalazł okruchy lusterka, czy tak właśnie było? Zajączki w oczy epileptyka?

Spojrzenie Popielskiego było potwierdzeniem tego domysłu.

– A co będzie – mówił Edward bardzo wolno – jeśli odkryję, że major Tyzenhauz był rzeczywiście ruskim szpiegiem?

Schaetzel włożył sobie niezapalonego papierosa do ust.

– Po tym jak pan to odkryje... – Papieros drgał w jego wargach. – Następnego dnia po tym odkryciu... – zawahał się i nie dokończył zdania.

Otworzył złotą benzynową zapalniczkę, buchnął płomień. Powtórzył tę czynność, lecz nie użył przedmiotu zgodnie z jego przeznaczeniem i nie zapalił papierosa.

– Florian Tyzenhauz był moim bratem przyrodnim. – Prawie szeptał. – I moim najwierniejszym towarzyszem młodości. Byliśmy jak prawe i lewe płuco. Tak o nas mówił mój ojciec medyk. A teraz jedno płuco zostało przebite... Ja go wciągnąłem do ruchu prometejskiego i do służby wywiadowczej. Gdyby mój brat był agentem Moskali, to cały polski wywiad byłby skompromitowany. I pozbawiony swojego dowódcy, bo ja wtedy bym siedział w moim gabinecie z dziurą w głowie. Jako człowiek honoru nie zniósłbym takiej hańby.

Zamilkł.

– No to co, poruczniku? Kiedy mi pan przedstawi plan swoich działań?

– Zgodzę się pod jednym warunkiem – odrzekł Edward. – Niejaka Sybilla, krewna prezesa Chłapowskiego, nie będzie już moim łącznikiem, jak to się zdarzyło w czasie akcji „Dziewczyna o czterech palcach". Nie ufam jej.

– Ależ co pan?! – zakrzyknął prezes. – Jak pan śmie tak mówić o mojej bratanicy! Alicja bardzo panu pomogła!

– Zgoda. – Schaetzel uciął dyskusję. – Jutro rano przyjdzie do pana mój drugi osobisty adiutant porucznik Chorążuk i poda szczegóły punktu kontaktowego. A plan? Najpóźniej pojutrze dostarczy pan go osobiście prezesowi. – Wstał. – O tym wszystkim wiemy tylko my trzej, nawet moi najbliżsi współpracownicy nie mają pojęcia o tym tajnym śledztwie – powiedział twardo, zacisnął pięść, miażdżąc papierosa, z którego wysypały się na posadzkę drobiny tytoniu. – Koniec narady, panowie. Czas najwyższy zapalić, nie sądzicie? – Spojrzał krytycznie na Popielskiego. – A pan może by się w końcu upodobnił do człowieka, co? Wykąpał, umył i ubrał *comme il faut*!

NASTĘPNEGO DNIA

POPIELSKIEGO OBUDZIŁO POKRZYKIWANIE DOMOKRĄŻCY zachwalającego na podwórzu swój asortyment, który był całym spektrum produktów z wielu bardzo odległych od siebie branż. Zgodnie z tym, co sprzedawca reklamował, artykuły spożywcze były na jego furgonie zmieszane z wyrobami rymarskimi i chemicznymi.

– Rzemienie, kopyta do butów – wołał z silnym żydowskim akcentem. – Czekoladki, karmelki i cerata dla każdej pani domu!

Edward przeciągnął się i spojrzał na zegarek. Była siódma. Spał zaledwie trzy godziny, ponieważ przez pół nocy obmyślał plan działania, który miał najpóźniej pojutrze przedstawić Schaetzlowi przez Chłapowskiego. Cieszył się, że wrócił do swego starego rytmu, wyrażającego się łacińską maksymą *die dormire, laborare noctu*: „w dzień spać, pracować w nocy”.

Ale dzisiaj nie mógł spędzić całego przedpołudnia w objęciach Morfeusza. O ósmej rano bowiem miał się u niego zjawić adiutant podpułkownika. Musiał go jakoś godnie przyjąć, nie w kapciach i w kalesonach. Po jego wizycie natomiast czekały Edwarda pilne zadania, które sobie sam wyznaczył. Wykorzystując, że wdowa będzie na pogrzebie, a potem pewnie i na stypie, miał zamiar dostać się do domu zmarłego i przeszukać jego biurko oraz przyjrzeć się piwnicy, gdzie wisiał. Wcześniej natomiast chciał sprawdzić stacje docelowe tych pociągów, których godzina odjazdu przypadała mniej więcej na moment zamachu. Którymś z nich mogli odjechać kolejarze z Tyzenhauzem, ktoś być może ich widział.

Pokonując chęć pozostania w łóżku, wstał, narzucił na siebie wczorajsze brudne odzienie i udał się do ubikacji na półpiętrze. Kiedy stamtąd wrócił, pozasłaniał wszystkie okna i rozejrzał się po swoim lokum.

Było czyste i skromnie urządzone. Dwa pokoje okazały się zupełnie puste, natomiast jego sypialnię z oknami na podwórze wyposażono w szafę, biurko, krzesło i w żelazne rozklekotane nieco łóżko. Żadnych obrazków na ścianach, żadnych ozdób – poza wiszącą nad kuchennym zlewem makatką, na którą teraz bezmyślnie spoglądał, drapiąc się po piersi porośniętej gęstym włosem.

Na kawałku lnianego materiału wyobrażone było ładne pulchne dziewczę z koronkową opaską na włosach, trzymające w dłoniach talerz z kurczakiem. W tle parował czajnik, a u powały wisiały pęki rozmaitych przypraw. Pod spodem stosowny napis głosił: „Młoda kuchareczka, zwinna jak laleczka".

Skrzywił się na to bezsensowne porównanie i rozejrzał po kuchni. Znajdowały się tutaj piec, pusty kredens z pootwieranymi drzwiczkami, metalowa wanienka, dwa krzesła i stół pokryty poprzypalaną papierosami ceratą.

Na jej widok zmarszczył czoło i nawet chciał wyskoczyć na podwórko, by kupić od Żyda „ceratę dla każdej pani domu". Pomny jednak udzielanych mu w czasie drogi z cmentarza do sklepu z męską konfekcją ostrzeżeń Chłapowskiego, aby jak najmniej pokazywać się sąsiadom, porzucił tę myśl i zajął się porannymi ablucjami.

Napalił w piecu kuchennym i postawił na nim wanienkę wypełnioną wodą. Kiedy się lekko podgrzała, zajęła miejsce na kuchennym stole. Umył się bardzo dokładnie na całym ciele, używając pachnącego, mocno pieniącego się mydła. Ten specyfik wraz z mydłem do golenia, brzytwą, ałunem i wodą kolońską kupił był poprzedniego dnia w zakładzie fryzjerskim przy ulicy Leszno. Niestety, jego właściciel rozkładał bezradnie ręce, kiedy gość prosił też o gąbkę. W tej sytuacji zebrał resztki mydła ze skóry wczorajszą przepoconą koszulą.

Uczynił to bez żalu, bo miał dwie nowe. Kupił mu je wczoraj Chłapowski w sklepie z konfekcją męską Zefir również przy ulicy Leszno. Właściciel magazynu pan Bertold Żarnower najwidoczniej znał prezesa dobrze, o czym świadczyłaby taka oto jego wypowiedź:

– Ależ po co, szanowny pan prezes, teraz gotówkę wydawać? Pieniądz lubi w cieple, w pugilaresie poleżeć! On się rozmnaża, on pączkuje! Przecież mnie wystarczy słowo pana prezesa! Ja wyśle moje Rojze, to ona przyjdzie do pana prezesa na Ujazdowskie, kiedy się większa należność zbierze! Raz, a dobrze!

Chłapowski zgodził się na to, żartując, że już sam nie wie, jak duża jest ta suma do zapłaty, i poprosił o pilne zajęcie się swoim towarzyszem. Pan Żarnower zaraz znalazł dla Edwarda kapelusz, bieliznę, skarpety z podwiązkami, szelki, dwie świetnej jakości koszule z popeliny, stosowny krawat i jasny piaskowy garnitur, który miał ten jednak feler, że o ile marynarka leżała bardzo dobrze, o tyle spodnie były zbyt szerokie w pasie. Właściciel sklepu zapewnił, że w ciągu godziny naprawi ten drobiazg, a tymczasem obaj panowie mogą sobie poczekać na zapleczu, a jego „Rojze zaraz im termosem prima lodów przyniesie od kuzyna z cukierni przy bóżnicy".

Posłuchali go i pół godziny później siedzieli przy lemoniadzie i przy wypełnionych lodami śmietankowymi pucharkach z napisem „N. Grützhandler i S-ka, Tłomackie 2". Należność za te produkty energiczny i wesoły pan Żarnower kazał znów zapisać „na borg wielce szanownego pana prezesa".

Na zapleczu od podwórza delektowali się zimną śmietankową słodyczą i rozmawiali bardzo cicho, co było zresztą niepotrzebne, bo właściciel sklepu usunął się do pracowni krawieckiej, skąd zaczął dochodzić donośny terkot maszyny do szycia. Jego córka Róża też ich nie podsłuchiwała, bo wyszła na spacer, gdy wybiła godzina zamknięcia sklepu. Chłapowski wręczył Popielskiemu kilka czeków *in blanco*, które ten mógł realizować w Banku Gospodarstwa Krajowego przy Królewskiej na nazwisko Wacław Koczarski, ostrzegając Edwarda, aby „wydatki były rozsądne". Wyjawił też hasło, jakie należało podać dozorcy stojącego przy ulicy Tamka domu, w którym się mieściło konspiracyjne lokum.

Po trzech kwadransach spodnie były dość dobrze – jak na wyrób gotowy – dopasowane. Pan Żarnower powiesił je wraz z marynarką bardzo starannie na wieszaku z napisem „Zefir". Koszule zapakował w szary papier, również ozdobiony nazwą swej firmy. Około godziny ósmej wieczorem pożegnał swych „dostojnych i kochanych kundmanów".

Ci pojechali dorożką przez plac Bankowy, minęli pałac Brühla i Ogród Saski, a stamtąd poprzez Nowy Świat i Ordynacką dotarli na Tamkę 25. Tu się pożegnali.

Popielski podał małomównemu dozorcy hasło „Koliba", a ten o nic nie pytał. Poprowadził go na pierwsze piętro, otworzył drzwi, po czym zniknął jak duch w ciemnościach klatki schodowej. Nowy lokator powiesił starannie garderobę, artykuły kosmetyczne poukładał w kredensie w kuchni i zabrał się do sporządzania planu śledztwa, ciągle jednak przerywając, bo spokoju mu nie dawała myśl o młodym Kowerdzie, którego pewnie jutro odwiozą do ciężkiego więzienia na Świętym Krzyżu. W środku nocy, trawiony głodem, opuścił mieszkanie w poszukiwaniu jakiejś jadłodajni. Ponieważ restauracja Riegert i Żebrowski położona po sąsiedzku przy Tamce 19 była już nieczynna, udał się na Krakowskie Przedmieście, gdzie w restauracji Dziekanka spożył potężny talerz kruszek, czyli flaczków cielęcych z kwaśną śmietaną i przyprawą Maggiego. Następnie kupił tu dwie czerstwe nieco bułki i cztery pachnące niewielkie kaszanki, po czym wrócił do swego tymczasowego mieszkania.

To wszystko Popielski teraz wspominał, stojąc z brzytwą i namydloną twarzą przed lustrem w zaciemnionej kuchni i słuchając żydowskiego domokrążcy, który wciąż zdzierał sobie głos na podwórzu. Brzytwa była bardzo ostra i zaciął się nią dwa razy – na podbródku i nad uchem. Po goleniu włożył głowę do kuchennego zlewu i spłukał resztki piany zimną wodą. Zacięcia posmarował ałunem, twarz i szyję skropił wodą kolońską, po czym się ubrał i kiedy jego zegarek naręczny Eberhardt wskazywał godzinę ósmą rano, wyszedł na balkon z papierosem, by wypatrywać porucznika Chorążuka. Nie widział jednak nikogo, kto mógłby być uznany za wojskowego. Nie patrzył zresztą zbyt uważnie na boki. Całą jego uwagę skupiał klasztor naprzeciwko, za którego murem widział zakonnice w wielkich białych czepcach przypominających żagle małych okrętów.

Nagle usłyszał pukanie do drzwi. Zaklął w duchu. Zagapił się i nie zauważył, jak jego poranny gość wchodzi do kamienicy.

Otworzył i wpuścił do przedpokoju młodego blondyna o cofniętej nieco szczęce i gęstych włosach obciętych na jeża. Był niewysoki, ubrany w spodnie pumpy oraz w letnią marynarkę z krótkim rękawem, na którą wyłożony był kołnierz *à la* Słowacki. Jego uścisk dłoni był potężny, elokwencja – niewielka, służbistość – wzorowa.

– Porucznik Włodzimierz Chorążuk! – wykrzyknął. – Zgodnie z rozkazem!

– Porucznik Edward Popielski – gospodarz lekko pomasował sobie dłoń. – Proszę dalej.

– Nie trzeba! Tu wszystko powiem.

Chorążuk podał Popielskiemu kartkę, opatrzoną pieczęciami „Kancelarii Pana Ministra Spraw Wewnętrznych" oraz „Pana Ministra Spraw Wojskowych" i jednym zamaszystym, nieczytelnym podpisem. Równe wiersze wypisane były na maszynie:

Wszelkich P.T. Obywateli oraz Funkcjonariuszów uprasza się stanowczo o udzielenie posiadaczowi tego dokumentu jakichkolwiek by informacyj zażądał oraz umożliwienie mu wszelkich działań, jakie za stosowne uzna. Za zgodą Pana Ministra Spraw Wewnętrznych i Pana Ministra Spraw Wojskowych – ppłk Aleksander Bardel [podpis nieczytelny].

– Oczywiście nie istnieje człowiek o tym nazwisku, ale nikt tego nie sprawdzi – powiedział Chorążuk. – Nie dlatego, że nie będzie chciał, ale dlatego, że nie będzie mógł. Nawet jeśli zatelefonuje do któregoś z tych ministerstw z zapytaniem, czy pracuje tu podpułkownik Aleksander Bardel, odeślą go z kwitkiem, nie udzieliwszy odpowiedzi. Kto tam pracuje, to sprawa tajna. Może ktoś zlekceważy pańskie plenipotencje poświadczone tym dokumentem, ale z doświadczenia wiem, że będzie takich niewielu.

Popielski otrzymał teraz od gościa kolejną rzecz – tym razem cienką książeczkę, na której widniał tytuł *Ilustrowany przewodnik po mieście stołecznym Warszawie*.

– Ma pan porucznik udawać turystę – powiedział tonem nie znoszącym sprzeciwu, a zza pazuchy wyjął list opatrzony lakową pieczęcią. – A tu jest informacja od wiadomej osoby. Ma pan porucznik ją przeczytać i zgłosić mi ustnie ewentualne zapytania! Potem kartkę przy mnie spalić, i *adieu*!

To ostatnie zabrzmiało dość humorystycznie, ale Chorążuk był śmiertelnie poważny. Edward spojrzał na pieczęć z orłem, złamał ją i wyjął pojedynczą kartkę. Była na niej napisana odręcznie krótka notatka:

Apraham der Aprahamian, Sienkiewicza 2–4, Specjalny Skład Dywanów Perskich własnego importu. To punkt kontaktowy, hasło przy pierwszej wizycie „Aram".

Przeskoczywszy w kuchni przez kałużę powstałą przy kąpieli, spalił kartkę w piecu pod czujnym okiem gościa, który po tej czynności znów wyciągnął do niego dłoń. Tym razem Popielski również mocno ją ścisnął, co na adiutancie Schaetzla zrobiło pewne wrażenie.

Kiedy wyszedł, Edward zjadł bułki z zimną kaszanką – nie chciało mu się jej podgrzewać – i popił je ciepłą przegotowaną wodą, bo herbaty ani kawy tu nie było, po czym zabrał się do pobieżnego zapoznania się z planem Warszawy dołączonym do przewodnika.

Z kamienicy wyszedł przed dziewiątą. Nie martwił się o ewentualny atak epileptyczny. Lekarstwa zażył, a czarne binokle nasadził na nos. Co więcej, słońce wcale nie świeciło, lecz było ukryte za sinymi napęczniałymi chmurami. Zdjął marynarkę. Panowała duchota.

Udał się ulicą Tamka w stronę Nowego Światu, a stamtąd przez Warecką dotarł na plac Napoleona. Tam na poczcie sprawdził w księdze adresowej, gdzie mieszkał „mjr dr Florian Tyzenhauz", i ustalił trasę do jego domu na Mokotowie. Stąd już był tylko krok do sklepu z dywanami perskimi Apraham der Aprahamian. Ponieważ w środku panoszyła się właśnie jakaś jejmość, która zgłaszała reklamacje ostro i nieprzyjemnie, Edward, nie patrząc nawet na subiekta, wycofał się i poszedł na znany sobie bardzo dobrze Dworzec Tymczasowy. Tam kupił rozkład jazdy pociągów. Po chwili stał na przystanku tramwajowym na rogu Marszałkowskiej i Alei Jerozolimskiej. Tramwaj numer dziewiętnaście zadzwonił po dziesięciu może minutach.

Wewnątrz pojazdu było mało ludzi, nic go zatem nie rozpraszało. Studiował spokojnie rozkład jazdy pociągów, podkreślając ołówkiem kopiowym wszystkie te, które odjeżdżały w porze, gdy został zastrzelony Wojkow.

Do jednego z nich kolejarze komuniści mogli przecież wrzucić Tyzenhauza – myślał. – Może tym tropem dotrę do kryjówki, gdzie przechowywano majora.

– Szanowny panie, to ostatni już przystanek – usłyszał.

Podziękował konduktorowi i wyskoczył z tramwaju na rogu Puławskiej i Madalińskiego.

Rozejrzał się dokoła. Było to prawie przedmieście z małymi domkami ukrytymi wśród rzadkich drzew. Obok nich wykwitały tu i ówdzie wysokie nowoczesne domy, niektóre wciąż jeszcze w budowie. Było duszno. Zdjął kapelusz i poluzował krawat. Przed nim jeszcze spory kawałek drogi wśród skwaru i kurzu podmiejskich uliczek.

Właśnie wyszło słońce. Szedł pod jego palącymi promieniami może kwadrans, aż doszedł do krótkiej uliczki Falęckiej. Jego celem była następna – Łowicka. Dotarł tam po chwili i z ulgą oddychał wśród zieleni otaczającej nowoczesne wille. Podszedł do jednej z nich opatrzonej numerem 31. Stał przed nią umundurowany policjant w średnim wieku, który pocił się tak obficie, że nawet jego nieco nastroszone brwi i wąsy były mokre.

Podszedł do funkcjonariusza i uśmiechnął się lekko.

– Co? Na pogrzeb wszyscy poszli, panie przodowniku?

– A pan kto jest! – nastroszył się policjant. – Co to ma znaczyć?

Edward wyciągnął otrzymany dziś dokument. Policjant czytał i czytał, aż w końcu podniósł oczy na przybysza.

– Czego sobie pan życzy? – zapytał, lecz w jego spojrzeniu wciąż widniały niechęć i nieufność.

– Chcę tam wejść i przeszukać dom – odpowiedział tak lekko, jakby oświadczał, że w tej spiekocie potrzeba mu wody. – I usłyszeć odpowiedź na moje pierwsze pytanie.

– Ogrodnik jest tam, on ma klucz – odparł policjant. – A względem pogrzebu, to rzeczywiście wszyscy pojechali wcześnie, przed ósmą. Sam pogrzeb o wpół do dziewiątej, potem stypa w jakiejś restauracji. Dużo było, panie, oficjalnych gości, nawet z ministerstw. No, tośmy pilnowali. Ja tu zostałem, jakby trzeba było pismaków odganiać. O dwunastej pani będzie z powrotem, to mogę do domu.

– Dobrze wykonujecie swoją robotę, przodowniku, bardzo dobrze – pochwalił Popielski i wszedł na teren posesji.

Nagle się odwrócił.

– Jak się nazywacie i z którego komisariatu jesteście?

– A Ołdak Władysław. – Funkcjonariusz poprawił pasek pod brodą. – Komisariat XVI, panie... Jaka ranga, jaki tytuł pana...

– Dobrze, Ołdak, dobrze. – Popielski nie odpowiedział na pytanie. – Wspomnę o was komu trzeba, wspomnę...

Drzwi wejściowe do domu były zamknięte, toteż Edward, wciąż pod czujnym okiem przodownika, poszedł do ogrodu, mijając ładnie zaprojektowany niewielki budynek gospodarczy. Panował tu przyjemny chłód i cień rzucany przez gęste orzechowce.

Ogrodnika nigdzie nie dostrzegł, natomiast wejście na oszkloną werandę stało otworem. Obok niego ściana budynku była nieco cofnięta, tworząc małą niszę z żelaznymi drzwiami. Schodziło się do nich po kilku schodkach. Popielski chwycił za klamkę. Zamknięte.

Pewnie wejście do piwnicy – pomyślał. – Gdzie jest ten ogrodnik z kluczami?

Wszedł na werandę i znalazł się wśród palm, doniczkowych kwiatów i wiklinowych mebli. Stąd przedostał się do przedpokoju, którego podłoga wyłożona była dwukolorowym dębowym parkietem. Kilka par otwartych teraz oszklonych drzwi prowadziło do różnych pomieszczeń – jedne do kuchni, drugie do salonu, trzecie na małą klatkę schodową.

Tam właśnie poszedł. Interesował go gabinet zmarłego, a wiedział z doświadczenia, że ludzie pokroju Tyzenhauza najchętniej wybierają na swe pracownie pomieszczenia jak najdalej od zgiełku salonu.

Nie pomylił się. Gabinet urządzono w pierwszym pokoju na prawo, tuż koło łazienki. Jego okna wychodziły na ogród. Na ścianach wisiały grube perskie kobierce, a na nich szable i kindżały. Szafki i komody zagracone wręcz były przez świeczniki w kształcie lilii, ceramiczne figurki wielbłądów oraz tradycyjne gruzińskie lalki wyobrażające wojowników. Nad biurkiem ustawionym do okna lewym bokiem zwisała z sufitu wielka lampa z czerwonymi kutasami. Typowy gabinet orientalny.

Popielski usiadł za biurkiem i przyglądał się przez chwilę małym rycinom przedstawiającym widoki pustyń, oaz i piramid. Nagle drgnął. Usłyszał odgłos spuszczanej w klozecie wody i zaraz potem kroki na schodach. Wstał i nasłuchiwał. Kroki umilkły gdzieś w dole.

Podszedł do okna i ujrzał starszego mężczyznę w słomkowym kapeluszu, który pochylał się nad pompą. Ogrodnik.

Wrócił do biurka. Wszystkie szuflady były dostępne oprócz jednej, zamkniętej na klucz. Nie poszedł za nagłym impulsem i nie zaczął przy niej majstrować. Wiedział, że taki doświadczony konspirator jak Tyzenhauz wcale nie musiał ukrywać najważniejszych dokumentów w tak oczywistych miejscach jak zamknięta szuflada. Poza tym nie bardzo się palił do włamania do biurka. I tak pewnie jeszcze tu wróci, by porozmawiać z wdową, gdy ta dojdzie już do siebie.

Przeglądał zatem to, co było do obejrzenia w otwartych szufladach: jakieś rachunki, stare czeki podróżne, bilety kolejowe i zdjęcia – wiele zdjęć, przedstawiających majora z ładną, dużo młodszą od siebie blondynką przy boku.

Nie łudził się, że znajdzie tutaj jakieś tajne dokumenty. Nie wskazywał na to wystrój gabinetu. Nie było teczek kartonowych i segregatorów. Wypełniała go za to cała masa rosyjskich i niemieckich powieści oraz dzieł filozofów i psychologów, głównie zresztą współczesnych, jak stwierdził Popielski, widząc takie nazwiska jak Freud czy Hönigswald. Wyglądało na to, że w tym gabinecie major oddawał się zajęciom intelektualnym luźno związanym ze swą polityczną działalnością.

Mijały kwadranse, a Popielski nie ustawał w poszukiwaniach. Opukał wszystkie ściany i popodnosił wiszące na nich kobierce. Nigdzie śladu sejfu. Wiedział, że musi poczekać na panią Tyzenhauzową, aby zapytać o skrytkę. Był jednak zbyt niecierpliwy, a poza tym nie sądził, żeby w dniu pogrzebu zapłakana wdowa – jak ją sobie wyobrażał – była skłonna do rozmów o tajemnicach zmarłego męża.

Nadszedł czas, by zająć się szufladą zamkniętą na klucz. Wyjął szwajcarski scyzoryk, który Leokadia kiedyś kupiła mu na imieniny, zdjął marynarkę i koszulę, po czym półnagi ruszył do akcji, upewniwszy się, że do południa pozostały jeszcze dwa kwadranse.

Długo trwało, zanim ją otworzył. Słońce zdążyło się nieco przesunąć. W oknie gabinetu pojawił się silny blask i temperatura w pomieszczeniu podniosła się o jeden czy dwa stopnie. W końcu zamek szczęknął lekko, a Edward odetchnął z ulgą.

Przyjemna woń suszonych jabłek buchnęła z szuflady. Pochylił się i całkiem ją wyciągnął. Otarł pot z czoła i przyjrzał się dokładnie zawartości. Na jego twarzy pojawiło się pewne rozczarowanie. Oprócz dwóch zasuszonych owoców odkrył wewnątrz cały plik brukowych gazet. „Tajny Detektyw", „Dobry Wieczór", „Kurier Czerwony", „Dzień Dobry" i „Express Poranny". Przeglądał je dość pobieżnie. Mięśnie mu stężały, kiedy nagle w jednym z numerów „Tajnego Detektywa" z jesieni ubiegłego roku ujrzał swoje oblicze.

– Czyżby ten artykuł o mnie był taki ważny, że zamknął go na klucz? – zapytał sam siebie i zaczął szybko przerzucać gazety.

Tak, teraz to zrozumiał. We wszystkich tych bulwarówkach pisano o lubieżnikach, którzy swą okrutną żądzę wyładowywali na dzieciach.

Po chwili poczuł się tak, jakby nagle ktoś mu przyłożył do karku bryłę lodu. Pod stosikiem „Tajnych Detektywów" znalazł własnoręcznie przez siebie pisany życiorys, który się przeniósł jakimś cudem z archiwum akt policyjnych do tej mokotowskiej willi.

Zaczął go przeglądać.

– No cóż... – szeptał. – Nic dziwnego, że tu, w biurku Tyzenhauza, znalazła się ta moja autobiografia i artykuły o zboczeńcach i o mnie samym. Przecież to właśnie major wpadł na pomysł, aby mnie wykorzystać w sprawie Kowerdy.

Do życiorysu przypięto spinaczem notatkę, która podawała w wątpliwość, czy to rzeczywiście Florian Tyzenhauz był pomysłodawcą zatrudnienia Popielskiego. Kartka nie zawierała daty, a podpisu nie dało się odczytać. Tekst na niej był jednak jak najbardziej czytelny, bo wystukany na maszynie.

Wielce Szanowny Panie Majorze!
Sprawdziłem bardzo dokładanie biografię por. Ed. Popielskiego. Jedyny wniosek, jak mam w sprawie naszej, to ten, że P. Wojkow mógł być terrorystą już wcześniej mordującym ludzi, ponieważ był zamieszany w zamach na gubernatora Jałty Iwana Antonowicza Dumbadze w 1907 roku. Nie mógł natomiast brać udziału w zabójstwie rodziców Ed. Popielskiego, ponieważ w roku ich śmierci liczył lat siedem. Niemniej sugeruję, by to wykorzystać w przekonywaniu Ed. Popielskiego. Istnieje bardzo duża zbieżność. Wojkow pochodzi z Kerczu na Krymie i mógł z powodzeniem działać w bandach napadających na kolej na wybrzeżu czarnomorskim, a wszak rodzice E.P. zostali zamordowani w pociągu jadącym do Odessy. Z poważaniem [podpis nieczytelny]".

Popielski otarł pot z głowy.

Nieprawdą było zatem, że Wojkow zabił moich rodziców – myślał gorączkowo. – Tyzenhauz użył w rozmowie ze mną argumentu z notatki, fałszywego, kłamliwego, podstępnego. Ostatecznego argumentu wtedy, kiedy już chciałem mu odmówić we Lwowie! Tak, te wszystkie notki w bulwarówkach, których jestem bohaterem... To one nasunęły mu myśl o mnie jako o mścicielu! I kogoś, autora tej notatki, poprosił o dokładne sprawdzenie mojej biografii. Okłamał mnie! Okłamał! Wiem, że kłamstwo jest chlebem codziennym szpiegów, ale tutaj ono się skończyło tragicznie! Złamało życie mojego ucznia!

Usłyszał jakieś głosy na zewnątrz, ale jego myśli były zajęte czymś innym. Schował tajemniczą notatkę do kieszeni marynarki. Sprawdzi ten podpis, sprawdzi ten charakter pisma!

– Tak! – powtarzał. – Te znamienne słowa: „Sugeruję, by to wykorzystać"! I kto to pisał? Nie Schaetzel, bo ten o niczym nie wiedział. Nie Chłapowski ani Józewski, bo ci byli z Tyzenhauzem na ty i żaden z nich nie tytułowałby go „Wielce Szanownym Panem". No to kto? Komu tak zależało, aby mnie w to wszystko włączyć?

– Proszę, proszę – usłyszał znajomy głos. – Kogóż ja tu widzę! I to jeszcze w jakim ekscytującym negliżu!

W drzwiach stała Sybilla.

Była cała ubrana na czarno. Uśmiechała się złośliwie, oblizując prowokująco językiem górną wargę. Młoda, piękna – z modną fryzurką, krótko obciętymi włosami, tak że odsłaniały one szczupłą, zgrabną szyję. O alabastrowej cerze, którą się tak zachwycał, gdy budził się w nocy w różnych hotelach i patrzył, jak jej policzki muska światło księżyca.

Teraz mierzyła go drwiącym wzrokiem od stóp do głów. Pod ramię trzymała ją niewiele starsza od niej kobieta, również cała w żałobie. W jej zapuchniętych od płaczu oczach nie było drwiny. Był gniew.

Blondynka ze zdjęcia – przemknęło mu przez głowę. – Pani Tyzenhauzowa.

Stał na środku pokoju, spocony i wpół rozebrany – tylko w spodniach i w szelkach. Nie odzywał się ani słowem. Nie wiedział, czy ma się przedstawiać, czy zadawać pytania o nieczytelny podpis.

– Jak się miewa twój stary rupieć? – zapytała Sybilla. – Twoja wytworna Leo... Już jej wszystkie włosy wypadły? Mogę jej też polecić pierwszorzędnego dentystę, zrobił niezrównane protezy mojej babci.

Wdowa tupnęła nogą. Popielski przygotował się na przenikliwy wrzask. Tymczasem od blondynki w żałobie doszedł raczej żmijowy syk.

– To ten, o którym mówił policjant? To ten? Skąd go znasz, Alicjo? Kto to jest?

– Nikt – odparła Sybilla i odwróciła się na pięcie.

KILKA GODZIN PÓŹNIEJ

PUNKT KONTAKTOWY U PANA APRAHAMIANA działał bez zarzutu. Zanim jednak Popielski zawitał w sklepie z dywanami perskimi „importu własnego", zjadł obfity obiad w restauracji Setka przy Marszałkowskiej 100. Nazwa ta była oczywiście nawiązaniem do adresu lokalu, ale Popielski zinterpretował ją też w alkoholowym kontekście. Przyjąwszy bezwiednie taką właśnie wykładnię, zamówił odruchowo sto gramów czystej do kotletów pożarskich. Kelner przybiegł zaraz z tacką, na której stała wysoka stopka „najlepsiej rektyfikacji warsiawskiej", jak ją zachwalał.

Gość wypił tylko połowę. Ostry płyn wywołał lekki zamęt w głowie i falę potu na skórze. Zamiast skierować się w stronę śledztwa, jego myśli natychmiast przykleiły się lubieżnie do wyimaginowanego obrazu Sybilli. Ze wstydem, ale i z przewrotną ekscytacją, przyznawał się sam przed sobą, że spotkanie z dziewczyną, kiedy oto stał przed nią półnagi i pokryty potem, a ona lubieżnie wystawiała koniuszek języka, przypomniało mu niedawne z nią swawole i szaleństwa. Był pewien, że gdyby nie obecność zapłakanej wdowy, napadłby na swoją dawną kochankę, podarłby na strzępy te jej jedwabne desusy, a potem rzucił ją na biurko i odwrócił tyłem do siebie. Nie miałby nic przeciwko temu, żeby wtedy z przyklejonym do blatu policzkiem złorzeczyła mu wśród jęków rozkoszy.

Minęło trochę czasu, zanim czarna gorzka kawa przywróciła Popielskiemu jasność myśli i nadała im odpowiedni kierunek.

Ktoś inny oprócz triumwiratu Tyzenhauz–Józewski-Chłapowski wiedział o całej intrydze, w jaką mnie uwikłano – myślał, parząc się nieco gorącym płynem. – To oczywiście autor notatki o mnie i moich rodzicach. Muszę do niego dotrzeć.

Było też inne, równie pilne zadanie. Już wcześniej, kiedy się znalazł na piaszczystej uliczce Madalińskiego i wracał nią wolno wśród upału, a w uszach wciąż dzwoniły mu szyderstwa Sybilli, zadał sobie proste pytanie: od czego właściwie to wszystko się zaczęło? I po chwili odpowiedział sobie równie prosto: od jakiegoś Gruzina. Dlaczego wcześniej o nim nie pomyślał, dlaczego go nie sprawdził? Winne było temu, jak sądził, piękne łacińskie słowo „triumwirat". Jego znaczenie – trzech mężów sprzysiężonych w celu przeprowadzenia wspólnych działań – tak mocno zdominowało jego tok rozumowania, że nie dopuścił do siebie myśli, iż może tu być ktoś czwarty, piąty, a może nawet i dziesiąty.

Teraz po obiedzie, kiedy już otrząsnął się z obłędu erotycznych rojeń, jaki sprowadziła na niego Sybilla, pojawiło się na horyzoncie jego działań jedno zadanie: znaleźć Gruzina i sprawdzić, czy z kimś nie współdziałał albo czy nie był zbytnio gadatliwy.

Zapłacił za obiad, nie dopiwszy „warsiawskiej rektyfikacji", i poszedł do sklepu z dywanami. Tym razem nie było tam żadnych klientek pełnych pretensji do całego świata i mógł swobodnie wypowiedzieć hasło „Aram". Właściciel pan Aprahamian, starszy człowiek z potężną szpakowatą brodą i przenikliwym wzrokiem biblijnego proroka, powiedział coś po ormiańsku do swojego subiekta, a gościa zaprosił do kantoru. Tam starannie i dwukrotnie powtórzył polecenie Popielskiego, które brzmiało: „Wszelkie informacje o Gruzinie, którego córkę zhańbił Wojkow", po czym czystą polszczyzną z lekkim wschodnim zaśpiewem stwierdził, że o ile zna szybkość działania wiadomych osób, odpowiedź na to pytanie powinna czekać na wielmożnego pana dzisiaj wieczorem, a najpóźniej jutro rano.

Popielski pożegnał go, wrócił do siebie, rozebrał się i natychmiast zapadł w niespokojny sen. Kiedy się obudził, wskazówki zegarka wskazywały siódmą wieczorem. Wstał, umył się, skropił wodą kolońską, a pod pachy wtarł pachnący talk, który był kupił po drodze w perfumerii Kalotechnika przy Marszałkowskiej. Po tych ablucjach udał się znów do starego Ormianina z nadzieją, że wiadomość już na niego czeka.

Tak było rzeczywiście. Kupiec z satysfakcją wręczył mu gęsto zapisaną karteczkę.

– Treść szanowny pan zapamiętać raczy, bo mam obowiązek spalić papier – powiedział.

Sporo było do zapamiętania. „Książę Galaktion Kwaracchelia, ur. 1878 w Tyflisie, zam. Warszawa, Hotel Śląski, pl. 3-ech Krzyży, rozwiedziony; żona, księżna Miriam Kwaracchelia, po rozwodzie wyszła za mąż ponownie, *secundo voto* Bettelheim von Blauenburg, mieszka z dziećmi (syn i córka z pierwszego małżeństwa, córka z drugiego) w Berlinie. Dzieci księcia często bywają u ojca w Warszawie. Sympatyk ruchu prometejskiego, zbliżył się doń za protekcją płka Mikołaja Kandełakiego (zam. Polna 4)”.

Popielski – wyćwiczony w różnych metodach mnemotechnicznych – zapamiętał nazwiska Gruzinów i ich adresy, wyrzucając z pamięci dane księżnej. Pożegnał ormiańskiego futrzarza, którego zwał w myślach Abrahamem, i pojechał tramwajem jedynką z Nowego Światu na plac Trzech Krzyży.

Do Hotelu Śląskiego trafił łatwo. Był to trzypiętrowy okazały budynek z ozdobnym symetrycznym gzymsem. Stał na rogu wspomnianego placu oraz ulicy Książęcej. Edward wszedł i okazał recepcjoniście, ubranemu we frak i koszulę nie pierwszej świeżości, swoje pełnomocnictwo. Jak słusznie sądził, w byłym zaborze rosyjskim im więcej pieczęci na urzędowym piśmie, tym większe robi ono wrażenie.

– Nasz wielce szanowny gość wyszedł z synem na karuzel do parku Sobieskiego, a potem wybierać się raczy do Cyrku Staniewskich – powiedział stary dystyngowany mężczyzna zapytany o księcia Kwaracchelię.

Popielski zażądał widzenia się z dyrekcją hotelu. Recepcjonista zatelefonował, a po chwili zjechał windą pan Piotr Grzyb, dyrektor i właściciel w jednej osobie.

Na tym otyłym mężczyźnie w średnim wieku dokument podpisany przez Bardela zrobił jeszcze większe wrażenie. Jego binokle zasnuły się mgłą, a uszy, ukryte prawie za wielkimi policzkami, stały się purpurowe. Zaprosił „pana tajnego radcę", jak się wyraził, do swojego gabinetu. Użyte przez niego określenie mogło świadczyć, iż pan Grzyb był dobrze zaznajomiony z dworską carską tytulaturą.

– O, kogóż my tu nie gościliśmy za cara! – wołał, kiedy już usiedli w gabinecie na pierwszym piętrze. – I asesorów, i radców stanu, i generałów, a na samym początku istnienia naszego zakładu, bo przecież my istniejemy już pół wieku!, zaszczycił nas rzeczywisty tajny radca Mikołaj Mikołajewicz Gerard! Do dziś mam list, który nam przysłał, dziękując za udany pobyt... I podpisane: *wysokopriewoschoditielstwo!*

A teraz gruziński książę trzyma u nas numer i zawsze się zatrzymuje, kiedy tylko bywa w Warszawie.

Popielski, podrażniony nieco tymi pełnymi zachwytu odwołaniami do carskich czasów, chciał zapytać, czy bywał tu również tajny radca rzeczywisty Piotr Muchanow, dyrektor okręgu szkolnego i wściekły rusyfikator, który wierzył, że po jego kadencji polskie matki będą nad kołyskami swych dzieci śpiewać rosyjskie dumki.

Powstrzymał się jednak. Spojrzał obojętnie na palmę, której szerokie liście dotykały prawie biurka dyrektora. Za rośliną było okno balkonowe, a za nim z kolei rozpościerał się wielkomiejski pejzaż: wysokie kamienice, tramwajowe torowiska krzyżujące się na wybrukowanych równo jezdniach i kościół Świętego Aleksandra z piękną kopułą. Otoczenie było, owszem, godne „Paryża Północy", ale sam hotel chwile świetności miał już dawno za sobą. Nic nie uszło bystremu oku Popielskiego – ani postrzępione chodniki, ani tapety odstające tu i ówdzie od ściany.

– To książę Kwaracchelia u państwa „bywa", jak się pan zechciał wyrazić, dyrektorze? – Wypuścił dym z kiepskiego, śmierdzącego cygara, którym uraczył go gospodarz tego miejsca, bardzo je zachwalając. – To on nie mieszka u pana na stałe?

– Można powiedzieć, że tak. Prawie na stałe. – Pan Grzyb ściągnął brwi w intensywnym zamyśleniu. – Teraz mieszka od miesiąca, a wcześniej cały luty tu spędził, a jeszcze wcześniej to przełom grudnia i stycznia... Dobrze pamiętam, panie tajny radco, dobrze! Mogę panu każdego znamienitego gościa umiejscowić w czasie z dokładnością do jednego dnia!

Właściciel przerwał, pilne obserwując, jak wielkie wrażenie zrobiła na gościu jego wspaniała pamięć. Nie doczekawszy się fanfar, ciągnął:

– Oj, jakże dobrze się bawił nasz książę w noc sylwestrową! Oj, dobrze! – Ściszył nagle głos. – Towarzyszyła mu pewna młoda dama, z którą zniknął po północy w swoim apartamencie na najwyższym piętrze. A potem, niechże sobie pan tajny radca wystawi, dołączył do nich pewien pan z jeszcze jedną.

Roześmiał się. Popielski mu nie zawtórował.

– No cóż, nie jestem moralistą... – szeptał pan Grzyb nieco zbity z tropu powagą swego gościa. – No cóż... Kto pierwszy jest bez winy... Książę to człowiek hojny i po swoich sylwestrowych zabawach zapłacił za gruntowne sprzątanie nie tylko swego apartamentu, ale i całego piętra. Lśniło wszystko jak za cara! Nie mogę się skarżyć na tego lokatora, oj, nie!

– A te wyczyny księcia w numerze po północy nie przeszkadzały jego córeczce? – Edward był zgryźliwy. – Nie napatrzyło się biedactwo na erotyczne harce tatusia?

– On tu mieszkał bez córeczki – odparł bez wahania dyrektor. – Towarzyszył mu tylko synek, śliczne chłopię, oczy czarne jak węgle. Ale nie był z ojcem wtedy, gdy ten dokazywał w noc sylwestrową, lecz podczas pobytu w lutym. Pamiętam, że wtedy książę postępował bardzo przykładnie. Żadnych dam. Codziennie prowadzał chłopaczka do dziecińca, bo nie pozwalamy, aby osoby z zewnątrz tu pomieszkiwały. Żadnych bon, żadnych dam do towarzystwa!

– Nic pan dyrektor nie wie o córeczce księcia Kwaracchelii? Dziewczynka mniej więcej dziewięcioletnia...

Grzyb zdecydowanie pokręcił głową. Jego pulchna twarz wyrażała niezachwianą pewność.

– Nic mi nie wiadomo o żadnej córeczce. Anim jej nie widział, anim nie słyszał. Książę mieszkał u mnie... – Skupił się znów mocno, wydymając policzki jak żagle. – Pięć razy, z tego dwa razy z synkiem, trzy razy sam. Żadnej córeczki, nigdy! Może coś na jej temat wie panna Apolonia Niciakówna. To wychowawczyni z dziecińca, gdzie książę małego Otara prowadzał. Tak, Otar chłopcu na imię. Miłe dziewczę ta panna Polcia. Ładniutka szelma, nie powiem... A książę czuły na wdzięki niewieście, oj czuły! Bił jej pokłony, przewracał oczami, raz na ciastka do naszej cukierni zaprosił. Ale w pokoju u niego nie była. To bardzo grzeczna panna, dobrych manier.

Klasnął donośnie w dłonie.

– Ach zapomniałbym! Jaki ze mnie gbur! Wyśmienite mamy tu ciastka! Z pierwszorzędnych zakładów! Od Wedla i Bliklego. Zapraszam, serdecznie zapraszam! Może szanowny pan zajdzie? Niech będzie od firmy, niech będzie!

Edward wypuścił kłąb gryzącego dymu i pomyślał o kremie na ciastkach, cokolwiek nieświeżym od upału.

– Myśli pan, dyrektorze, że ta panna Niciakówna coś więcej będzie wiedzieć?

– Ależ tak! O czymś przecież rozmawiali w cukierni przy ciastku... Irenka, jedna z moich kelnerek, mówiła mi później, że książę coś tam gorączkowo wywodził, nawet łzę uronił. Mógł się pannie Niciakównie zwierzyć z tego i owego. Swoim bogactwem, swoimi wpływami się chełpić. Tak jest, panie tajny radco, tak jest! Mężczyzna przy takiej pięknotce to będzie gadał i gadał, będzie się przechwalał, jeden z drugim, puszył...

Popielski miał już dość tej carskiej tytulatury. Pochwały pod adresem imperialnych czasów już go zezłościły. Postanowił okazać dezaprobatę i zastraszyć nieco swego rozmówcę, by gadatliwemu mężczyźnie nawet do głowy nie przyszło opowiadać komukolwiek o całym spotkaniu.

Oparł łokcie na biurku dyrektora i pochylił się do przodu. Patrzył ołowianym wzrokiem na jego czubek głowy, gdzie przylizane były rzadkie pasma włosów.

– Adres tej panny? – warknął. – Szybciej, Grzyb!

Właściciel hotelu aż się cofnął i otworzył usta w zdumieniu. Ten znawca ludzi i świetny psycholog – za jakiego się uważał – nie mógł zrozumieć doprawdy, dlaczego elegancki pan „radca" nagle z uśmiechniętego i przyjaznego staje się arogancki i napastliwy.

– Wiem tylko, gdzie ten dzieciniec – wydukał. – To niedaleko. Ulica Szara, koło kościoła Mariawitów. A lokum panny Polci nie jest mi znane. Ale chyba blisko gdzieś mieszka, gdzieś niedaleko trzyma pokój...

Uśmiechnął się krzywo i próbował przywrócić niedawny dobry nastrój rozmowy.

– To charakterna panna! – plotkował. – Ojciec pułkownik, ale ona sama chce żyć i zerwała z rodziną. Ponoć w tle był jakiś romansik, jakiś skandalik, rodzina się jej wyrzekła... Ale gdzie mieszka, nie wiem. Każdy stróż powie tajnemu panu radcy. Dozorcy wszystko tu wiedzą. Gdzie wódeczka do kupienia, gdzie burdelik dobry...

Jego plotki nie poprawiły atmosfery. Popielski wstał, podszedł do palmy i wdusił w ziemię donicy cygaro. Suche tytoniowe liście zaszeleściły, kiedy się łamały i kruszyły pod jego palcami. Otrzepał dłonie z ziemi i odwrócił się do wystraszonego dyrektora.

– Nie żyjemy teraz za cara, rozumiecie, Grzyb!? – krzyknął. – Nie ma takiego tytułu jak „tajny radca rzeczywisty" czy jak tam do mnie mówiliście! Ale widzę, że chcielibyście, żeby było jak za batiuszki Mikołaja, co? Chcielibyście, żeby Polska była znów zatęchłą prowincją wielkiego imperium? – Chwycił go mocno za przegub i przycisnął dłoń do biurka. – My się takimi bardzo interesujemy, co to tęsknią do cara... Takimi, którym się nie podoba w Najjaśniejszej Rzeczypospolitej! Chcecie, żebyśmy wzięli was pod lupę, Grzyb?

– Ależ nie! Bynajmniej! – zajęczał hotelarz. – Ja kocham nasz kraj...

– No to nie mówcie do mnie „tajny radco" ani *wasze wysokopriewoschoditielstwo*! To nie carskie czasy! Rozumiemy się, Grzyb?

– Przepraszam. – Nieszczęśnik prawie miał łzy w oczach. – Ja tak chciałem po uważaniu, a nie znałem rangi szanownego pana...

Edward postanowił teraz okazać łaskawość. Wziął z biurka ciężką popielnicę i podszedł z nią do palmy. Wyciągnął cygaro i włożył do naczynia, nasypał do powstałej dziury trochę ziemi i starannie ją przyklepał. Donica wyglądała tak jak przedtem, zanim cygarem przeorał jej zawartość.

– Nie zna pan mojej rangi? To proszę do mnie mówić „panie eksploratorze". – Uśmiechnął się szeroko. – Wie pan dyrektor, co to znaczy po łacinie *explorator*? Poszukiwacz.

Wolnym krokiem wyszedł z gabinetu. W drzwiach się jeszcze odwrócił i spojrzał na hotelarza. Ten masował rękę i popatrywał na niego bojaźliwie.

– Eksplorator to taki, co każde wasze świństwo wyszuka... – Zawiesił głos. – Nie muszę chyba panu mówić, dyrektorze. Ani panu, ani recepcjoniście.

– Nie musi pan – rzekł szybko Grzyb. – Słowa nikomu nie powiem. A recepcjonista pan Klemens o nic nie pyta i nic gościom nie mówi. To człowiek bardzo obowiązkowy, a niedyskrecja nie wchodzi w zakres jego obowiązków.

Słysząc to zgrabne zdanie, Popielski uśmiechnął się, ukłonił, włożył kapelusz, zamknął drzwi i zszedł na dół. Przez chwilę zastanawiał się, czy nie zaczekać na księcia w recepcji, a może w restauracji. Postanowił jednak pójść do dziecińca panny Niciakówny. Rozsądek mówił mu, że dochodzi wpół do dziewiątej wieczorem i to zupełnie nieprawdopodobne, by kogokolwiek tam zastał. Ale irracjonalna potężna wola podpowiadała coś całkiem przeciwnego.

Wyszedł z hotelu i ruszył ku budynkom gazowni wznoszącym się nad niedaleką ulicą Smolną.

Coś go tam ciągnęło.

Oczywiście praca. – Sam siebie okłamywał w duchu. – W końcu przyświeca mi zasada *die dormire, laborare noctu*, a właśnie zapada noc.

Nie chciał się jednak przyznać sam przed sobą, że bardziej niż śledztwo intrygowała go teraz „ładniutka skandalistka".

* * *

RZECZYWIŚCIE, PANNA APOLONIA NICIAKÓWNA była ładna. Natura obdarzyła ją wzrostem niewysokim, ale nader ponętnymi kształtami. Popielski swym jednym doświadczonym spojrzeniem ocenił, że piersi ma drobne, biodra powabnie zaokrąglone, a łydki mocne i smukłe. Jej wielkie orzechowe oczy, błyszczące – jak sądził – od alkoholu, wpatrywały się w niego z dziecięcą jakąś ciekawością. W kącikach pomalowanych na karminowo ust krył się ironiczny uśmieszek.

Najmniejszej wesołości nie zdradzał natomiast jej towarzysz, z którym tego letniego wieczoru siedziała w altance na małym podwórzu okolonym wysokim płotem i zaopatrzonym w piaskownicę, drabinki i huśtawki. Młodzieniec na widok Popielskiego przestał grać na mandolinie i odłożył instrument. Nie spuszczając z przybysza wyzywającego wzroku, zdusił papierosa w popielnicy, obok której stały dwa kielichy i dwie wypite do połowy butelki z etykietą „Piwo Złoty Zdrój – mocne jak głos Kiepury". Słowa nie rzekł, ale jego mina wyrażała różne uczucia, z których żadne nie było przyjazne.

Edward przedostał się na to podwórze dziecińca przy ulicy Szarej niezupełnie *comme il faut* – po prostu wszedł przez dziurę, która była zakryta poluzowaną deską.

Drogę pokazał mu pewien mały ulicznik imieniem Józek, który podsłuchiwał, jak jakiś elegancki pan wypytuje dozorcę o pannę Apolonię Niciakównę. Mały łobuz w podartych krótkich spodniach pociągnął łysego pana za rękaw i oznajmił, że panna Apolonia jest teraz ze swoim, jak się wyraził, „absztyfikantem" w miejscu, które on zna bardzo dobrze i chętnie tam pana zaprowadzi za całe pięćdziesiąt groszy.

Popielski się nie targował i dał się poprowadzić chłopcu pod dzieciniec znajdujący się tuż obok świeżo wybudowanego kościoła mariawitów, otoczonego jeszcze rusztowaniami.

– Ona tam jest – szepnął Józek, odchylając jedną z desek parkanu, po czym wyciągnął ku Popielskiemu otwartą dłoń. – Widzieliśmy ją tu nie raz z kolegami. No, dawaj pan, coś obiecał!

Popielski wcisnął mu monetę i dostał się na plac zabaw przez dziurę. Kiedy się zbliżył do altanki, wybiegła z niej dziewczyna, obciągając na udach sukienkę. Popielski chętnie by się przekonał, czy jego założenie, że młoda kobieta nie ma na sobie ani halki, ani majtek, jest słuszne.

– Nie obchodzi mnie, co tutaj pani robi o tej porze, moja panno – rzekł teraz. – Nie powiem też kierownictwu dziecińca o tym, że po godzinach pracy altanka na placu zabaw zamienia się w miłosne gniazdko. Nie jestem stróżem moralności i nie dbam o pani obyczaje. Interesuje mnie tylko jeden człowiek. Książę Galaktion Kwaracchelia. Chcę o nim wszystko wiedzieć!

– Kto pan jesteś? – krzyknął jej absztyfikant i wypadł na zewnątrz z altany.

– Jeśli mi pani nie powie – zignorował go Popielski – to jutro się zjawię tutaj rano i porozmawiam z pani kierowniczką. Niechże zatem nie pyta mnie pani, kim jestem i jakie mam plenipotencje do zadawania pytań. A ty – spojrzał na młodzieńca – z powrotem do budy i nie przeszkadzać!

Panna Niciakówna spojrzała na towarzysza rozkazująco, a on – ociągając się i wciąż obrzucając intruza groźnymi spojrzeniami – zrobił to, co mu nakazano.

Edward cierpliwie czekał.

– Książę Kwaracchelia... – powiedziała w końcu dziewczyna. – To ojciec małego Otara, mojego podopiecznego. Oddaje syna do dziecińca. Często czuć od niego winem. Jest natrętny, usiłuje mnie emablować. Raz na odczepnego zgodziłam się z nim pójść na kawę i ciastka do Hotelu Śląskiego. Nudził mnie, w kółko opowiadał o pięknych górach Kaukazu.

– Jak to? Nic mi nie mówiłaś! – krzyknął chłopak z altanki.

– O czym rozmawialiście? Zwierzał się pani? – Popielski kontynuował przesłuchanie.

– Tak, mówił, że jest nieszczęśliwy – odpowiedziała panna Apolonia. – Że kiedyś bardzo kochał żonę, a nawet ją porwał, bo jej krewni nie chcieli jej pozwolić na zamążpójście, bo byli z królewskiego rodu, a jego samego za nędzarza mieli. To było bardzo romantyczne. A teraz żona nie pozwala mu się widywać z córką. Rozwiódł się z nią, a ona wyszła za mąż za jakiegoś arystokratę niemieckiego i mieszka w Berlinie. Jej bracia to niebezpieczni ludzie z wrogiego kaukaskiego klanu, to oni ich rozdzielili i zmusili księcia do rozwodu. Grozili mu śmiercią. Tyle wiem. Nic więcej, naprawdę.

Popielski przyjrzał się jej. W blasku świec, które Romeo teraz pozapalał w altance, wydawała mu się nierealnym zjawiskiem. Ale nie miał wątpliwości, że nie kłamie.

– A księżniczka? – zapytał. – Mała księżniczka? Lat dziewięć. Zna ją pani? Przyprowadzał ją do dziecińca?

– Nigdy jej tu w Warszawie nie było. – W głosie dziewczyny pobrzmiewało zniecierpliwienie. – Przecież panu mówiłam, że eksżona nie pozwala mu się widywać z córką! Może z tego powodu, że książę pije. Księżna trzyma ją w Berlinie, chroniona przez liczną służbę i przez swoich braci. Tylko Otar czasami tu przylatuje samolotem, imaginuje pan sobie? – wykrzyknęła nagle dźwięcznym głosem. – Samolotem! Wsadzają go do samolotu! To dzielny mały wojownik! On odwiedza ojca raz na jakiś czas i zostaje na dłużej. Książę prowadza go wtedy do dziecińca.

Popielski sięgnął po papierosy. W ciemnoszarym zmierzchu majaczyła wieża kościoła mariawitów. Powiało lekkim chłodem, dziewczyna się wzdrygnęła.

– Jak pani sądzi? – zapytał. – Dlaczego książę nie korzysta z usług jakiejś bony, lecz przyprowadza syna do dziecińca? Przecież pani zakład jest przeznaczony dla dzieci z niezamożnych robotniczych rodzin, gdzie matki pracują.

– Wiem doskonale – odparła z dumą dziewczyna. – Otar tylko mnie lubi, tylko do mnie jest przyzwyczajony.

Popielski wyciągnął otwartą papierośnicę w stronę chłopaka. Ten machnął pogardliwie dłonią i wytrącił ją z jego ręki. Na twarzy dziewczyny pojawiło się przerażenie.

– Czy coś sobie pani jeszcze przypomina? – Popielski nawet nie spojrzał w stronę Romea. – Coś dziwnego związanego z księciem Kwaracchelią?

Panna Apolonia schyliła się, podniosła papierośnicę i podała ją Edwardowi.

– Niech pan nie bije mojego narzeczonego, błagam – mówiła szybko. – On jest taki głupi, zazdrosny! Ze wszystkimi zadziera! I ma dzisiaj imieniny!

– Czy coś sobie pani jeszcze przypomina? – ponowił pytanie.

– Tak, tak, pamiętam coś. Raz przyszedł po Otara jakiś oficer w randze kapitana. Miał list polecający od księcia. Mówił, że jest jego przyjacielem.

– Jak wyglądał?

– Niewysoki blondyn. Budzący zaufanie. Bardzo zasadniczy. Nie potrafię go lepiej opisać. Padał śnieg, było ciemno...

– Skąd pani wie, że to był kapitan?

– Znam się na rangach – odpowiedziała. – Pochodzę z rodziny wojskowej. Jako dziecko wraz z siostrą musiałyśmy rozpoznawać wszystkie stopnie, by zwracać się odpowiednio do gości naszego tatusia. Niezła tresura, prawda? Z daleka potrafię rozpoznać wojskowego. Na przykład pana. Szacuję go na majora... – Jej głos zabrzmiał uwodzicielsko. – Nie uderzy go pan, panie majorze?

Popielski uśmiechnął się do niej.

– Nic mu nie zrobię! W końcu ma imieniny!

Podszedł do altany i zajrzał tam. Młodzieniec siedział z zaciśniętymi pięściami, wściekły i napięty. Był szczupły, wręcz chudy. Jego wysunięta szczęka miała odstraszać. Tyczkowate nogi ruszały się, jakby chciały ostrzec: odejdź, bo ci wymierzę kopniaka! Edward przyglądał mu się przez chwilę.

– Ale on chyba już dostał prezent, moja panno – mruknął. – Pani karminowa szminka na jego spodniach... Dostał już prezent, prawda?

– Być może... – Apolonia się uśmiechnęła, a jej usta szepnęły bezgłośnie: – Pan też chciałby taki prezent?

Tak się mu przynajmniej zdawało.

Kiedy szedł ulicą Czerniakowską, uważnie wypatrywał stróżów, którzy by siedzieli pod bramami i mrugali na przechodniów, informując tym samym, że w tej oto bramie jest dom publiczny. Kilku dozorców, owszem, zajmowało miejsce pod swymi kamienicami. Jeden mył chodnik, inny przeganiał urwisów, jeszcze inny drzemał. Żaden nie mrugnął do Edwarda.

DWIE GODZINY PÓŹNIEJ

DOBRZE SIĘ STAŁO, ŻE NIE SPOTKAŁEM żadnego mrugającego stróża i nie poszedłem do jakiegoś lupanaru wyładować swej żądzy – myślał Edward.

Z cielesnych uciech zrezygnował, po tym jak koło gazowni na rogu Ludnej zastąpili mu drogę muzykanci z ulicznej kapeli. Grali jakąś rozwlekłą sentymentalną balladę i sądzili, że dobrze ubrany późny przechodzień zachwyci się ich sztuką i wesprze drobną kwotą. Ponieważ Popielski miał zupełnie inny gust muzyczny i chciał ich wyminąć, do muzykantów dołączyli nagle koledzy, którzy wyszli z pobliskiego podwórka. Postanowili oni przekonać „frajera", jak go nazwali, do czynu charytatywnego, a argumentacją były najpierw krzywe uśmiechy, a potem ostre słowa. Kiedy i to nie poskutkowało, w ich rękach błysnęły kastety i rozległ się charakterystyczny chrzęst otwieranych sprężynowych noży. Edward sięgnął wtedy po swojego browninga i uniósł go na wysokość głowy jednego z napastników. Tym gestem wzbudził respekt pomieszany z niechęcią. Ferajna z Powiśla odstąpiła, plując mu pod nogi.

Wtedy zrozumiał, że nie jest u siebie we Lwowie, gdzie na widok Łyssego bandyci chowali się po bramach, a ladacznice eksponowały wdzięki pod latarniami. Tam nie musiał sięgać po broń, wystarczyło, że jakiemuś batiarowi pogroził palcem, że na jakiegoś urwisa popatrzył odrobinę dłużej niż zwykle... Tutaj nie wzbudzał szacunku, nikt go nie znał i nikt się nie bał. Te refleksje doprowadziły do prostego wniosku.

Jeśli nawet takie obdartusy mają mnie za nic – pomyślał z pewną goryczą – to ta dość swobodna panienka z dziecińca też się mnie zbytnio nie wystraszyła. Na jej rozkaz pewnie niejeden „narzeczony" gotów mi skoczyć do oczu. A grubas z Hotelu Śląskiego, choć udawał pokornego, pewnie nie jest takim gołębiem, na jakiego wygląda. Kto wie? Może płaci haracz różnym szemranym typom? Krótko mówiąc, oni wszyscy mogą plwać na moje żądanie, by nic nie mówić Gruzinowi. Gruzin się dowie, że pyta o niego tajniak z Ministerstwa Spraw Wewnętrznych. I co wtedy? Jeśli ma coś na sumieniu, to się po prostu ulotni. Trzeba działać szybko i zdecydowanie. Nie jestem u siebie i tu moje groźby nie działają. Czas na burdele jeszcze nadejdzie.

Edward wpadł jak bomba do Hotelu Śląskiego na placu Trzech Krzyży i dowiedział się od recepcjonisty pana Klemensa, że książę Kwaracchelia jeszcze nie wrócił. Zażądał gazet. Otrzymawszy „Kurjer Warszawski", sprawdził repertuar kin, teatrów i innych widowisk. Wieczorny „spektakl zoologiczny" w Cyrku Staniewskich zaczynał się o ósmej wieczorem. Spojrzał na zegarek. Była dziesiąta. Za chwilę książę powinien się pojawić, chyba że zabawi dłużej w Śródmieściu, co jest mało prawdopodobne z uwagi na obecność synka.

– Książę często jada kolację na mieście? – zapytał recepcjonistę. – Czy woli hotelową restaurację? Zdarza się, że późno wraca z miasta z dzieckiem?

– W sobotni wieczór, tak jak dzisiaj, książę pan zawsze idzie na kolację na Ordynackiej w Les Etablissements Duval, gdzie rezerwuję mu wcześniej stolik – pan Klemens mówił wolno i przez nos. – Potem wraca dorożką. Synek zwykle już zasypia w czasie drogi i pomagam przenieść chłopca do apartamentu jego książęcej mości. Sądzę, że... – spojrzał na zegar w hallu – ... będzie z powrotem najpóźniej za godzinę.

Popielski podziękował panu Klemensowi, wyraźnie pozującemu na angielskiego kamerdynera, i usiadł w fotelu. Postanowił poczekać na księcia. Nie przeglądał gazet, nie wodził wzrokiem za kobietami, nie reagował nawet na nagabywania młodej kwiaciareczki, która – korzystając z nieuwagi pana Klemensa – weszła do hotelu i zaoferowała Popielskiemu różę „dla wybranki serca szanownego pana dziedzica". Był spięty. Siedział i uważnie patrzył w obrotowe drzwi wejściowe, aż się w nich pojawi książę Galaktion Kwaracchelia ze swą latoroślą.

Tymczasem po dwóch kwadransach stanął w nich ktoś zupełnie inny: właściciel hotelu pan Piotr Grzyb. Ukłonił się Popielskiemu w pas i poszedł w stronę windy.

Coś było nie w porządku, coś nie zgadzało się z wyobrażeniami Edwarda. Jako stary policyjny wyjadacz wiedział, że każde nietypowe zachowanie jest podejrzane. Tkwiło

w nim silne przekonanie, że stereotypy w większości wypadków pozwalają skutecznie działać.

— Kiedy wracając z pasterki, widzisz szczerbatego chłopa,
który w ciemnej ulicy sięga do kieszeni na twój widok, to
lepiej go obejść szerokim łukiem albo bronić się atakiem
niż stanąć z grzecznym uśmiechem w nadziei, że właśnie
sięgnął po opłatek, aby się z tobą nim przełamać – powtarzał swoim współpracownikom.

Zachowanie Grzyba było niestereotypowe. Nie podszedł
w pokłonach, nie zaprosił na ciastko, nie przymilał się pytaniami o to, jak „pan tajny radca" spędził ten ciepły wieczór.
Oczywiście grubas mógł być zaabsorbowany własnymi
sprawami albo po prostu obrażony, ale Popielski dostrzegłby
urazę w jego spojrzeniu. Tymczasem hotelarz, czekając na
windę, wyraźnie unikał wzroku Edwarda.

Popielski wstał i ruszył ku recepcjoniście.

— W którym pokoju mieszka książę Kwaracchelia?! –
krzyknął.

Nie patrzył na pana Klemensa, lecz na właściciela hotelu. Ten zgarbił się i przysiadł gwałtownie, jakby pytanie
to było kulą wystrzeloną w jego kierunku.

— Dwadzieścia cztery! – odpowiedział pracownik hotelu. – Drugie piętro!

— Klucz do dwadzieścia cztery, natychmiast! – zażądał
Edward, nie spuszczając Grzyba z oczu. – A ja sobie tam
pojadę w towarzystwie pana dyrektora! Razem zobaczymy,
czy w apartamencie księcia panuje porządek. Czy wszystko
tam lśni jak za cara.

Hotelarz jeszcze bardziej się skulił.

Po dwóch minutach byli na miejscu. Porządku nie było. Nic nie lśniło jak za czasów batiuszki Mikołaja. Rozrzucona pościel, złamany wieszak, brudne ręczniki na podłodze łazienki. Samochodzik-zabawka pływał w wannie. Szafy puste.

Stereotypowe myślenie nigdy Popielskiego nie zawiodło. Pchnął Grzyba i uniósł dłoń, by go uderzyć.

Nie musiał.

Po chwili wiedział już wszystko.

Grzyb uprzedził księcia. Ten właśnie dolatywał do Gdańska.

* * *

CHŁAPOWSKI DZIAŁAŁ SZYBKO. Po tym jak Popielski zatelefonował do niego z recepcji i poinformował o ucieczce Kwaracchelii oraz o zeznaniach, jakie mu złożył przerażony hotelarz, prezes natychmiast zatelefonował do podpułkownika Schaetzla, który przy bridżowym stoliku we własnym domu przy ulicy Szustra akurat rozgrywał pięknego szlemika bezatutowego.

Wysłuchał doniesień Chłapowskiego, po czym wrócił i dokończył rozgrywkę. Położył kontrakt bez dwóch ku zgrozie swojego partnera, niepotrzebnie się wdając w niebezpieczny impas waleta. Niepokój partnera, a także przeciwników zamienił się w ledwie tłumioną irytację, kiedy im następnie oznajmił, że ich wieczór dobiegł końca. Po irytacji nastąpiło oczywiste zrozumienie. Wiedzieli, że temu zapalonemu bridżyście tylko sprawy wagi państwowej mogły kazać porzucić dopiero co rozpoczętego robra. Pożegnał ich, poszedł do swojego gabinetu, zapisał na kartce zadania do wykonania, a potem podniósł słuchawkę telefonu.

XIII Komisariat Policji przy Hożej i XVI przy Puławskiej zostały postawione na równe nogi. Ich kierownicy, komisarze Marian Sobota oraz Stanisław Zdanowicz, otrzymali krótkie polecenia. Policjanci im podlegający mieli natychmiast aresztować kilka osób, przeszukać miejsca ich pobytu, zabezpieczyć wszelkie podejrzane przedmioty – zwłaszcza listy i notatniki – i nie wnikać, dlaczego to robią. Wydający rozkazy wskazywał oczywiście na jakąś aferę szpiegowską, ale to, kto dzwonił, komisarze Sobota i Zdanowicz mieli zachować dla siebie.

Po dwóch kwadransach pod Hotel Śląski zajechał furgon policyjny, do którego dwaj mundurowi załadowali właściciela hotelu oraz jego recepcjonistę. Towarzyszący im tajniak udał się na przeszukanie apartamentu numer dwadzieścia cztery. Nie znalazł w nim niczego interesującego oprócz samochodziku przerobionego na amfibię.

W tym samym czasie dwaj inni tajniacy wyłamywali kilka desek w płocie przy ulicy Szarej. Po sekundzie byli na placu zabaw należącym do dziecińca. Bezzwłocznie rzucili się do stojącej tam altanki. Trzask łamanych desek obudził parę znajdujących się w niej młodych ludzi. Błyskawiczny przebieg akcji, miłosne zapamiętanie albo też alkoholowe upojenie – a pewnie wszystkie te powody naraz – sprawiły, że obydwoje nie zdążyli się nawet ubrać. Jeden z tajniaków, chichocząc głupawo, zaprowadził ich do wozu stojącego przy ulicy ku uciesze tłumu, który zdążył się tymczasem zebrać pod pobliskim kościołem. Drugi dołączył do kolegi, okleiwszy połamane deski kilkoma kartkami z urzędowymi pieczęciami Komisariatu XIII.

Wtedy też pod port lotniczy przy Polu Mokotowskim zajechał nowiutki chevrolet capitol, z którego wyskoczyło dwóch mężczyzn. Strażnik, widząc ich legitymacje, przyznał, że dobrze zna Gruzina, „jakiegoś księcia, panie, czy innego barona, co tu ciągle dzieciak do niego z Berlina przylatał". Dodał przy tym, że ów arystokrata w wielkim pośpiechu wpadł dzisiaj wieczorem na lotnisko i pewnie by nie zdążył na odlatujący właśnie samolot do Gdańska, gdyby służba celna nie skróciła do zera formalności na wyraźne i zdecydowane żądanie kierownika lotów popołudniowych pana Kazimierza Mysłakowskiego.

Uzyskawszy od stróża zaskakujące informacje o dobrej komitywie, w jakiej był Gruzin z tym kierownikiem – „oni się, panie, dobrze znali od dawna i w bilard, i w tenisa grywali" – podjęli szybką decyzję. Pojechali pod adres Mysłakowskiego podany im przez stróża – ulica Szczęśliwicka 53 na Ochocie – i wyciągnęli z łóżka przerażonego człowieka, który na ich widok zaczął krzyczeć: „Ja nic nie wiem! Ja jestem niewinny!". To podejrzane zaprzeczanie winie, zanim mu postawiono jakikolwiek zarzut, przyniosło skutek odwrotny do zamierzonego. Chevrolet odjechał z przerażonym Mysłakowskim na pokładzie, a drugi tajniak zajął się rewizją, podczas której nie znalazł niczego dziwnego poza talią kart pornograficznych.

Wszyscy ci ludzie zostali zawiezieni do dużego brzydkiego magazynu w podwarszawskiej wsi Siekierki Duże i umieszczeni w piwnicy, która była podzielona na pojedyncze cele. Budynek ten, stojący w dużym oddaleniu od innych domostw tuż nad kanałem okalającym wiślaną łachę, zwaną Siekierkowską, był niegdyś murowaną stodołą należącą do pobliskiego folwarku. Jego właściciel dziedzic Euzebiusz Wolski, przyciśnięty powojenną dekoniunkturą, ochoczo przystał na wynajęcie stodoły przez jakąś firmę bławatną i na jej ogrodzenie oraz przebudowanie. Otrzymawszy hojną zapłatę za trzy lata z góry, zlikwidował swe długi i nie wnikał, jakie jest przeznaczenie budynku. Wszystkich ciekawskich, którzy nie widzieli sensu urządzania składu materiałów jedwabnych w podwarszawskiej dziurze, dokąd prowadziła piaszczysta droga zamieniająca się zimą w błotnistą rzekę, zbywał wzruszeniem ramion albo odpędzał grubym słowem.

Mimo że nie wylewał za kołnierz i bywał nadmiernie gadatliwy, to pary z ust nie puścił o tym, iż w czasie finalizowania transakcji wynajęcia stodoły poprosili go na rozmowę dwaj panowie. Odbyła się ona w pewnym ponurym gmachu w centrum miasta. W krótkich słowach wyjaśnili mu oni smutne konsekwencje ewentualnej zbytniej ciekawości, wykazując się przy tym ogromną znajomością różnych jego handlowych poczynań, z których niejedno dałoby się zaklasyfikować jako nielegalne. Pan Wolski – przerażony ich dogłębną wiedzą na temat swych interesów – przyrzekł uroczyście na krucyfiks, iż wszystko zachowa dla siebie. Jako człowiek pobożny dotrzymał tajemnicy.

Nie dziwiło go zatem, gdy tej nocy przyjechały do stodoły trzy policyjne furgony, a na pytanie żony, po co wyszedł na balkon i czemu się tak przypatruje, odpowiedział – co było całkiem zrozumiałe – że dla ochłody.

* * *

OCHŁODY NIE ZAZNALI NATOMIAST TEJ NOCY trzej mężczyźni zgromadzeni w gabinecie Chłapowskiego przy Alei Ujazdowskiej 19. Siedzieli tam przy zamkniętych oknach, w samych koszulach z podwiniętymi rękami i z poluzowanymi krawatami. Było bardzo niewskazane, aby ważne sprawy, które omawiali w apartamencie prezesa położonym na pierwszym piętrze od frontu, dotarły do uszu przypadkowego przechodnia, który zawieruszyłby się tu nocną porą. Pokój, duszny i siny od papierosowego dymu, nie był tak uporządkowany jak zwykle. Z oparć foteli zwisały marynarki, na podłodze leżały luźne kartki z notatkami, a na biurku zalegały nadgryzione kanapki, które przygotowała panom służąca Marianna. Blat wózka na kółkach znaczyły zacieki po wodzie gazowej, którą mężczyźni strzykali z dużego kryształowego syfonu.

Po wysłuchaniu relacji Popielskiego w umyśle podpułkownika Schaetzla kłębiły się sprzeczne uczucia. Z jednej strony ten służbista czuł się poirytowany tym, że porucznik nie zachował zakonspirowanej drogi kontaktowej poprzez pana Aprahamiana i nie czekał na dalsze wytyczne, z drugiej zaś – był zaskoczony błyskawicznym tempem jego działań. Do irytacji i zaskoczenia dołączyło się zaniepokojenie tym, że w całej sprawie pojawił się tajemniczy „czwarty triumwir", autor notatki dla Tyzenhauza. Szefa

Dwójki rozsadzała też wściekłość, że ważny i wpływowy sympatyk ruchu prometejskiego książę Galaktion Kwaracchelia okazał się kłamcą. Gdyby był przy tym sowieckim szpiegiem – bo jak wytłumaczyć jego nagły wyjazd z Polski, prawdopodobnie na zawsze? – to okazałoby się, że gruzińskie ramię prometejczyków jest infiltrowane przez Razwiedupr. A jeśliby do tego dodać, że książę działał jako prowokator i inspirator zamachu na Wojkowa, to już cała sprawa zaczynała zataczać ogromne kręgi.

– To pańska wina, poruczniku, że Kwaracchelia uciekł – zwrócił się twardo do Edwarda. – Mógł pan temu zapobiec. Usłyszawszy od Grzyba, że książę nigdy nie przebywał w Warszawie z córką, nie powinien pan był wychodzić z hotelu. Powinien pan poczekać na Gruzina. A pan tymczasem podjął decyzję o przesłuchaniu tej lekkiej pannicy w dziecińcu. Po co? Myślał pan, że mu coś powie o córce księcia? No to powiedziała. To samo co Grzyb: że małej nie było w Warszawie! A pan sobie zrobił wycieczkę po Powiślu!

Schaetzel ostatnie słowa wypowiedział podniesionym głosem. Popielski milczał.

– Mógł pan też zrobić coś znacznie lepszego: po prostu pójść na ten karuzel do parku Sobieskiego. Nietrudno byłoby panu wypatrzyć śniadego mężczyznę z chłopcem, nawet wśród dużego tłumu! – Zaciągnął się papierosem. – Tymczasem stało się to, o czym wystraszony przez pana Grzyb zeznał w pokoju Gruzina. Hotelarz, wykorzystując pańską nieobecność, zajął miejsce w recepcji, a swego pracownika wysłał tam, dokąd pan powinien był pójść! Recepcjonista – spojrzał do notatek – nazwiskiem Klemens Pawlik znalazł księcia i go ostrzegł. Co powiedział?

– Że „pyta o niego MSW". – Chłapowski spojrzał na Popielskiego. – Tak, usłyszał od tego Klemensa, że pyta MSW. I to wystarczyło, by wpadł w panikę. Chyba nasz książę ma trochę na sumieniu!

– Niewątpliwie – przyznał podpułkownik. – Gruzin przybiegł w te pędy do hotelu, kazał sobie rezerwować bilet na najbliższy zagraniczny lot dokądkolwiek i ulotnił się, gdy pan się snuł koło gazowni i wypytywał dozorców o jakąś panienkę!

Trochę inaczej gadał ten Grzyb – pomyślał Popielski, lecz głośno nie poprawiał rozmówcy. – Książę kazał mu rezerwować „dwa miejsca w najbliższym samolocie dokądkolwiek, byle za granicę".

– I co było dalej? – ciągnął szef Dwójki. – Kwaracchelia udał się na Pole Mokotowskie, a tam czekały na niego dwa bilety na najbliższy lot do Gdańska. To tyle.

Wstał i przeszedł się po pokoju, trącając czubkami letnich dziurkowanych butów walające się po podłodze kartki.

– Zbierzmy to wszystko – rzekł, patrząc na Popielskiego. – A pan niech protokołuje! Po pierwsze, przynęta. No, niech pan siada za biurkiem i pisze „Przynęta na Popielskiego"...

Chłapowski najmniejszym grymasem nie dał po sobie poznać, że nie jest zachwycony, iż ktoś rozkazuje w jego domu i dysponuje jego meblami. Popielski uczynił, co mu nakazano.

– Przynęta na Popielskiego – powtórzył podpułkownik. – Wojkow nie zhańbił córki Gruzina. Opowieść o tym niecnym czynie miała służyć jako przynęta do ściągnięcia do całej akcji komisarza Edwarda Popielskiego, straszliwego bicza na dziecięcych lubieżników. Ktoś tę przynętę podrzucił Tyzenhauzowi? Kto dostarczył mu brukowców i przysłał notatkę, która była cyniczną sugestią okłamania pana o rzekomym udziale Wojkowa w zabójstwie pańskich rodziców? No kto? Pojawia się tu pytanie: dlaczego oni w ogóle pana potrzebowali?

– Jeśli prawdą jest, że Kwaracchelia jest sowieckim agentem... Jeśli faktem jest również to, że zamach był sowiecką rozgrywką wykorzystującą nieświadomego majora Tyzenhauza, to mamy odpowiedź na pańskie pytanie – odparł Chłapowski. – Rosjanie potrzebowali człowieka do zainspirowania Kowerdy. A kto by do tego lepiej się nadawał niż pan Popielski, korepetytor tak wtedy potrzebny temu chłopcu, a przy tym żarliwy patriota i niepoprawny rusofob? Wystarczyło pana Popielskiego podjudzić informacją, że zboczeniec Wojkow jest mordercą jego rodziców! A pan – spojrzał na Edwarda – z całym przekonaniem i z całym oddaniem włożył broń w rękę zamachowca!

– I doprowadziłem go do więziennej celi – uzupełnił Edward z goryczą.

Nikt tego nie skomentował, nikt nie pocieszał Popielskiego. To była bolesna prawda, nie zaś sugestia czy interpretacja.

– Punkt drugi protokółu – zadysponował Schaetzel. – Kim był tajny doradca Tyzenhauza? Ja nie rozpoznałem tego podpisu, może rozpozna go Barbara, wdowa po moim bracie? Zadanie pierwsze. Wykonawca: Tadeusz Schaetzel. Pójść do B. Tyzenhauzowej z notatką celem rozpoznania podpisu i celem sprawdzenia, czy Florian sam kupował te brukowce, czy też ktoś mu je dostarczał. Proszę to podkreślić, Popielski!

– O ile wiem – rzucił cicho prezes – to Florian gardził bulwarówkami, nazywając je „czerwonymi szmatami".

– No właśnie, sam by tego nie kupił – rzekł w zamyśleniu szef Dwójki, ale ton jego głosu stał się zaraz ostry i zdecydowany. – I teraz najważniejsze! Kim jest kapitan, który w zimie odebrał z dziecińca syna księcia? Zadanie drugie: wszystkich aresztowanych wypytać raz jeszcze o tego kapitana. Panna Niciakówna ma go opisać, jak tylko umie najlepiej. Zadanie trzecie: zbadać powiązania pomiędzy kierownikiem lotów Kazimierzem Mysłakowskim, Apolonią Niciakówną i Piotrem Grzybem. Być może stanowią oni oka siatki szpiegowskiej, którą kierował nasz książę Galaktion. Kierownik lotów to idealne stanowisko do takich działań. Zadanie czwarte: sprawdzić, czy recepcjonista Klemens Pawlik jest posłusznym wykonawcą rozkazów swego pryncypała, czy też może odgrywa w tej siatce jakąś rolę. To wszystko, moi panowie. Jutro odprawa o dziesiątej wieczorem. Nie tutaj, lecz w stodole.

– Nie wszystko – zaoponował Popielski. – Nie podał pan pułkownik wykonawcy zadań od drugiego do czwartego.

Schaetzel wolno podszedł do okna i otworzył je na oścież. Po pokoju rozlało się chłodne powietrze nocy. Panowie, umęczeni już duchotą i papierosami, wciągali w płuca zapach kwitnących lip. Napełniali uszy odgłosami tej pory, kiedy ciemna noc przełamuje się z szarym świtem – nieśmiałym śpiewem ptaków, odległymi okrzykami młodzieży dokazującej po nocy w parku Ujazdowskim, nawoływaniem mleczarzy, sykiem węża polewającego bruk ulicy.

– Pan jest tym wykonawcą, poruczniku – powiedział Schaetzel. – Nikogo lepszego nie mógłbym wyznaczyć.

Zabrzmiało to naprawdę szczerze.

PÓŁ GODZINY PÓŹNIEJ

POPIELSKI WYSZEDŁ OD CHŁAPOWSKIEGO o wpół do czwartej rano. Wstąpił do pobliskiej eleganckiej restauracji Ritz przy Alei Ujazdowskiej 22. Chociaż w jej wnętrzu wypełnionym dźwiękami fokstrota było nadzwyczaj duszno i głośno, to jednak schyłkowa atmosfera dancingu dawała się już zauważyć – zmęczenie w podkrążonych oczach kobiet i bełkot w męskich rozmowach. Nie chcąc czekać, aż w tym galimatiasie podejdzie do niego kelner, Popielski stanął przy barze i zamówił dwa jajka w majonezie, dużą porcję sałatki jarzynowej i trzy grube kawały szynki na ciepło. Spożył to, zagryzając czerstwym nieco chlebem i popijając wódką. Najadł się szybko i poprosił boya o przyprowadzenie mu dorożki.

Trochę to trwało. Paryż Północy układał się do snu po sobotnich szaleństwach, ludzie rozjeżdżali się po domach, a fiakrzy mieli pełne ręce roboty. Popielski przyśpieszył działania boya monetą dwudziestogroszową, co sprawiło, że pod Ritza zaraz zajechała drynda.

W swej kwaterze był o piątej rano. Starannie powiesił garderobę w szafie. Powąchał koszulę. Nadawała się jeszcze do użycia. Talk skutecznie wytłumił woń potu. Półprzytomny ze zmęczenia, z gardłem zdartym od tytoniu, runął w pościel. Nie słyszał brzęczenia komarów i nie czuł ich ukłuć.

Obudził się przed jedenastą, a wyszedł z domu przed południem umyty, ogolony, choć we wczorajszej koszuli. Słońce prażyło niemiłosiernie, a o tej porze dnia żadnego cienia nie dawały potężne budynki, które mijał w drodze na Krakowskie Przedmieście – ani Teatr Polski, ani Pałac Staszica, ani kościół Świętego Krzyża, z którego właśnie wylewał się po sumie tłum wiernych.

Uniwersytet, jego cel, był w niedzielę zamknięty, ale strażnik już z daleka wypatrywał łysego pana. Bez zadawania zbędnych pytań wpuścił go na teren uczelni i wskazał mu dłonią stojący przy dyżurce rower z przytwierdzoną do ramy torbą. Popielski podszedł do pojazdu. Uniósł go. Był to lekki, angielski nowoczesny pojazd marki Raleigh z kierownicą wykrzywioną nieco w dół. Taki mu właśnie wczoraj obiecał podpułkownik. Edward, nie chcąc przepocić koszuli w czasie jazdy, zdjął ją, starannie złożył w kostkę i schował do torby. W samym podkoszulku wsiadł na rower i ruszył, dziękując za wszystko strażnikowi skinieniem głowy. Żaden z nich nie wypowiedział słowa.

W Siekierkach Dużych, oddalonych od centrum o dziesięć kilometrów, znalazł się dopiero za trzy kwadranse, ponieważ często zsiadał z roweru i odpoczywał gdzieś w cieniu.

Na folwarku Wolskiego zaraz wypatrzył otoczoną wysokim płotem stodołę i podjechał tam witany przy bramie ujadaniem włochatego wilczura oraz uważnymi spojrzeniami dwóch ubranych w przepocone podkoszulki strażników, którym zza pasków z tyłu wystawały kolby pistoletów.

Byli mocno skoncentrowani, nieufni, gotowi go odpędzić. Kiedy im pokazał swój dokument, rozluźnili się wyraźnie. Jeden z nich pozostał na stanowisku, a drugi poprowadził przybysza na miejsce.

Wnętrze budynku wypełniała wielka hala o zamalowanych na żółto oknach. W jednym jej rogu było zejście do piwnicy, w drugim wymurowano osobliwy mały domek z oknami, lecz bez dachu, spełniający funkcję stróżówki i pokoju strażników pilnujących tego przybytku dzień i noc. W trzecim zaś rogu przebito betonową posadzkę i zamontowano rząd klatek wentylacyjnych.

Popielski udał się najpierw do stróżówki. Rozebrał się do krótkich kalesonów. Spodnie i podkoszulek, całkiem mokre od potu, rozwiesił do wyschnięcia na sznurze do bielizny, po czym w samych gaciach wrócił na podwórze. Pogłaskawszy psa, który był teraz nadzwyczaj przyjazny, nabrał wody ze studni i kazał strażnikowi wylać sobie wszystko na łeb. W ten sposób zmył z siebie pot. Po dwóch kwadransach palenia i leniwej konwersacji całkiem wysechł po prowizorycznym prysznicu. Przyjąwszy meldunek, że wszyscy zamknięci w celach są zdrowi i zaopatrzeni w chleb i wodę, podszedł do klatek wentylacyjnych w podłodze i nasłuchiwał odgłosów z więzienia. Potem udał się tam w towarzystwie strażnika. Ten otworzył pierwsze drzwi i pozostał na dole.

– Nie odchodźcie na górę – nakazał mu wcześniej Popielski. – Może mi się tu przydać taki silnoręki. Może trzeba będzie komuś przyłożyć. Jakiemu opornemu.

Pierwszy z więźniów nie stawiał oporu. Recepcjonista hotelu Klemens Pawlik, pozujący na angielskiego kamerdynera, był przerażony. Powiedział wszystko, co wie, i jeszcze żałował, że to tak mało. Nie zeznał jednak niczego nowego. Wszystko to – o ostrzeżeniu księcia przez dyrektora i o ucieczce Gruzina – Popielski już wcześniej usłyszał od jego szefa.

* * *

W TYM SAMYM CZASIE KIEDY EDWARD SŁUCHAŁ jednostajnego powtarzania tej samej mantry przez Pawlika – o jego długoletniej służbie, o niezadawaniu przez niego żadnych pytań oraz o bezwzględnym słuchaniu wszelkich poleceń „pana prezesa" – do domu wdowy zaszedł Tadeusz Schaetzel. Miał niedaleko. Z Szustra na Łowicką był niecały kilometr.

Pani Barbara Tyzenhauzowa niechętnie zaprosiła szwagra do ogrodu, gdzie służąca podała im lemoniadę z lodem. Oczy młodej kobiety były wciąż napuchnięte od łez, a jej dłonie drżały. Schaetzla po raz pierwszy w życiu ogarnęło jakieś ciepłe uczucie do bratowej, którą zawsze jawnie oskarżał o rozbicie pierwszego małżeństwa Floriana.

Chciał ją nawet pogłaskać po dłoni. Uczynił to jednak tak niezdarnie, ruchem tak gwałtownym, jakby chciał uderzyć, przez co wdowa uskoczyła przerażona przed jego dotykiem. Nie mogąc zatem jakoś zyskać jej przychylności, przeszedł od razu do rzeczy.

Zgodnie z przewidywaniami podpułkownika pani Tyzenhauzowa potwierdziła, że jej mąż nie czytał nigdy prasy bulwarowej, a gazety, które u niego w biurku znalazł „ten łysy okropny typ", ktoś mu kiedyś dostarczył. Na pytanie, czy pamięta, kto to mianowicie był, odpowiedziała po dłuższej chwili.

– Tak, przypominam sobie. Stałam wtedy na balkonie z papierosem, bo, jak wiesz, Florian nigdy się nie pogodził z tym, że kobieta pali.

Precyzyjny rysopis, który przedstawiła, sprawił, że Schaetzla w trzydziestostopniowym upale przeniknął zimny dreszcz.

* * *

TEN WIELKI SKWAR NIE BYŁ JEDNAK ODCZUWALNY w piwnicy stodoły, gdzie Popielski przesłuchiwał teraz kierownika portu lotniczego Kazimierza Mysłakowskiego.

Edward siedział w rozkroku na stołku w celi i długo patrzył na osadzonego tu człowieka. Nie zwracał uwagi na pryczę, stolik, zamknięte deklem wiadro oraz na kratkę wentylacyjną w suficie celi. Nie spuszczał oczu z więźnia.

Na oblicze kierownika portu lotniczego najpierw wypełzł grymas strachu, a potem – kiedy Popielski wyciągnął ku niemu papierośnicę – lekki cwaniacki uśmieszek. Mrugnął nawet okiem do Edwarda. Mogło to oznaczać: „Nic tu nie wskórasz, łysielcu".

Porucznikowi to się nie spodobało. Spojrzał na strażnika stojącego w drzwiach i wskazał brodą przesłuchiwanego.

Akcja była błyskawiczna. Mysłakowski dostał pięścią w twarz tak mocno, że przetoczył się po dłuższym boku prostokąta, jaki stanowiła cela. Usiłował chwycić się po drodze ściany, ale ta nie dawała jego dłoniom żadnego oparcia.

Runął na stolik, a aluminiowa miska potoczyła się z brzękiem po podłodze i wychlapała wodę. Więzień stracił chęć do uśmieszków i znaczących mrugnięć.

Nie nabrał jednak ochoty do zwierzeń. Popielski zadał mu kilka pytań, na które odpowiedzią było głuche milczenie. Spojrzał znów na silnorękiego i wyszedł z celi. Zamknął drzwi. Nie wytłumiły one odgłosu soczystych klaśnięć, tępych trzasków, jęków bólu i krzyków protestu.

Wrócił po trzech minutach i usiadł na stołku. Mysłakowski gramolił się z podłogi i usiłował zakryć tłusty brzuch poszarpanym materiałem, jaki pozostał po jego eleganckiej koszuli.

– Powiem panu wszystko, panie oficerze. – Szeptał, pociągając lekko nosem. – O moich kontaktach z celnikami i o przyjmowaniu łapówek za nieoclenie niektórych towarów.

Popielskiemu nie o to chodziło, ale nie okazał najmniejszego zniecierpliwienia. Zadawał krótkie pytania i słuchał uważnie. O przemycie papierosów, alkoholu i eteru na pokładach samolotów. O dzieleniu się z celnikami trefnymi zyskami. O wielkich premiach, jakie otrzymywał od przemytników rezydujących w Gdańsku i w Berlinie. Niektóre były w naturze – jak całkiem niedawno, gdy do Warszawy przyleciał samolot wypełniony półnagimi tancerkami i Mysłakowski wraz z szefem celników wkroczyli dumnie do tego raju, gdzie czekały na nich hurysy.

W końcu umilkł. Siedział na pryczy, masował policzek i sycząc z bólu, dotykał oczodołów.

– Coś jeszcze, panie kierowniku? – pytał Popielski, nie sugerując nawet słówkiem, o co mu chodzi.

Nie chciał go naciskać. Wiedział z doświadczenia, że informacje podawane dobrowolnie przez gadatliwych więźniów są często o wiele więcej warte niż te wymuszane biciem i torturami. Jego cierpliwość się opłaciła. Po dwóch kwadransach wszystko było jasne.

Książę Kwaracchelia przylatującego z Berlina syna – nigdy nie była to córka! – zawsze odbierał z lotniska osobiście. Pewnego dnia, tym razem jako pasażer samolotu z Berlina, odkrył zupełnym przypadkiem ciemne sprawki Mysłakowskiego. Znalazł w samolocie ukrytą pod siedzeniem biżuterię i zabrał ją – najzwyczajniej w świecie. Kiedy po paru dniach niemalże wybuchła wojna między berlińskim dostawcą a warszawskim odbiorcą naszyjników z pereł, Gruzin złożył wizytę kierownikowi w jego własnym domu na Ochocie. Przyjechał automobilem kompletnie pijany, ale jego propozycja była bardzo trzeźwa i prosta: pełna współpraca na różnorodnych polach w zamian za oddanie biżuterii. Mysłakowski, zastraszony przez przemytników, którzy odwiedzili go dzień wcześniej, wystraszyli trójkę jego dzieci i obiecali nieprzyzwoite zachowania wobec żony, zgodził się natychmiast. Odzyskał naszyjniki. Od tej pory przymykał oczy na różne dziwne paczki, które stanowiły bagaż małego Gruzinka. Oprócz tego ułatwiał życie jego ojcu, jak tylko mógł – na przykład znajdował mu w ostatniej chwili miejsce w wypełnionym po brzegi samolocie, gdy jego nadzwyczajny pasażer poczuł nagle chęć odwiedzenia stolicy Niemiec, a tak właśnie stało się wczoraj.

Popielski cieszył się w duchu. Właśnie zdobył ważne przesłanki, które mogłyby świadczyć o szpiegowskiej działalności

księcia. Wiedział, że w ramach tajnych porozumień z Rapallo Berlin i Moskwa nawiązały ścisłą współpracę wywia-
dowczą skierowaną przeciwko Polsce. Ponieważ ze stolicy
Niemiec do Polski było bliżej niż z Moskwy, to właśnie
nad Szprewą znajdował się punkt wypadowy sowieckich
szpiegów, kierujących swymi siatkami w Rzeczypospolitej.
Coś jednak w zeznaniach Mysłakowskiego nie dawało mu
spokoju.

– Mówi pan, panie kierowniku, że książę przyjechał
szantażować pana... – rzekł. – Przyjechał automobilem i był
pijany. Nie rozwalił niczego, nikogo nie potrącił?

– Nie chciałem o tym mówić... – zajęczał Mysłakowski. –
Ale on nie był sam, miał kierowcę. Boję się go... Tego człowieka, który kierował wtedy autem, co potem palił, czekając na księcia.

Popielski milczał.

– On współpracował z Gruzinem i domagał się później
ode mnie dodatkowych zysków dla siebie. Był bardzo nie-
przyjemny, nawet brutalny. Nigdy nie przyjeżdżał do portu
lotniczego, tylko zjawiał się na bilardzie lub tenisie. Słuchał
naszych rozmów, mało się odzywał. Kiedy coś nie szło po
jego myśli, policzkował mnie... Publicznie!

– Jak wyglądał? – zapytał Popielski.

Kiedy otrzymał wyczerpującą odpowiedź, odwrócił się
do strażnika.

– Jest tu telefon, radiostacja może?

– Nie ma.

– Cóż... – mruknął Popielski. – Potrenujecie trochę ko-
larstwo.

ZAKŁAD FOTOGRAFICZNY STUDJO przy Marszałkowskiej 88 od dawna współpracował z policją. Dopóki kilka lat wcześniej nie zatrudniono na etacie w Komendzie Głównej dwóch fotografów specjalizujących się w zdjęciach portretowych z profilu i *en face* oraz w utrwalaniu na kliszach miejsc zbrodni, korzystano z usług tejże, bardzo zaufanej, firmy fotograficznej.

W owo skwarne niedzielne popołudnie jeden z najlepszych jej pracowników nazwiskiem Luzer Ajbszyc szykował się właśnie do wyjazdu nad Wisłę, gdzie miał zrobić serię zdjęć rodzinie stałego klienta. W ostatniej chwili jednak musiał – na rozkaz szefa – zrezygnować z tego zlecenia. Zdjęcia rodzinne ludzi plażujących na kąpielisku przy Wale Miedzeszyńskim zrobi dzisiaj – tak powiedział szef pan Wojciech Miernicki – jego kolega, a on, Ajbszyc, został wyznaczony do misji specjalnej. Miał bowiem z ukrycia sfotografować pewnego nieznanego człowieka, o którym dowiedział się tyle, że co niedziela o godzinie czwartej z nadzwyczajną regularnością spotyka się w celach erotycznych z pewną młodą Żydówką w Hotelu Wrocławskim w dzielnicy żydowskiej, na Nalewkach 13. Ajbszyc nie dostał zlecenia, aby ich sfotografować *in flagranti* – czasami zdarzało się mu dostawać i takie zlecenia od firm detektywistycznych – lecz miał ukradkiem wykonać jak najlepsze zdjęcie oblicza owego pana. Ajbszyc nadawał się idealnie do tego celu nie tylko ze względu na swoje nadzwyczajne umiejętności, ale nade wszystko na znajomość języka jidysz, który mógł być niezbędny dla znalezienia sobie właściwej kryjówki blisko owego hotelu.

Fotograf rzeczywiście w tymże języku osiągnął porozumienie z ojcem licznej rodziny, mieszkającej w domu naprzeciwko Hotelu Wrocławskiego. Zapłacił mu za wynajęcie pokoiku na poddaszu na dwie godziny i zajął tam miejsce obserwacyjne. Wspomniany *pater familias* surowo napomniał swą progeniturę, aby nie przeszkadzała panu fotografowi.

Ten równo o czwartej zobaczył jakiegoś pana pewnym krokiem maszerującego do hotelu. Opis zgadzał się z oryginałem. Po chwili do budynku weszła szczupła brunetka, rozglądając się wokół ostrożnie. Nie minęła nawet minuta, a w hotelowym numerze na trzecim piętrze z hukiem zatrzaśnięto okiennice. Wtedy Ajbszyc przeniósł się do innego pokoiku, który był lepszym punktem obserwacyjnym, przy akceptacji obojga rodziców przeganiając stamtąd dzieciarnię.

Wymierzył swój obiektyw w zasłonięte okno. Pół godziny później je otwarto. Stanął w nim półnagi mężczyzna. W zębach trzymał papierosa i spoglądał w dół ulicy. Co chwila z wyraźnym zadowoleniem strzelał szelkami o odsłonięty tors.

Uśmiechał się, jakby pozował do zdjęcia.

* * *

PRZEMYTNICZA DZIAŁALNOŚĆ MYSŁAKOWSKIEGO mogła się Dwójce przydać. Popielski zdobył na niego „lewar", jak mawiał jeden z jego dawnych policyjnych mentorów. Lepiej trzymać na smyczy kogoś, kto kontroluje port lotniczy – powiedziałby ów mentor – i widzi wszelkich podejrzanych pasażerów, niż w imię sprawiedliwości wsadzać do więzienia takiego pożytecznego informatora. Popielski postanowił zwolnić Mysłakowskiego z aresztu i poinformować Schaetzla o kontrabandzie i tancerkach, pozostawiając podpułkownikowi decyzję w sprawie dalszych losów kierownika. Nie sądził, aby ten – z uwagi na liczną rodzinę – poszedł w ślady gruzińskiego księcia.

Recepcjonista Klemens Pawlik oraz jego szef nie mogli jednak liczyć na takie względy. Edward czuł przez skórę, że Hotel Śląski, jak każde miejsce publiczne, może być dla szpiegów świetnym punktem kontaktowym. Wprawdzie bojaźliwy właściciel, który nie potrafi ukryć swoich uczuć, jest kiepskim kandydatem na wywiadowcę, jednak z uwagi na te właśnie cechy charakteru stanowi materiał bardzo podatny na zastraszanie. Kto wie, czy nie jest figurantem, którym tak naprawdę manipulują ludzie z sowieckiej ambasady? Kto wie, może ktoś mu pomaga finansowo w utrzymaniu tego przybytku, który kiedyś zapewne „lśnił za cara", ale teraz chyli się ku upadkowi?

Z takimi to myślami w głowie przystąpił do przesłuchania Piotra Grzyba. Najpierw dokładnie wypytywał go o księcia i otrzymał znów odpowiedź, że Gruzin z nikim nie utrzymywał stosunków poza panną Apolonią – z nią natomiast, jako się rzekło, bynajmniej wcale nie były one intymne.

Potem porucznik przystąpił do drążenia kwestii rzeczywistego wpływu Grzyba na interesy hotelu. Już po kilkunastu minutach wiedział, że jego podejrzenia co do sterowania zakładem z Moskwy były chyba na wyrost. Owszem, hotelarz był rzeczywiście figurantem, właścicielem na papierze, malowanym prezesem. Faktycznym posiadaczem większości akcji był latyfundysta wołyński hrabia Franciszek Miniałgo herbu Przestrzał. Ten ziemianin starej daty uważał, że zajmowanie się hotelem jest dobre dla Niemców i Żydów, nie zaś dla arystokraty, potomka starożytnych Piastów. Hotel Śląski przypadł mu w udziale wraz z posagiem małżonki, której przodkowie wprawdzie wywodzili swój ród od Rurykowiczów, ale w sprawie mieszczańskiego zarabiania pieniędzy mieli zupełnie inne zdanie niż jej mąż. Hrabina, osoba o bardzo mocnym charakterze, już na początku swego małżeństwa dała jasno mężowi do zrozumienia, iż nie zamierza nigdy sprzedać Hotelu Śląskiego, i trwała uparcie w swym postanowieniu do dziś.

Status prezesa figuranta, jaki wynikał z niechęci hrabiego Miniałgi do przyznawania się do branży hotelarskiej, nie odsuwał oczywiście podejrzeń, że Grzyb może być częścią szpiegowskiej siatki. Ale i ta hipoteza została wkrótce obalona.

– Bolszewicy zamordowali wnuka państwa Miniałgów – szeptał hotelarz, a na jego obliczu malowała się zgroza. – Miał on lat pięć. To było straszne. Mówił mi pan hrabia, że przybili go do płotu... Nie, nie mogę tego nawet wypowiedzieć...

Grzyb otarł łzę, a Popielski zrozumiał, że prawdziwy właściciel hotelu prędzej by przeszedł na hinduizm, niż nawiązał jakieś tajne konszachty z Sowietami. Co oczywiście wciąż nie przekreślało możliwości podtrzymywania takich kontaktów przez hotelarza. Ale i to przypuszczenie zostało zniwelowane w trakcie przesłuchania.

– Pan myśli, panie eksploratorze, że ja to jestem bolszewik. – Grzyb zdawał się czytać w jego myślach. – Ależ ja się całym sercem cieszę. Całym sercem, że mamy teraz wolną Polskę. Choć przyznać też muszę, że za cara było inaczej. Teraz w sejmie się tylko kłócą, dla narodu są pośmiewiskiem! A za cara to naród był biedny, ale szanował władzę. Nie to co teraz, panie eksploratorze! Teraz to tylko śmiać się z władzy! A powiem panu – ściszył głos – że nawet sam książę Kwarc był tego zdania. Tak właśnie wykrzykiwał w czasie pamiętnej zabawy sylwestrowej! Że za batiuszki cara to naród biedny był, ale szanujący władzę.

Wzmianka o przyjęciu sylwestrowym poruszyła Popielskiego. W jednej sekundzie uświadomił sobie, że oto złapał Grzyba na kłamstwie. Wczoraj w hotelu sugerował on, że Kwaracchelia, zwany w skrócie Kwarcem, urządził sobie w numerze noworoczną orgię w towarzystwie dwóch kobiet i jednego mężczyzny. Dzisiaj zaś twierdził, że – poza emablowaniem panny Niciakówny – nie utrzymywał z nikim żadnych bliższych stosunków i nikt go nie odwiedzał. Popielski postanowił wziąć górne C.

– Co to był za mężczyzna, z którym książę w Nowy Rok dupczył dziwki w swoim pokoju? – strzelił znienacka.

Grzyb syknął, jakby go osobiście zabolały te dosadne sformułowania.

– To bardzo zły człowiek – powiedział po minucie. – Nie mówiłem o nim. Raz mi bar zdemolował, kelnerki zaczepiał, na drugi dzień jak psu banknoty mi rzucał pod nogi i groził swoimi koneksjami... Że mnie zniszczy, jak podam sprawę na policję. Nie mogę zrozumieć, jak książę Kwarc, taki mądry człowiek, mógł się przyjaźnić z taką kanalią. Ta kanalia to mu nawet raz dziecko przyprowadziła z dziećca do hotelu.

– Jak wyglądał ten straszny potwór? – w głosie Popielskiego zabrzmiała ironia.

Grzyb powtórzył rysopis podany przez Kazimierza Mysłakowskiego. Edward już nie ironizował.

* * *

FOTOGRAF LUZER AJBSZYC WYWOŁAŁ ZDJĘCIA w ciemni zakładu Studjo, wysuszył je na bębnowej suszarce i schował do dużej koperty opatrzonej pieczęcią firmową. Wyszedł na ulicę i gwizdnął na fiakra. Pół godziny później zajechał przed elegancką willę na Szustra. Zadzwonił i zaraz stanął oko w oko ze służącym w liberii. Ten wyciągnął ręce. W jednej trzymał dwie monety pięciozłotowe, palce drugiej były w ruchu. Przebierał nimi wymownie, domagając się czegoś. Po sekundzie zacisnął je na dużej kopercie ze zdjęciami. Fotograf schował swoje dodatkowe wynagrodzenie, na pożegnanie pstryknął palcami w daszek kaszkietu i ruszył na piechotę w stronę Puławskiej, zastanawiając się, gdzie tu jest najbliższa piwiarnia.

Schaetzel był w ogrodzie. Odebrał od służącego kopertę. Nie zaglądając do środka, rzucił ją na kolana Chłapowskiego, który siedział po przeciwnej stronie wiklinowego stolika o szklanym blacie. Czekając na reakcję prezesa, całą swoją uwagę poświęcił młodym brzozom i klonom otaczającym altankę, w której siedzieli. Kochał drzewa i obsesyjnie szukał na nich jakichś oznak choroby.

– Nie potrzebuję oglądać tych zdjęć – rzucił. – Jeden z moich ludzi ze stodoły zabawił się w kolarza i przywiózł mi napisany przez Popielskiego rysopis. Nie mam wątpliwości, do kogo on pasuje.

– Dlaczego go jeszcze nie zdjęliście, pułkowniku? – zapytał Chłapowski.

– Musimy mieć pewność – odparł sucho Schaetzel i spojrzał na zegarek. – A będziemy ją mieli za jakieś pół godziny. Mój Maurycy zapuszcza już motor.

Służący, ubrany mimo upału w czapkę szoferkę i okulary, podszedł do stolika.

– Stodoła, oddać łysemu – powiedział krótko szef Dwójki i wręczył mu kopertę ze zdjęciami.

– Tak jest! – Maurycy się oddalił.

Zapadła cisza.

– Dlaczego go jeszcze nie zdjęliście? – ponowił pytanie prezes. – Przecież on może uciec jak książę!

– Jest tylko jedno miejsce, dokąd może uciec – zaskrzypiał głos Schaetzla. Pociągnął łyk wody miętowej z cytryną i nagła chrypa ustąpiła. – A ja tam będę na niego czekał.

* * *

WARKOT SILNIKA ROZDARŁ POWIETRZE. Popielski odpoczywał przy studni po przesłuchaniu Grzyba i bawił się z psem, kiedy na teren stodoły weszło dwóch ludzi. Jednym z nich był spocony strażnik z rowerem, drugim zaś nieznany Edwardowi szofer. Ten ostatni podszedł szybko i oddał mu kopertę. Zdjął czapkę i otarł czoło z potu.

– Mam czekać na potwierdzenie lub zaprzeczenie – rzekł, sięgając blaszanym kubkiem do wiadra z wodą.

– Zaraz je pan dostanie. – Popielski wstał, zapiął koszulę i poprawił krawat.

Szedł teraz w końcu do kobiety i musiał jakoś wyglądać.

Panna Niciakówna siedziała sztywno na pryczy. Zrobiło mu się jej żal. Przetrzymywano ją tutaj od wczorajszego wieczoru – bez dostępu do bieżącej wody, o nędznym wikcie, nawet bez szczotki do włosów. Jej makijaż był nieco rozmazany, kolana zdarte, sukienka przepocona, co poczuł, wchodząc do celi.

Odrzuciła głowę do tyłu. Nie wyglądała na osobę pozbawioną godności. Właśnie w tym ruchu i w zuchwałym i ironicznym wygięciu ust były zaciętość i honor. Wciąż mu się podobała, choć teraz nie emitowała już erotycznych fal. Teraz widział człowieka, nie seksualny obiekt.

Podał jej kubek z ostudzoną herbatą, którą na jego polecenie zrobił jeden ze strażników. Na stole położył dorodną gruszkę, którą zabrał drugiemu z nich.

– Osłodziłem dwie łyżeczki – rzekł cicho.

Nie odpowiedziała.

– Zaraz pani stąd wyjdzie, panno Apolonio. Wraz z panem Grzegorzem, bo tak chyba na imię pani narzeczonemu, prawda?

Skinęła głową. Wtedy wyciągnął zdjęcia z koperty i pokazał jej. Mimika dziewczyny mówiła wyraźnie: to on!

– To ten, co odebrał z pani dziecińca małego Otara Kwa-racchelię?

– Tak, ten sam – odparła i upiła z przyjemnością trochę aromatycznego płynu.

Popielski usiadł na stołku blisko niej. Spojrzała na niego wielkimi orzechowymi oczami. Miał ochotę ją przytulić – serdecznie, po ojcowsku, bez wszetecznych fantazji. Wciąż widział w niej człowieka pełnego godności. Zrobiło mu się nagle wstyd, że mówił o niej „lekka pannica".

– Ten człowiek, moja droga, nie jest kapitanem, jak pani mówiła, lecz tylko porucznikiem.

– Wiem – odparła. – Miał dwie gwiazdki, nie trzy.

– To dlaczego pani kłamała?

Apolonia uśmiechnęła się lekko.

– Jestem dość niepokorna. Tak mnie usilnie tresowano w domu, bym natychmiast rozpoznawała stopnie wojskowe, że wzbudzono u mnie tylko gniew i przekorę. Zawsze się myliłam w tej tytulaturze... Specjalnie, by rozdrażnić mojego sztywnego jak kij ojca, pułkownika cesarsko-królewskiej armii, i matkę, kurę domową, która zajmowała się tylko pieczeniem pulard, bo to najbardziej lubił. Zbuntowałam się, wyjechałam do Warszawy do ciotki, która jest lekarką. Czy wiele jest na tym świecie młodych kobiet, które uciekają od bogatych rodziców? I takich, co pracują, świadomie narażając się codziennie na opinię latawic?

– Niewiele – odpowiedział z szacunkiem.

Milczeli przez chwilę.

– Czy jeszcze coś, panie majorze? A może panie generale?

Popielski wstał i podał jej dłoń. Nie pocałował, ale uścisnął.

* * *

BYŁA GODZINA DZIEWIĄTA WIECZOREM, kiedy porucznik Włodzimierz Chorążuk zapukał mocno w drzwi prowadzące na zaplecze sklepu z perskimi dywanami. Zazgrzytał zamek i w szparze pojawiła się szeroka szpakowata broda pana Aprahamiana.

– Telefonowałem – powiedział przybysz. – Syn panu powiedział?

– Tak, panie poruczniku – zahuczał głos starego Ormianina. – Proszę, niech pan zachodzi.

Ciemnym korytarzem weszli do kantoru. Był to ciasny pokój z jednym oknem wychodzącym na podwórze, teraz całkiem zasłoniętym. Stały tu pociemniałe ze starości biurko i szafa z segregatorami, na której wisiały kalendarze kartkowe z kilku ostatnich lat. Na drugiej ścianie przymocowano potężny kartonowy plakat z reklamą preparatu Flit przeciwko molom. Żołnierz w wysokiej czapce wojsk napoleońskich mówił do widza: „Nabywajcie Flit w oryginalnych żółtych blaszankach z czarną opaską! Naśladownictwa powodują straty, jedynie Flit przynosi korzyści!".

Chorążuk ciężko usiadł na fotelu dla interesantów.

– Przed chwilą dostałem wiadomość – powiedział. – Są na moim tropie.

Aprahamian patrzył na niego spod ciężkich powiek.

– Każdy jest na czyimś tropie. – Uśmiechnął się lekko. – Ludzie chodzą, zderzają się, tropią wzajemnie...

Gość wstał – szybki i gibki jak sprężyna. Jego sztywne włosy jakby się zjeżyły, cofnięta szczęka lekko wysunęła, mięśnie przedramion, wystających z krótkich rękawów lnianej marynarki, zadrgały niebezpiecznie. Gwałtownym ruchem chwycił Ormianina za brodę i pociągnął w dół. Starzec uklęknął, lecz nie wydał z siebie jęku.

– Tak długo mieszkasz w Warszawie, ty parchu! – warknął porucznik. – A po polsku dalej nie rozumiesz! Być na tropie to znaczy ścigać! Jestem ścigany i ty mi pomożesz uciec!

Puścił go. Kupiec wstał powoli, usiadł na krześle, splótł dłonie na brzuchu i długo patrzył na swoje palce – czyste, zadbane, sękate.

– Niech mi pan powie, poruczniku, dlaczego miałbym to robić – rzekł wolno.

– Bo jeśli mnie złapią, to zeznam zgodnie z prawdą, że jest pan podwójnym agentem – warknął Chorążuk. – Że gra pan na obie strony, pracuje i dla Polaków, i dla Sowietów. I już nigdy pan nie ujrzy swojego Araratu.

Aprahamian roześmiał się, pokazując białe równe zęby – bez ubytków, co było zaskakujące w jego wieku.

– Może i jestem podwójnym agentem... – W jego głosie pojawiły się nuty wesołości. – Ale tak trochę. Wie pan... tyci, tyci.

Przybliżył palec wskazujący do kciuka. Ten gest oznaczał: „mało, bardzo mało".

– Tyci, tyci jestem po stronie polskiej. Ja bardziej dla Polaków pracuję.

I nagle obudził się w nim lew Kaukazu, który wydał potężny ryk. Poraził on uszy Chorążuka tak mocno, że ten nie zdążył nawet sięgnąć po broń.

Porucznik patrzył oniemiały, jak dwa mauzery pojawiają się w drzwiach, a ich lufy kierują się w jego głowę.

W korytarzyku rozległy się ciężkie kroki. Zbliżyły się do kantoru.

– Mój osobisty adiutant! – rozległ się głos Schaetzla. – Żmiję wyhodowałem na własnym łonie.

W pomieszczeniu zrobiło się ciasno. Nie było przewidziane dla sześciu mężczyzn, z których tylko jeden, Chorążuk, był dość mikrej postury. Bo nie dało się tego powiedzieć ani o Aprahamianie, ani o Schaetzlu, ani o jego dwóch pomocnikach. Szósty, łysy mężczyzna, który właśnie wepchał się do pokoju, też do najmniejszych nie należał.

– „Mały blondyn, z dziwną szczęką jak u rekina" – rzekł Popielski. – Tak pana porucznika określiła pani Tyzenhauzowa, kiedy dostarczył jej mężowi brukowców na temat lubieżników krzywdzących dzieci. Był pan ostrożny. Przyszedł pan na piechotę do Tyzenhauza późnym wieczorem. Ale jego żona jest bardzo spostrzegawcza. Stała wtedy na balkonie i paliła papierosa. Notatkę na temat Wojkowa, jakoby mordercy moich rodziców, napisał pan na maszynie, a podpisał się tak nieczytelnie, że nawet pański szef się nie połapał. Ostrożność, ostrożność nigdy nie zawadzi...

Chorążuk uśmiechał się drwiąco.

– „Mikry, duża głowa, szorstkie włosy, marynarka z krótkim rękawem". – Popielski spojrzał na strój porucznika. – „Silne ręce. Bolało bardzo, jak mnie policzkował". Tak pana opisał kierownik portu lotniczego. Miał rację co do pańskiej siły. Do dziś czuję, jak przy pierwszym spotkaniu ścisnął mi pan dłoń.

Porucznikowi nawet to się podobało. Spojrzał butnie dokoła. Jego oczy mówiły: „No, który z was spróbuje się ze mną na rękę?".

– „Konus, panie eksploratorze, to był konus jeden" – zawołał Edward, naśladując Grzyba. – Tak mówił o panu poruczniku dyrektor Hotelu Śląskiego. „Jakieś to nieduże, rudawe, szczena do tyłu, butami trzaskał, jak biegał, jakby maszerował".

Zatrzymany zmienił się na twarzy, słysząc słowo „konus", który to wyraz Popielski wymawiał dobitnie i złośliwie.

– Podupczył pan sobie dzisiaj porządnie na Nalewkach, co, Chorążuk? – Schaetzel podsunął mu pod nos fotografię. – Wesoło panu, radośnie na tym zdjęciu... Za chwilę nie będzie tak miło. Pokażę ci, zdrajco, jak się czuje człowiek, co na własnej piersi gada wyżywił. A ty mi powiesz wszystko o zamachu na Wojkowa i o zabójstwie Tyzenhauza. No, idziemy!

Nie ruszył się jednak i spojrzał na Popielskiego.

– Osobiście będę go przesłuchiwał – mruknął. – A pan niech odpocznie! Jutro ma pan wolne! A pojutrze meldować się u mnie w biurze!

Dwaj strażnicy wzięli Chorążuka pod ręce i wyszli z nim. Potem ciasny kantor opuścił szef Dwójki. Zostali tylko oni dwaj – Popielski i „Abraham".

– Dzisiaj niedziela. – Kupiec się uśmiechnął. – I mój zakład nieczynny. Zamknąć mi trzeba.

– Są na szczęście w tym Paryżu Północy zakłady, które są czynne przez całą noc, nieprawdaż? – rzekł Popielski z przewrotnym błyskiem w oku.

– Owszem – odparł Ormianin. – Polecałbym szczególnie zakład przy Wilanowskiej 17. Damy są tam bardzo przyjemne, ale portfel trzeba mieć gruby.

Edward podał rękę staremu i opuścił sklep tylnym wyjściem.

CZĘŚĆ IV

PRZEBITE SERCE

– Jeśli się wam wydaje – powiedział profesor Roger Greymore do swoich studentów – że polska Dwójka odniosła wielki triumf, pozbywając się ze swojego terenu agenta „Batumi", bo taki miał pseudonim książę Galaktion Kwaracchelia, to jesteście w dużym błędzie.

Zaczerpnął tchu i pociągnął łyk kawy z papierowego kubka. Nie chciało mu się pić, ale kaloryfery w sali wykładowej ziały gorącym suchym powietrzem, które drapało w gardle. Poluzował krawat. Chętnie zdjąłby marynarkę, ale obawiał się, że na jego błękitnej koszuli dobrze będą widoczne plamy pod pachami. Młode lata, kiedy po całonocnym brydżu przez sześć godzin wykładał, miał już dawno za sobą. Po nieprzespanej nocy i wielogodzinnej podróży lotniczej powinien odpocząć, a nie prowadzić zajęcia akademickie. Zmęczenie musiało go w końcu dopaść.

Na zewnątrz już od dawna świeciły latarnie. Ich niebieskawe ostre światło ujawniło wstydliwe, brudne zacieki na szybach. Nikt nie zwracał na nie uwagi. Były tu od zawsze. Ktoś syknął niecierpliwie. Oznaczało to: „Zasnąłeś, profesorze?".

– Owszem, tymczasowo Razwiedupr stracił ważną wtyczkę w środowisku prometejskim. – Przetarł chusteczką okulary. – To był dla Sowietów pewien cios. Ale nie tak wielki, jakby się zdawało na pierwszy rzut oka. W zeszłym roku udało mi się w archiwach berlińskich odkryć tajną notatkę służbową z roku 1928. Jej adresatem był prezydent policji berlińskiej Karl Zörgiebel, a nadawcą ktoś o nieczytelnym podpisie, ale o nader czytelnej pieczątce. Stało na niej „Kancelaria Ministra Spraw Wewnętrznych Republiki Niemieckiej". Tekst był następujący, cytuję z pamięci:

Uprasza się Wielce Szanownego Pana Prezydenta Policji o jak najszybsze zamknięcie sprawy samobójstwa księcia Galaktiona von Quarz-Helia. Jego samobójstwo – a zatem *ex definitione* brak udziału osób trzecich – nie podlega, naszym zdaniem, żadnej dyskusji i bylibyśmy bardzo wdzięczni, gdyby *Herr Polizeipräsident* podzielił naszą opinię.

Tak, moi drodzy, książę popełnił samobójstwo, ale pojawia się tu naturalne pytanie, czy ktoś mu w nim nie pomógł. Notatka z ministerstwa, nakazująca zatuszować sprawę, byłaby pewnym argumentem za tą tezą. Zamierzam dokładnie się tej kwestii przyjrzeć w książce, którą teraz piszę pod roboczym tytułem *Międzywojenny Berlin – mekka sowieckich szpiegów*.

Greymore dostrzegł w oczach jednej ze studentek ironiczny błysk. Pewnie widziała niejednego profesora chełpiącego się wiekopomnymi badaniami, które aktualnie prowadzi.

– A tymczasem w Warszawie podpułkownik Schaetzel zamknął się w piwnicy razem z Włodzimierzem Chorążukiem. Towarzyszyli mu dwaj ludzie, którzy tej nocy nie próżnowali, bo rano bardzo bolały ich knykcie. Na drugi dzień przyjechali ich zmiennicy, którzy ze zdumieniem patrzyli na obdarte pięści swych kolegów. Niedługo ich własne wyglądały podobnie. Po trzech dniach Schaetzel zarządził, aby ludzi torturujących jego byłego adiutanta zaopatrzyć w rękawice bokserskie. Szef Dwójki uznał za swój życiowy cel zdekonspirowanie siatki szpiegowskiej, która – jak sądził – zabiła jego brata i zainspirowała Borysa Kowerdę.

Profesor westchnął.

– Istnieją na tym świecie ludzie, którzy mają bardzo podwyższony próg bólu. Porucznik Włodzimierz Chorążuk do nich należał. Nie przyznał się, że jest sowieckim agentem, a kontakty z Kwaracchelią wyjaśniał po prostu swym prorosyjskim nastawieniem. Otóż Chorążuk miał być skrajnym nacjonalistą, kochał Rosjan i nienawidził Żydów, ale jak państwo widzieli, niektórych jednak trochę lubił, zwłaszcza tych płci przeciwnej. Był też, jak zeznawał, zwolennikiem normalizacji politycznych i handlowych stosunków polsko-sowieckich. Jak to możliwe, że człowiek o takich poglądach został osobistym adiutantem szefa polskiego wywiadu wojskowego? Schaetzel też zadawał sobie to pytanie. Kiedy Chorążuk wygłaszał swój polityczny manifest, niezbyt gęste włosy szefa mocno się jeżyły. Tego samego dnia trzech oficerów z działu kadr winnych przeoczenia przeszłości Chorążuka otrzymało nagłe przydziały do odległych garnizonów, a tam dyskretni informatorzy mieli im się bacznie przyglądać.

– A jak Chorążuk wytłumaczył swoje kontakty z księciem? – zapytała szczupła brunetka, która jeszcze przed chwilą widziała w nim narcyza, chwalącego się osiągnięciami.

– Zdawał sobie sprawę, tak zeznał, że Kwaracchelia jest tajnym sowieckim wysłannikiem – odpowiedział Greymore. – Ale postanowił wykorzystać dla dobra ojczyzny jego alkoholowy nałóg i skłonność do ekscesów. Mówiąc krótko, Chorążuk zamierzał przeciągnąć go na polską stronę. Taka była jego linia obrony. Schaetzel zauważył, o czym pisze w liście do Józewskiego, że porucznik, cytuję: „mówiąc o możliwości zwerbowania Gruzina, śmiał się, jakby sam nie wierzył w to, co mówi". Pomijając już przyczyny tego śmiechu, mamy tu wszak do czynienia z torturowanym, maltretowanym człowiekiem, który może zachowywać się nieracjonalnie, rzeczywiście trudno było wierzyć Chorążukowi na słowo. Po tygodniu katowania swego dawnego adiutanta Schaetzel zrozumiał, że niczego więcej z niego nie wyciągnie. Musiał przejść do działań delikatniejszych. Zlecił Popielskiemu, który na jego wezwanie powrócił po krótkim urlopie ze Lwowa, dokładne prześwietlenie przeszłości porucznika, aby znaleźć na niego, *sit venia verbo*, „lewar". Poszukiwania te nie przyniosły pożądanego efektu. Popielski, zagrzebawszy się po uszy w różnych archiwach, znalazł tylko jedną ciekawą informację: cała rodzina Chorążuka mieszka od pokoleń na terenie Rosji. Oczywiście naszemu śledczemu od razu przyszło do głowy, że to groźby wobec jego krewnych mogły być motywem zwerbowania porucznika do pracy dla Sowietów.

Do tego jednak sam przesłuchiwany, nieco podleczony i wracający do sił, nie tylko się nie przyznał, ale wręcz pomysł wyśmiał.

Schaetzel otworzył kilka frontów w walce z Chorążukiem i z jego szpiegami. Najpierw poszedł drogą, którą pokazali mu Sowieci. Wystąpił mianowicie do Razwiedupru z zaskakującą propozycją wymiany tego sowieckiego agenta na księdza Skalskiego. Gdyby Rosjanie się zgodzili, miałby niezbity dowód na agenturalną działalność swego byłego adiutanta. Nieformalne, supertajne spotkanie i rozmowa na ten temat odbyły się w Gdańsku, czyli na neutralnym gruncie. Strony reprezentowane były przez kapitana Olgierda Andrukiewicza, drugiego adiutanta Schaetzla, który został chwilowo zwolniony z pilnowania kuzynki i córki Popielskiego, oraz – ze strony sowieckiej – przez porucznika Aleksego Popowa, *alias* Aleksandrsa Popovsa, byłego oficera carskiego i aktualnego rezydenta wywiadu sowieckiego w Wolnym Mieście Gdańsku. Spotkali się na statku pływającym po Motławie. Nie wiemy, jak przebiegała ich rozmowa. Wiemy natomiast, że do wymiany nigdy nie doszło. Najpewniej Sowieci zareagowali całkowitym milczeniem, a zatem niezbyt wyszukany plan Schaetzla spalił na panewce.

Sprawa porucznika zdrajcy nie była już, moi drodzy, tajemnicą, choć o jej możliwym związku z zamachem na Wojkowa wciąż wiedział tylko kwatuorwirat Schaetzel-Popielski-Józewski-Chłapowski. Do pracy nad „Sprawą Małego", bo taki kryptonim otrzymało śledztwo, przystąpiła większość warszawskich funkcjonariuszy Dwójki. Schaetzel tymczasem otworzył kolejny front działań, którego najważniejszym elementem było pewne autystyczne dziecko nazwiskiem Janusz Pirożyński.

Greymore cieszył się przez chwilę zdumieniem w oczach swych słuchaczy.

– W tamtych czasach autystyczne dzieci były uważane za nienormalne i często czekał je smutny los, zwłaszcza jeśli pochodziły z niezamożnych warstw społecznych. W najlepszym razie występowały w cyrkach lub w rewiach, gdzie dla uciechy widzów wykonywały w pamięci działania na jakichś astronomicznie wielkich liczbach. Januszek był jednak synem jednego z wiceministrów skarbu. Rodzice bardzo o niego dbali i usiłowali go leczyć. Szybko odkryli, że chłopca fascynują połączenia kolejowe. Od małego godzinami studiował rozkłady jazdy pociągów. Kiedy miał lat czternaście, dzięki rodzicielskim koneksjom został poproszony kiedyś na próbę, a tak naprawdę to dla zabicia nudy, którą czasami boleśnie odczuwał... A zatem został poproszony przez naczelnika jakiejś sporej stacji kolejowej o to, by stworzył lepszy, bardziej racjonalny plan połączeń kolejowych obejmujących tę stację. Chłopiec wykonał swoje zadanie *summa cum laude*. Wszyscy przecierali oczy ze zdumienia. Naczelnik ów wystąpił do ministra komunikacji z prośbą o zreformowanie połączeń zgodnie z projektem chłopca. Historia milczy o tym, czy tak się rzeczywiście stało.

Wiadomo jednak, że wieść o niezwykłym młodym człowieku dotarła na salony. Właśnie w takich okolicznościach usłyszał ją podpułkownik Tadeusz Schaetzel. Postanowił wykorzystać niezwykłe zdolności Januszka.

POPIELSKI SIEDZIAŁ W SWOIM TYMCZASOWYM GABINECIE na drugim piętrze siedziby Sztabu Generalnego w pałacu Saskim i przecierał oczy ze zdumienia. To uczucie nie było wywołane przez eleganckie biuro, które zajmował. Już się zdążył naekscytować tym, że pracuje tuż przy gabinecie szefa polskiego wywiadu i że przez wielu jest traktowany jako jego prawa ręka – podczas gdy, jak słusznie szeptano, „jeden adiutant okazał się szpiegiem, a drugi został dokądś wysłany z tajną misją". A zatem to nie nowa pozycja, choćby tymczasowa, takim napełniała go zdumieniem. Zdołał już ochłonąć po serdecznych gratulacjach, jakie usłyszał od wielu po aresztowaniu Chorążuka – najmilsze mu oczywiście były te od Leokadii i Rity, złożone we Lwowie. Jego głupią minę – rozszerzone oczy i półotwartą szczękę z wysuniętym nieco językiem – wywoływał teraz młodzian siedzący wraz ze swoją matką po drugiej stronie biurka.

Januszek Pirożyński przed chwilą wydeklamował był właśnie wszystkie możliwości dostania się drogą kolejową do różnych europejskich stolic. Popielski zadawał mu pytania typu:

– Jesteśmy w Warszawie, mój drogi chłopcze, mamy godzinę ósmą rano. Jak najszybciej dostać się do Wiednia z ośmioma przesiadkami?

Młody człowiek z pryszczami pokwitania na policzkach, wysoki i chudy jak szczapa, słuchał uważnie pytania, nie patrząc rozmówcy w oczy. Układał przy tym na jego biurku kostki domina. Nagle przerywał swoją pracę, wichrzył włosy – sztywne i odstające na wszystkie strony – i szybko wyrzucał z siebie nazwy stacji oraz godziny odjazdów pociągów.

Siedzący obok przy bocznym stoliku pan Antoni Ptak, zastępca naczelnika stacji Warszawa Wileńska i szef służb informacyjnych całego stołecznego węzła kolejowego, najpierw szybko notował to, co mówił Januszek, a potem wertował rozkład jazdy, zatrzymywał się na jakiejś tabeli, po czym po dłuższej chwili wolnym ruchem podciągał swe czarne aksamitne zarękawki i zdejmował binokle. Był wtedy niemalże symbolem osłupienia. Wypowiedzi chłopca idealnie zgadzały się z rozkładem.

Potem Edward podawał inne miasto i inną liczbę przesiadek, na co jego młody gość odpowiadał równie beznamiętnie i równie szybko, a pan Ptak ponawiał swoją pantomimę.

Pani ministrowa Pirożyńska, tęga kobieta cała w lokach, nie była zachwycona tymi poczynaniami, uważając – trochę nie bez racji – że oficer urządza sobie widowisko kosztem jej syna.

– No, może już wystarczy, co, panie poruczniku? – powiedziała w końcu ze złością, poprawiając sobie na głowie mały kapelusik. – Może przejdzie pan do rzeczy!

– Tak, ma pani całkowitą słuszność, szanowna pani ministrowo – odrzekł Popielski. – Już sprawdziłem nadzwyczajne zdolności tego młodzieńca. A teraz przystępujemy do najważniejszego etapu naszej pracy. Potrwa to ponad godzinę, ale sprawa jest naprawdę wagi państwowej. Zaraz potem będę miał zaszczyt odprowadzić państwa na dół. Czy wyraża pani zgodę?

– Gdyby nie to, że błagał mnie o to sam minister Sławoj-Składkowski... – Pirożyńska niechętnie skinęła głową.

– Proszę teraz dokładnie notować! – polecił panu Ptakowi gospodarz tego gabinetu i uśmiechnął się do chłopca. – Wyobraź sobie, Januszku, że jest godzina dziesiąta rano i jesteśmy na Dworcu Tymczasowym w Warszawie. Musimy szybko wyjechać do Nieświeża. Jakie by to były połączenia?

Wtedy rozległy się nagle dzwony na wieży pobliskiego kościoła Wizytek. Chłopiec wsłuchiwał się uważnie w ich dźwięki i nic nie mówił.

– On teraz analizuje wysokość tonów – powiedziała z niejaką dumą pani ministrowa. – Proszę powtórzyć to pytanie!

Popielski powtórzył, a potem przez ponad godzinę podawał chłopcu nazwy różnych miast Rzeczypospolitej, gdzie – tak jak w Nieświeżu – znajdowały się więzienia. Januszek sypał godzinami odjazdów i nazwami geograficznymi, a pan Ptak zapisywał wszystko w pocie czoła.

Minęło półtorej godziny i młody człowiek wybornie spełnił swe zadanie. Urzędnik kolejowy miał jeszcze porównać informacje podane przez chłopca z rozkładem jazdy. Zmęczony nieco bohater całej akcji i jego mama zostali odprowadzeni przez Popielskiego na dół, a tam oddani w ręce młodego przystojnego podoficera, który miał za zadanie zabrać na ciastka do Bristolu panią Pirożyńską z synem oraz dotrzymać im tam towarzystwa. Ministrowej wrócił dobry humor. To wszystko w ciągu najbliższych dni powtórzono jeszcze pięć razy. W ten sposób zarejestrowano połączenia kolejowe z Warszawy do wszystkich trzystu trzydziestu siedmiu miast, gdzie mieściły się zakłady karne. Pierwszy etap akcji tropem „więziennego prześcieradła" dobiegł końca.

Po tej pracy wstępnej Popielski kazał przepisać listę połączeń kolejowych dwóm maszynistkom, co te uczyniły błyskawicznie. Teraz akcja przebiegała dwutorowo. Najpierw sporządzono spis tych wszystkich trzystu trzydziestu siedmiu więzień na terenie Rzeczypospolitej. Dwaj analitycy z nowo utworzonego referatu statystycznego sztabu oraz czternastu przydzielonych im *ad hoc* pracowników cywilnych innych działów Sztabu Generalnego dzwonili i telegrafowali przez dwa dni do trzystu dwóch zakładów karnych i wypytywali o to, czy między 7 a 14 czerwca tegoż roku nie odnotowano zwiększenia się liczby osadzonych o jakiegoś więźnia albo czy nie zauważono, że kogoś w skrytości, pod osłoną nocy, umieszczano w danym zakładzie. W pozostałych trzydziestu pięciu więzieniach, tych położonych w większych miastach, wywiadowcy z miejscowych ekspozytur Dwójki oraz policji politycznej zgłosili się osobiście po takie właśnie informacje. Po tygodniu analitycy mieli pełny wykaz. W ciągu wspomnianych czerwcowych dni przyjęto do polskich więzień dwudziestu dziewięciu nowych osadzonych, którzy wciąż żyją i mają się dobrze, o ile za dobry można uznać pobyt za kratami. Nie zauważono również żadnych tajemniczych i nieewidencjonowanych przyjęć.

Zanim dwaj pracownicy referatu statystycznego sporządzili swój krótki raport, bynajmniej nie próżnowali. Otrzymawszy do pomocy pięciu studentów matematyki uniwersytetu i tyleż telefonistek, całymi dniami telefonowali i telegrafowali do komisariatów i posterunków policyjnych w bardzo wielu miejscowościach Rzeczypospolitej, które wymienił chłopiec. Znajdowały się w nich siedziby zakładów karnych oraz miejsca ostatnich przesiadek, bez których nie można się było dostać do więzienia drogą kolejową. Wzięto pod uwagę tylko te połączenia kolejowe, które spełniały dwa warunki: po pierwsze – rozpoczynały się w Warszawie mniej więcej o dziesiątej, czyli po zabiciu Wojkowa, po drugie – odstęp czasowy pomiędzy różnymi przesiadkami w drodze do więzienia nie mógł być zbyt duży. Doprawdy dwaj kolejarze pilnujący eleganckiego mężczyzny na jakiejś podrzędnej stacyjce, pełnej ciekawskich ludzi, zaraz ściągnęliby na siebie zainteresowanie policji, gdyby tam siedzieli wiele godzin! Dlatego albo na stacjach przesiadkowych musieli być krótko, albo czekając na kolejny pociąg, musieli więzić gdzieś Tyzenhauza.

Skontaktowano się zatem z policjantami i wydano im stosowne rozkazy. Funkcjonariusze mieli wypytać kogo tylko mogli, czy w tamtych czerwcowych dniach nie pojawili się w okolicach dworca dwaj kolejarze, którzy by nieśli czy prowadzili chorego lub bezprzytomnego mężczyznę. Ponieważ już wcześniej ustalono ich nazwiska: Ksawery Składnik i Henryk Jugerman, wszędzie je podawano wraz z ich rysopisami.

Ta gigantyczna praca trwała trzy tygodnie. Na zadane pytanie uzyskano trzy pozytywne odpowiedzi.

W pierwszym meldunku donoszono, że 9 czerwca do szpitala miejskiego w Bochni (oddalonej o osiem kilometrów od więzienia w Nowym Wiśniczu) zgłosili się dwaj kolejarze, Mieczysław Walter i Bogumił Janicki, z nieprzytomnym mężczyzną lat czterdziestu pięciu, nazwiskiem Leopold Podobiński. Tenże godzinę wcześniej padł na dworcu w Bochni ofiarą złodziei kieszonkowych i w silnym wzburzeniu doznał ataku apopleksji. Wspomniani kolejarze zajęli się nim troskliwie. Zrobili mu sztuczne oddychanie i odwieźli do szpitala miejskiego, za co zawiadowca stacji nagrodził ich specjalną premią. O całej sprawie pisał krakowski „Ilustrowany Kuryer Codzienny". Tożsamość wszystkich trzech głównych aktorów tego zdarzenia została przez policjantów starannie sprawdzona i nie budziła najmniejszych wątpliwości.

W drugim meldunku przekazano informację, iż 12 czerwca w miasteczku Mosty, stanowiącym ważny węzeł przesiadkowy pomiędzy Grodnem, Lidą, Baranowiczami a Wołkowyskiem i oddalonym o niespełna czterdzieści kilometrów od więzienia w tej ostatniej miejscowości, dwaj kolejarze, Franciszek Garbowicz i Leon Dziemianiuk, nieśli 10 czerwca pijanego kolegę, ale – jak donosił tamtejszy posterunkowy – trudno było po kilku tygodniach ustalić tożsamość owego pijanicy, ponieważ jego koledzy, kierując się źle rozumianą solidarnością, nabrali wody w usta, za co spotkała ich służbowa reprymenda. Na późniejszy pilny telefon z Warszawy z pytaniem, gdzie byli wspomniani kolejarze 7 czerwca, posterunkowy po kilku dniach odpowiedział, że tegoż dnia pracowali na linii Wołkowysk–Lida, co może potwierdzić przynajmniej tuzin osób.

W trzeciej depeszy napisano, że 7 czerwca żydowski handlarz starzyzną z Nasielska pan Fajwel Altman zauważył, jak dwaj umundurowani kolejarze pchają wózek inwalidzki z siedzącym na nim mężczyzną, który wyglądał na pozbawionego zmysłów. Kiedy ich zapytał, co się stało temu panu, odpowiedzieli:

– A gówno cię to obchodzi, parchu. Poszedł won!

W jednym jedynym meldunku – właśnie w tym z Nasielska – nieznane były personalia ani dwóch kolejarzy, ani człowieka, którym się zajmowali.

Najbliższą okoliczną miejscowością z zakładem karnym, połączoną z Nasielskiem linią kolejową, okazało się prawie dziewięciotysięczne miasteczko Sierpc.

Kiedy Popielski zameldował o tym wszystkim Schaetzlowi, ten uśmiechnął się z zadowoleniem, ponieważ referat statystyczny był jego oczkiem w głowie. Potem spojrzał na swego tymczasowego adiutanta z udawaną surowością:

– No, to co pan tu jeszcze robi, poruczniku?

SIERPC,

POŁOWA LIPCA 1927 ROKU

POPIELSKI WYSIADŁ W SIERPCU o godzinie wpół do jedenastej wieczorem. Był umęczony upałem. Spędził cały dzień w podróży, a na stacjach przesiadkowych raczej nie próżnował. Pociąg powinien był przyjechać godzinę wcześniej, ale nikt nie przewidział, że stado dzików w lesie pod Raciążem wejdzie wprost pod lokomotywę.

Tego dnia rano Popielski postanowił przebyć sto dwadzieścia pięć kilometrów z Warszawy do Sierpca w taki sam sposób, jak mogli to uczynić kolejarze i ogłuszony przez nich Tyzenhauz, oczywiście przyjąwszy, że obaj mężczyźni transportujący jakiegoś pana na wózku i obrzucający Fajwla Altmana wulgarnymi słowy, byli właśnie tymi poszukiwanymi przez Dwójkę ludźmi. Edward wsiadł zatem w Warszawie do pociągu odjeżdżającego o dziesiątej czterdzieści do Modlina. W mieście tym, oddalonym od stolicy zaledwie o trzydzieści kilometrów, był równo w południe, co oznaczało, że pociąg jechał wolniej niż trzydzieści kilometrów na godzinę.

Zgodnie z rozkładem musiał czekać w Modlinie na pociąg do Nasielska ponad trzy godziny, o czym zresztą wiedział i co zamierzał wykorzystać na rozpytanie ludzi o kolejarzy i o mężczyznę na wózku. Niewielka mieścina, w której się znalazł, była potężną twierdzą i siedzibą garnizonu wojskowego. To właśnie głównie z pieniędzy wydawanych przez żołnierzy utrzymywały się cztery sklepy spożywcze, dwa rzeźnicze, tyleż herbaciarń i piwiarń. Wszystkie te miejsca obszedł Popielski od razu po przyjeździe. Na pytanie o kolejarzy oraz chorego mężczyznę wszędzie odpowiadano mu kręceniem głowy. Żaden z rozmówców nie zdradził się nawet mrugnięciem, że pytanie to może być dla niego niewygodne. Edward po dwóch godzinach przesłuchań poszedł raz jeszcze na dworzec i ujrzał, że pociąg, którym jechał, wciąż stoi na bocznicy. Miał chyba odpowiedź na swoje pytanie. To tam kolejarze mogli zaczekać do godziny piętnastej szesnaście, kiedy to odchodził pociąg do Nasielska, i nie musieli z dworca nawet nosa wystawiać.

Czas, który mu pozostał do odjazdu, spędził na przystani żeglugi parowej na Wiśle. Siedział tam prawie godzinę, palił albo pożywiał się bułką, wątrobianką i ciepławym piwem oraz obserwował, jak szeroka w tym miejscu Narew leniwie toczy swe wody do Wisły.

Odległość z Modlina do Nasielska pociąg pokonał z niewiarygodną szybkością sześćdziesięciu kilometrów na godzinę i na stację docelową w okolicy, gdzie Polacy siedem lat wcześniej dzielnie się bronili przed bolszewikami, dojechał punktualnie przed czwartą po południu.

Tutaj z powodu pięciokrotnie większej liczby ludności niż w Modlinie nie można było przeprowadzić tak szybkiego rozpytania jak tam. Co więcej – wydawało się to niepotrzebne. W Nasielsku musiał się przede wszystkim skupić na znalezieniu handlarza starzyzną Fajwla Altmana.

Znudzona nieco młoda sprzedawczyni w dworcowej trafice pod szyldem Ruchu udzieliła mu wyraźnych wskazówek, jak trafić do niedalekiej zresztą „budy tego starego wariata" – jak się wyraziła – bynajmniej niezdziwiona, że ktoś pyta o „tę rupieciarnię".

Już pewnie była przesłuchiwana przez tutejszego posterunkowego – pomyślał – od którego otrzymaliśmy meldunek.

Wyszedł na ulicę Kolejową, rozejrzał się i zaraz ujrzał to, czego szukał. Rzeczywiście, określenie użyte przez dziewczynę uznał za bardzo adekwatne. W stojącej przy bocznicy kolejowej nędznej, pokrytej papą szopie z krzywo zbitych desek uwijał się stary Żyd w chałacie i w jarmułce. Za pomocą cęgów rozmontowywał teraz stary i zardzewiały mechanizm jakiegoś zegara kominkowego.

Popielski zapukał i wszedł do jego budy. Bez żadnych wstępów zaczął wypytywać handlarza o dwóch kolejarzy i o inwalidę.

– A tak, tak, proszę ja szanownego pana oficyjera – odpowiedział Altman. – Ja ich widziałem miesiąc temu. Dwa kolejarzy śli z jakimś pan chory. Szniadanie gerade jadłem. Śli od tamtych torów, co niedawno do Toruń je doprowadzili. To ja ich zapytowywuję, a tak z ciekawością: a na co ten pan ciężko chory? A ci na mnie! To jakieś gwałtowniki, szajgece wściekłe! Oni na mnie „A paszoł won, Żydu!". No, to ja się wistraszył i curik do mój kram!

– Jak wyglądał ten chory?

– Aj, waj, czy moja głowa to aparat foto jest, żeby widzieć takie detal? – odparł handlarz. – Siwi troche, młodszy nyż ja, starszy od panu. On pod prześciaradłem był. Zakryty cały, tylko kiepełe mu wistawał.

– A ci dwaj kolejarze? Jakie gęby mieli?

– Ja już mówił! Jak bandyty! Bez czapek śli, bo gorąc bił. Nieszli wózek z ten chory pan. Mordy złe, jeden rudy, drugi trochę ten, tego... Chiba taki trochę mniej włosów jak pan, panie oficyjerze! Ja więcej nic nie wiem. Co mnie za yntteres im w oczi zaglądać? Oni mi zresztą kazali precz, no to ja do moje bude i tam żem siedział.

– Nie patrzył pan, dokąd poszli?

– A patrzył przez dziure, patrzył! Na stancje!

– Szli od nowych torów na Toruń w stronę dworca, tak?

– Noch, to ja mówił!

– Która to była godzina?

– A po obiadu już biło. Koło drugiej–trzeciej chiba...

Popielski pożegnał handlarza, broniąc się rękami i nogami, gdy ten na koniec chciał mu sprzedać komplet przyborów do golenia z rosyjską brzytwą.

Na dworcu nikt nie potwierdził słów Altmana. Nikt nie widział żadnych kolejarzy z inwalidą na wózku. Dziewczyna w trafice Ruchu w swym roztargnieniu zrozumiała, że Popielski pyta ją o kilku inwalidów jeżdżących po jednym jedynym tu peronie na wózkach. Nabrała całkowitej pewności, że ci wszyscy, z posterunkowym Obiedzińskim na czele, którzy ostatnio wciąż pytają o jakichś inwalidów, chyba zupełnie powariowali.

Popielski nie przejmowałby się jej opinią, nawet gdyby ją znał. Zajmowała go teraz jedna jedyna kwestia: skąd i dokąd szli kolejarze z Tyzenhauzem przed odjazdem pociągu do Sierpca, bo co do tego, że to był major ze swymi porywaczami, nie miał już najmniejszej wątpliwości. Problem ten stał się o tyle palący, że na tym nędznym dworcu w Nasielsku nie mogli zaszyć się w żadnym pociągu na bocznicy, gdyż jak mu powiedziano, stacja miała charakter typowo tranzytowy i nawet pociągi towarowe nie stawały tu na dłużej niż kwadrans. Obszedłszy budynek dworca ze wszystkich stron, wypytał dwóch napotkanych kolejarzy o możliwy scenariusz zdarzeń.

– Niech pan posłucha – mówił do każdego z nich i wskazywał na szopę Altmana. – Oto przyjeżdża z Modlina dwóch bandytów z inwalidą na wózku, przebranych za kolejarzy. Mają trzy godziny do odjazdu pociągu do Sierpca. Dokąd by poszli? I skąd musieliby wracać, żeby ich widział tamten handlarz, gdy idą na stację z nowych torów prowadzących na Toruń?

Jeden oznajmił swą niewiedzę, kręcąc głową; drugi odparł z głupim uśmieszkiem, że pewnie poszli „się wysrać". Wskazał przy tym dłonią krzaki rosnące przy torach, niedaleko budy Altmana.

I wtedy Popielskiego olśniło. Nie patrzył wcale na krzaki, lecz na budynek, który za nimi się wyłaniał. Szpiczasty dach wieży ciśnień.

Był tam pięć minut później cały mokry od potu. Obszedł budowlę dokoła. Znalazł drzwi zamknięte na żelazną sztabę. Przyjrzał się jej i zobaczył w ścianie dwie dziury, obok pokruszony tynk, a na nim czerwone ceglaste pasma. Ta sztaba była nowa, a dziury wyglądały na pozostałości po starej. Popielski widział w swym policyjnym życiu wiele śladów włamań. To był jeden z nich.

Spojrzał na zegarek. Dochodziła piąta. Do odjazdu zostały prawie dwie godziny. Z nieba lał się żar. Otarł dłońmi głowę i twarz. Skóra mokra, koszula przyklejona do piersi, w oczach piasek. Spieczone usta pragnęły wody. Do pierwszych zabudowań miasteczka prowadziła zakurzona ulica pozbawiona drzew. Zrobiło mu się słabo na myśl, że musiałby nią teraz iść.

Ruszył noga za nogą, ale w drugą stronę – do budy Altmana.

Żyd niezwykle się ucieszył z interesu, który zrobił. „Pan oficyjer" nie tylko zapłacił złotówkę za zestaw do golenia, ale odmówił przyjęcia zakupionej rzeczy. W zamian zażądał tylko jak najszybszego sprowadzenia do siebie policjanta z aktami wszystkich spraw z ostatnich dwóch miesięcy. Na kartce, którą Altman miał okazać posterunkowemu, napisał „Ministerstwo Spraw Wewnętrznych, por. Popielski Edward".

Kiedy handlarz pobiegł w stronę miasta, Popielski usiadł w jego budzie. Wachlował się kapeluszem i nie reagował na ludzi, którzy się właśnie wysypali z pociągu z Wyszkowa i w zdumieniu patrzyli na kram ze starzyzną, w którym siedział dobrze ubrany mężczyzna. Pozytywnym skutkiem ich obecności było pojawienie się sprzedawcy kwasu chlebowego, od którego kupił flaszkę tego znakomitego napoju. Po trzech kwadransach zjawił się posterunkowy nazwiskiem Apolinary Obiedziński. Był niewysoki i krótkonogi, a na jego wąskim lisim obliczu malowała się urzędowa powaga. Pod pachą dzierżył kartonową teczkę. Najpierw zdecydowanym tonem polecił handlarzowi się oddalić, po czym obejrzał oryginał pełnomocnictwa Edwarda. Zaspokoiwszy ciekawość, wysłuchał teraz pytania. Ocierając czoło, odpowiedział:

– Owszem, panie poruczniku, na początku czerwca... – Otworzył teczkę. – Tak... To było ósmego czerwca. Ósmego czerwca rano zawiadowca stacji Feliks Małkiewicz zgłosił mi włamanie do wieży ciśnień. Nastąpiło ono najpewniej w nocy z siódmego na ósmego. Przepraszam, mogę zdjąć czapkę?

Popielski skinął potwierdzająco, a jego rozmówca przesunął dłonią po mokrych włosach.

– A mogło to nastąpić też dzień wcześniej po południu?

– Naturalnie. – Uwolniony od nakrycia głowy policjant odetchnął z ulgą. – Powiedziałem „w nocy", bo w nocy najczęściej złodzieje się włamują. Ale mogło to być też poprzedniego dnia, naturalnie.

Kiedy dwadzieścia minut później weszli do wieży ciśnień z zawiadowcą stacji, Popielski od razu to zauważył. Odbicie wąskich opon utrwalone w wyschniętym błocie i szlamie pokrywających klepisko. Ślady inwalidzkiego wózka.

Tam właśnie poczekali na pociąg do Sierpca.

On sam ledwo nań zdążył.

SENNOŚĆ, KTÓRA OGARNĘŁA POPIELSKIEGO, była tak nieprzezwyciężona, że nie zdążył nawet podsumować w myślach przełomowych dla śledztwa wydarzeń dnia minionego. Nie sporządził też zarysu raportu ani planu działań, nie umył zębów ani nie włożył pidżamy. Rzucił walizkę na krzesło, które zatrzeszczało ostrzegawczo, i zagrzebał się w pościeli w samych kalesonach.

Usnął natychmiast. Nie przeszkadzały mu ani ukąszenia komarów, których tego lata była wielka obfitość, ani gwałtowna kłótnia kochanków za ścianą prowadzona w języku jidysz. Nie obudziły go nawet odgłosy ich pojednania – namiętne kobiece okrzyki i piski żelaznego łóżka. Hotel Warszawski przy Starym Rynku w Sierpcu żył nocą intensywnie, czego nie można było powiedzieć o łysym, dobrze zbudowanym mężczyźnie, który spał snem sprawiedliwego, chrapiąc przy tym i sapiąc jak parowóz.

Ocknął się około drugiej w nocy. Był cały zlany potem. Zrzucił z siebie pierzynę i wdusił ją kopnięciami pomiędzy ścianę a łóżko. W ciemności odganiał się na ślepo od komarów.

Po dwóch godzinach snu nie czuł się wprawdzie wypoczęty, ale jego organizm – przyzwyczajony do pracy w systemie „w dzień spać, pracować w nocy" – pomimo zmęczenia wciąż bronił się przed zaśnięciem. Przez dłuższą chwilę tak trwał w dziwnej sprzeczności – spać chciał i nie chciał jednocześnie. Jego logiczny umysł, nieznoszący antynomii, znalazł szybkie wyjaśnienie, dla którego należało wstać i zabrać się do roboty. W podjęciu decyzji pomogły mu komary.

– Już nie zasnę – westchnął. – Zjedzą mnie te cholery.

Wyszedł z łóżka, wymacał zapalniczkę, zapalił świeczkę na nakastliku i mrużąc oczy, wypił trochę wody z dzbanka, nie przejmując się jej świeżością. Człapiąc bosymi stopami po wypastowanej i śliskiej podłodze, podszedł w róg pokoju i pociągnął za sznurek, zapalając żarówkę wiszącą nad miednicą. Spojrzał w lustro. Spod niego czmychnął nagle po ścianie duży karaczan. Edward uniósł dłoń, by zabić insekta, ale się powstrzymał. Myśl o plaśnięciu i rozbryzganiu się soków owada napełniła go obrzydzeniem.

Kiedy jego mały współlokator zniknął gdzieś za szafą, Popielski spojrzał sobie w lustrze głęboko w oczy, jakby tam chciał znaleźć odpowiedź na pytanie: co teraz robić tej parnej mazowieckiej nocy?

Nędzny pokój, trzeszczące krzesło, chwiejący się sekretarzyk pozbawiony lampy, a nade wszystko latające i biegające robactwo nie zachęcały go zbytnio do pozostania w hotelu i do obmyślania tutaj planu dalszych działań.

– Przesłuchać naczelnika więzienia? – szepnął i zaczął przeglądać notes, w którym zapisał wszelkie informacje o Sierpcu, zanim tu wyruszył.

– Nie – odpowiedział sobie na to pytanie. – Co on może wiedzieć? Wszak przyszedł tu dopiero w połowie miesiąca. Stary naczelnik jest dla mnie ważny! Może więc iść do więzienia i przesłuchać strażników z nocnej zmiany?

Ten pomysł wydał mu się w pierwszej chwili chybiony. Jego podpuchnięte od niewyspania oczy, a nade wszystko ponura fizys pocięta przez komary nie budziły zaufania, jakie będzie potrzebne, by wyciągnąć zeznania od klawiszów. Potraktują go wrogo, a w najlepszym razie z lekceważącą ironią – jak każdego ze stolicy, kto się pakuje z butami w ich mały świat.

Ogarnęło go zniechęcenie. Wiedział jednak, jak je odpędzić.

– Umyć się, ogolić, elegancko ubrać i jakoś zlikwidować te przeklęte podpuchnięcia – szepnął.

Podjął decyzję. Napełnił miednicę wodą i namydlił twarz.

O trzeciej w nocy stanął czysty, ogolony, pachnący wodą kolońską w pustej recepcji hotelu. Energicznie kilkakrotnie nacisnął kapelusz blaszanego grzybka stojącego na ladzie. Dzwonek ostro zabrzęczał i obudził nocnego portiera, który przecierając oczy, wyszedł z zaplecza swego kantoru. Stary niechluj, któremu z nosa i uszu wystawały siwe kępki włosów, mruczał przy tym pod nosem coś, co nie było hymnem pochwalnym na cześć intruza.

Moneta jednozłotowa natychmiast poprawiła mu humor. Przyniósł Edwardowi szklankę kawy, mocno czerstwy bajgiel i – na wyraźne, powtórzone dwukrotnie życzenie – kilka plastrów cytryny. Stał się również bardzo rozmowny.

Nie dziwił się przy tym niczemu, nie żądał żadnych legitymacji, które uprawniałyby gościa do przesłuchiwania – bo tak mniej więcej wyglądała ich rozmowa. Hotelowi lokatorzy często chcą zachować *incognito* – czy to przybywając tu w misji miłosnej, czy to policyjnej albo prokuratorskiej, o którą właśnie tego pana skrycie podejrzewał.

Popielski, siorbiąc gorącą kawę i przykładając cytrynę do czerwonawych opuchnięć po ugryzieniach owadów na twarzy, dowiedział się wielu rzeczy. Tych, o które pytał, i tych, o które wcale nie pytał.

– Trzeba iść na północ i za jakie sto pięćdziesiąt metrów za rzeczką Sierpienicą wielmożny pan prokurator ujrzy z prawej strony więzienie. W dawnym klasztorze Benedyktynek znaczy.

– U nas dzisiaj ruch! W remizie zabawa była. To i kilku letników znad Jeziora Szczutowskiego tu przyjechało.

– Klawisze zmieniają się co osiem godzin, a najbliższa szychta to o szóstej. Mój brat kelneruje w jadłodajni u Frenkla przy Warszawskiej, gdzie wszyscy oni po nocnej zmianie zawsze na jajecznię przychodzą.

– Uuu, pan naczelnik Mikulski to już będzie miesiąc, jak wyjechał. Powiadają, że na Święty Krzyż, a to awans taki, że fiu, fiu... Ale po mojemu to żaden awans, proszę szanownego pana prokuratora.

– Dlaczego pan tak sądzi? – Popielski przerwał w końcu jego nieskładne wywody. – Po co by tam się przenosił, na ten Święty Krzyż?

– Tutaj był szefem, personą szanowaną, jak pragnę zdrowia! – Recepcjonista uderzył się w pierś, by wzmocnić swą opinię. – Każdy w Sierpcu mu się kłaniał z daleka. A tam? Gdzieś w lesie, w górach... Głusza! Wokół kilka wiosek, żadnych rozrywek. Chyba że... No, coś przychodzi mi do głowy. Chyba wiem, dlaczego się tam przeniósł.

Popielski przyglądał się przez chwilę staremu, szukając na jego twarzy kropek, półksiężyców i innych sekretnych tatuaży.

Zbyt dobrze znasz, bratku, okolicę wokół więzienia – pomyślał. – Czyżbyś tam kiedyś był?

Recepcjonista podrapał się po nieogolonym podbródku i spojrzał chytrze na rozmówcę. Z uśmiechem przyjął fakt pojawienia się na ladzie pięćdziesięciogroszowej monety. Schował pieniążek do kieszeni kamizelki, z której wystawały liczne nitki. Zadźwięczał on, uderzywszy o kopertę zegarka.

– Jego syn Andrzejek choruje na suchoty. Może w tym lesie pod Świętym Krzyżem w jakiej wiosce będzie lepiej chłopaczynie? Tam sucho, słonecznie. No, co pan prokurator tak patrzy? Pan mnie wyczuł, tak? Tak, siedziałem tam za cara. Ja stary urka jestem. Teraz to już na emeryturze...

Edward pokiwał głową ze zrozumieniem.

– W jakim wieku ten Andrzejek? – zapytał.

– A ze czternaście roków mu będzie...

– Chodzi tu do jakiejś szkoły?

– A jakże! Do naszego gimnazjum. Ko-e-du-ka-cyj-ne-go!

Ten przymiotnik został wysylabizowany z taką dumą, jakby oświatowy wymysł ostatnich lat, czyli koedukacja, której nawiasem mówiąc, Popielski nie był wielkim entuzjastą, podnosił Sierpc do rangi nowoczesnej metropolii.

Porucznik w dalszej rozmowie dowiedział się też, gdzie jest gimnazjum i posterunek policji, oraz poznał nazwiska pięciu miejscowych lekarzy, z których – jak sądził stary – chłopca najpewniej leczyła doktór Zofia Szaniawska, mieszkająca przy ulicy Płockiej tuż obok gimnazjum. Niestety, inne wypowiedzi nocnego portiera były rozczarowujące. Nie widział nigdy dwóch kolejarzy ani człowieka na wózku – podobnie zresztą jak wszyscy inni, których Edward o to pytał wczoraj na dworcu.

O byłym naczelniku więzienia Sergiuszu Mikulskim też nie chciał zbyt wiele mówić – oprócz tego, że on wdowiec, porządny człowiek, prawosławny, a z racji swej dobrej państwowej posady obiekt westchnień wielu okolicznych wdów, a nawet panienek.

Edward pożegnał się z recepcjonistą, wyszedł na Stary Rynek i wysłuchał trzech uderzeń zegara. Za piętnaście czwarta. Pomacał się po biodrze i uśmiechnął z ulgą. Wyczuł krzepiącą obecność kabury z browningiem. Nie zapomniał o swoim żelaznym przyjacielu. Mógł się przydać tej nocy.

I tak rzeczywiście było.

SIERPC, NAD RANEM

OPUŚCIŁ PLAC TARGOWY OŚWIETLONY dwiema tylko latarniami, z których jedna stała przed magistratem, a druga – jakżeby inaczej! – przed dwupiętrowym budynkiem miejskiej elektrowni.

Wszedł w boczne ciemne uliczki z jednopiętrowymi domami – gdzieniegdzie tworzącymi zwartą zabudowę,

gdzieniegdzie poprzedzielanymi małymi ogródkami i sa‐
dami. To w nich zauważył od razu kilku miejscowych mło‐
dzieńców, którzy na jego widok przerwali śmiechy i głośne
rozmowy, po czym zaczęli mu się uważnie przyglądać.

Znał takich jak oni i wiedział, co robią w letnie sobotnie
noce, kiedy już się skończy zabawa w remizie. Rozjątrzeni
biedą i nędznym alkoholem kupowanym na borg u Żyda,
do tego po nieudanych próbach zdobycia przychylności
dziewcząt na potańcówce, byli naładowani złością na cały
świat. Przed kolegami chcieli się chełpić brawurą, a do‐
brze ubranym ludziom jak ten nocny przechodzień okazy‐
wali zawsze wrogość i pogardę. Ci czeladnicy z miasteczka
i parobcy z okolicznych wsi odbijali sobie w takie noce co‐
dzienne upokorzenia. Niekiedy porzucali zacienione kry‐
jówki i włóczyli się po ulicach. Ich zachowanie było na poły
szczeniackie, na poły bandyckie. Potrafili wpuścić gołę‐
bia przez okno do śpiącego, najlepiej żydowskiego domu
albo wrzucić tam zdechłego szczura. Umieli się też bić do
krwi i zbiorowo gwałcić młode robotnice i służące, o ile ja‐
kieś okazały się tak nierozsądne, by umawiać się na randki
nad rzeką przy śpiewie słowików. Byli szczególnie niebez‐
pieczni, bo całkiem nieprzewidywalni. Aby ich zniechęcić
do ataku, należało – tak jak on teraz – iść pewnym krokiem
z uniesionymi lekko ramionami, nie unikać ich błyskają‐
cych wśród drzew lub zza płotów ślepi, ale też nie patrzeć
w nie zbyt długo.

To zachowanie nie stało się jednak teraz gwarancją suk‐
cesu. Popielski minął ich, ale zaraz usłyszał za plecami po‐
śpieszne kroki. Odwrócił się i powoli rozpiął marynarkę.

Sięgnął do kabury i otworzył ją. Klapka odskoczyła z lekkim trzaskiem. Młodzi ludzie się zatrzymali. Wzrok wbili w nocnego przechodnia. Żaden nie patrzył na kumpli. To oznaczałoby niepewność, szukanie rady u drugiego.

Dwa nietypowe zjawiska: trzeźwy obcy człowiek w środku nocy oraz jego gest rewolwerowca, ostudziły ich zapał. Splunęli w jego kierunku, sypnęli wulgaryzmami i zniknęli wśród brudnych podwórek.

Edward drżał na całym ciele. Nigdy by nie przypuszczał, że ta zwykła w policyjnym życiu sytuacja takim napełni go przestrachem. Jeszcze niedawno brał udział w Warszawie na Czerniakowskiej w podobnej scysji i podobnie zakończonej. Wtedy pozostawiła go ona obojętnym, teraz zamienił się w rozedrganą osikę.

Zaczynasz się sypać, stary, jeśli spietrałeś przed kilkoma wyrostkami – powiedział do siebie i zaraz się usprawiedliwił: – To przez ten upał i niewyspanie tak ci się mąci w głowie.

Rozsierdziło go to samousprawiedliwianie. Wiedział, że w takich wypadkach, poirytowany własną słabością, często reaguje gwałtownie i złość na samego siebie wyładowuje później na osobie, która się przed nim bronić nie może. Najczęściej na Leokadii i na Ricie, a – jeśli ich nie było pod ręką – to na kimś niewinnym i postronnym.

Ta prosta konstatacja była punktem wyjścia do próby zapanowania nad sobą. Postanowił obserwować własne reakcje i zawczasu zapobiegać wybuchom.

Dotarł do dworca, a potem zawrócił. Chciał dojść do więzienia tą samą drogą, którą tamtego wieczora mogli przebyć kolejarze. Wokół było pusto, ale kiedy tak szedł ciemnymi ulicami, zapiaszczonymi i niewybrukowanymi jak wiejskie trakty, trzymał dłoń na kaburze. Wyglądał przeciwników. Wciąż się ich bał.

Patrzył uważnie na liczne drewniane chałupy i nieliczne murowane domy, które były rozrzucone wzdłuż drogi. Powoli strach ustępował przed koniecznością prowadzenia dalszego śledztwa.

– Jestem w końcu eksploratorem – szepnął do siebie.

Automatycznie zapisywał w notesie nazwiska właścicieli i adresy dwóch knajp i trzech sklepów, które minął. Zdawał sobie sprawę, że 7 czerwca o jedenastej wieczorem – kiedy Tyzenhauza zapewne transportowano tędy wózkiem – były one zamknięte i prawdopodobnie nikt niczego zagadkowego nie widział. Wrodzona pedanteria nie pozwoliła mu jednak zaniechać notatek. Liczył też w myślach, do ilu mieszkańców będzie musiał jutro się udać wraz z miejscowymi policjantami, aby ich wypytać, czy widzieli przed miesiącem dziwne kolejarsko-inwalidzkie trio.

Sierpc zaczął w końcu przypominać miasto, kiedy dotarł znów w okolice rynku i domy zaczęły układać się w regularne rzędy i ustawiać w czworoboki. Chusteczką do nosa przetarł buty z kurzu i ruszył w stronę dawnego klasztoru Benedyktynek.

Dochodziła piąta, gdy znalazł się przed więzieniem i w jasnym już świetle dnia dokładnie się mu przyjrzał. Był to niewielki zakład karny otoczony czterometrowym murem, na którego szczycie jeżył się drut kolczasty. Mur zdawał się wyższy, niż był w rzeczywistości, ponieważ ulica biegła w obniżeniu terenu. Całe więzienie składało się z trzech ponurych byłych klasztornych gmachów, z których jeden łączył się z barokowym kościołem.

Edward ujrzał budkę wartowniczą nad murem i postanowił wcielić się w rolę podpitego letnika, który gdzieś się zawieruszył po zabawie. Zachwiał się mocno na nogach, wiedząc, że jest obserwowany z tej budki, a potem potoczył się dalej – w stronę ulicy Warszawskiej.

Był kwadrans po piątej. Do otwarcia jadłodajni opatrzonej szyldem „Mojżesz Frenkiel i Synowie" brakowało jeszcze trzech kwadransów. Pół godziny spędził po drugiej stronie drogi w pobliskim dzikim sadzie, siedząc na pniu drzewa, który starannie przykrył chusteczką do nosa. Przed szóstą otworzyły się drzwi lokalu i na progu pojawił się jej właściciel, przepasany fartuchem Żyd w średnim wieku. Popielski ruszył ku niemu.

Widząc idącego chwiejnym krokiem porannego gościa, arendarz odsunął się i zaprosił go do środka. Był to niezbyt imponujący lokal, składający się z dwóch izb i mieszczący się w prawym skrzydle drewnianej chałupy. Wchodziło się tam przez ciemną sień, pachnącą suszonymi grzybami, kapustą kiszoną i takimiż ogórkami. Wisiały w niej jakieś stare czapki i kapoty. Lewe skrzydło zajmowała liczna rodzina właściciela. Wśród jej członków panowało teraz silne poranne poruszenie, o czym świadczyły okrzyki, połajanki i tupanie nóg po klepisku. Jeden z malców, w jarmułce i z pejsami, wybiegł z domu tak szybko, że omal nie przewrócił gościa. Trzymając w garści opadające mu z bioder zbyt szerokie spodnie, wypadł przed chatę, potem pobiegł na podwórko w stronę stodoły.

Popielski uśmiechnął się lekko do siebie. Przypomniał sobie, jak to kiedyś tłumaczył pewnemu Austriakowi, co to po polsku znaczy „chodzić za stodołę".

Usiadł w pierwszej izbie i rozejrzał się dokoła. Było czysto i skromnie. Dwa stoły tutaj, a trzy w sąsiednim pomieszczeniu nakryto ceratą i ozdobiono flakonikiem ze stokrotkami. Kąt pomieszczenia zajmował duży kontuar ze szklanymi gablotami, w których sterczały piramidy świeżych bułek. Gospodarz pogładził długą brodę, poprawił jarmułkę na łysiejącej głowie oraz fartuch na wydatnym brzuchu i podbiegł do gościa ze słowami:

– Dzień dobry szanownemu panu! Śniadanko wczesnym porankiem dla szanownego panu?

– Jajecznicę proszę i herbatę. – Zadysponował gość bełkotliwym głosem.

– A z ile jajek ta jajecznica? – zapytał Frenkiel. – Ile bułek?

– Z trzech jajek i dwie bułki. Z masłem – zarządził Popielski i zapalił papierosa. – I piwo, piwo, panie starszy! Muszę coś zjeść, bo taki mnie kacenjamer męczy, że nie wytrzymam i nie dojadę do swoich nad jezioro.

– A może wózek dla szanownego panu nad to jezioro? Mój najstarszy syn Dawid on furman, on zawiezie.

– Dam sobie radę! – mało uprzejmie odpowiedział gość.

Szef jadłodajni uśmiechnął się wyrozumiale i wszedł z powrotem za swój kontuar.

Popielski spojrzał na zegarek. Dochodziła szósta rano. Za chwilę zjawi się tutaj czterech strażników więziennych, o ile rację miał recepcjonista z Hotelu Warszawskiego, zapewniając, że „wszyscy tu przychodzą po nocnej zmianie".

Miał rację. W izbie zjawiło się właśnie takich czterech, w ciemnobrązowych mundurach, w czapkach takiegoż koloru i z pałaszami wiszącymi im u pasa w czarnych pochwach. Za nimi wbiegł starszy mężczyzna w białej marynarce kelnera, do którego właściciel zakrzyknął:

– A co to mi za spóźnienie, panie Julian?

Popielski pstryknął palcami.

– No, szybciej z tym piwkiem, panie starszy! – wybełkotał. – Bo mnie kac całkiem już spali...

– Już, już, panie szanowny – zawołał kelner, który właśnie odbierał zadania od szefa.

Ktoś krzyknął z sieni, że „jajecznia jest fertig", i pan Julian pobiegł tam, by zaraz powrócić. Był bardzo podobny do recepcjonisty z Hotelu Warszawskiego, lecz nieco młodszy i o wiele bardziej schludny, co Popielski zauważył właśnie teraz – gdy ten stawiał przed nim herbatę w szklance, kufel piwa, talerz z jajecznicą oraz koszyk ze świeżymi bułkami.

Strażnicy usiedli przy stoliku obok, zdjęli czapki i rozpięli pasy. Popatrywali ciekawie na Popielskiego, ale ten udawał, że tego nie widzi. Był głodny, ale zwolnił tempo konsumpcji. By się lepiej maskować, kiwał się nad talerzem, nabierał łyżką jajecznicę i odkładał ją z brzdękiem, jakby się nie mógł zdecydować, czym teraz napełnić żołądek – piwem czy jedzeniem.

Mundurowi zaczęli rozmawiać, głównie o swojej pracy. Edward oparł wtedy ramiona na stole, odsunął się nieco z krzesłem i złożył głowę na dłoniach, udając, że zadrzemał. Słyszał, jak kelner podchodzi do jego sąsiadów i podsuwa im talerze z jajecznicą, komentując cicho i wesoło senność, jaka ogarnęła „zbisurmanionego letnika".

– A wiesz ty, Heniu, co ten nowy-stary zarządził? – rozległ się po chwili mocny tenor. – Na izbę chorych to tylko w ostateczności. A jak który połyk zrobi jak ten Panfil przedwczoraj? To ostateczność czy nie? Dawać go do chorych czy nie? Przecież on właśnie po to połknął, by tam iść!

– Pan-Panfil? Wła-adzio? – zdziwił się posiadacz lekko zacinającego się głosu. – Przecież to pa-panienka, nie charak- charakterniak... Wła-adzio nie zrobiłby po-połyku. A co niby połknął?

– Szkło – odezwał się niski głos. – Szkło z żarówki i pociął się w środku okrutnie. Pluje krwią, skubany.

– Ja wam powiem, panowie. – Ten głos z kolei trącił lekko żydowskim zaśpiewem. – Ja wam powiem. Mikulski był, jaki był, ale głupich zarządzeń to nie dawał. I z nami trzymał sztamy. A pamiętacie, jak najechała na nas ta komisyja z Warszawy? Pamiętacie, co to było?

– Jaka komisja? – zapytał bas.

– Jak to jaka? – Żydowski zaśpiew stał się wyraźniejszy. – Ta w sprawie uprawy drzew morwowych i hodowli jedwabników. Że niby jakieś oszustwa tu były. Że coś sprzedawaliśmy na lewo. A Mikulski wtedy z nami trzymał sztamy!

– Mikulski? – zawołał tenor. – Ty go jeszcze bronisz, Benek? Ty go bronisz?! A nie pamiętasz, jak cię od „gudłajów" zwyzywał? Taką pamięć masz krótką? Ja tam wolę każdego, byle nie Mikulski. Toż to kanalia bolszewicka była.

Popielski uniósł głowę i pociągnął piwa. Miał teraz proste zadanie – zlokalizować tego, co nie lubił byłego naczelnika.

Po kilku sekundach rozmowy prowadzonej przy sąsiednim stoliku już wiedział, kto jest posiadaczem tenoru – najniższy i najmłodszy ze strażników. Brunet z niewielkim wąsikiem.

Potrząsnął głową, udając, że całkiem się rozbudził. Zjadł ze smakiem wystygłą nieco jajecznicę, schrupał bułkę, a potem wstał. Chwiejąc się na nogach, podszedł do kontuaru. Położył na nim monetę jednozłotową.

– Reszty nie trzeba! – krzyknął, a potem odwrócił się ku strażnikom i zasalutował do kapelusza. – Ku chwale ojczyzny, moi panowie!

Najmłodszy z wąsikiem się uśmiechnął, inny machnął na Popielskiego ręką jak na jedną z much, które się nagle mocno zaktywizowały w izbie, a dwaj pozostali w ogóle nie zareagowali na pijaka. Ten tymczasem wyszedł do sieni i schował się w jej głębi, zasłonił jakąś starą kapotą i czekał. Obserwował ze swojego stanowiska, kto wchodzi do jadłodajni, a kto z niej wychodzi.

Jeden ze strażników pożegnał kolegów mocnym basem, wyszedł z chałupy i ruszył prosto ulicą. Następny był jego młody kolega, który nie lubił naczelnika. Ten, podkręcając nieco wątły wąsik, skierował się za chałupę. Popielski wyskoczył za nim.

Strażnik podążał szybko przez podwórko w stronę stodoły, a przed nim pierzchały kury.

Przypiliło po śniadaniu tego obywatela. – Edward uśmiechnął się do siebie złośliwie. – No, to go chyba w tym gównie unurzam...

W głowie zadźwięczał mu teraz wniosek, do jakiego doszedł, walcząc w nocy ze swoim strachem.

– On niczemu nie winien, stary durniu – mruknął pod nosem. – To postronna niewinna osoba. Jak taki jesteś charakterniak, to poszukaj tamtych chłopaków i zmierz się z nimi!

Ten głos rozsądku nieco go uspokoił, ale również nieco rozdrażnił. Kiedy się znalazł za stodołą, młody mężczyzna kucał. Napinał się i zaciskał pięści na pasie mundurowym wiszącym mu na szyi. W jego oczach odmalował się gniew.

– Hej, nie widzisz, że sram, pijaku jeden! – krzyknął ostrym tonem. – Wynocha mi stąd!

– Zamknij się – powiedział spokojnie Popielski, choć skronie mu pulsowały. – I patrz na to.

Podsunął mu pod nos swoje pełnomocnictwo i odwrócił głowę, by nie czuć smrodu.

– Ja teraz kawałek odejdę, a pan ładnie podciągnie spodnie. – Porucznik nie zmienił tonu, choć zwracał się już do kucającego *per* pan. – Dobrze?

Nie czekając na odpowiedź, odsunął się o kilka kroków, uważnie lustrując trawę, czy w coś nie wdepnie.

– Jestem tajnym wysłannikiem Ministerstwa Spraw Wewnętrznych – rzekł donośnym głosem. – Prowadzę śledztwo w sprawie wagi państwowej. No, to co? Pan się podciera i ubiera. Ale już! Trzy, cztery!

Spuszczając z oczu kucającego mężczyznę, rzeczywiście się odwrócił i spojrzał w deski stodoły. Nic za nimi nie było słychać ani widać – żadnych ciekawskich oczu ani uszu. Jedynie z podwórka dochodziło pokrzykiwanie dzieci pana Mojżesza Frenkla i radosne szczekanie psa. Mimo wczesnej pory wzmagał się już upał.

Po chwili usłyszał szelest trawy. Strażnik stał przed nim i zapinał pasek u munduru.

– Załatwmy sprawę szybko, tak żeby pańscy koledzy się nie zorientowali. – Edward zdjął kapelusz i powachlował się nim. – Po pierwsze, pańskie nazwisko!

– Małowańczyk Bolesław.

– Dobrze, a teraz do rzeczy, panie Małowańczyk. Podejrzewamy naczelnika Mikulskiego o różne niecne rzeczy. Ja zadaję pytania, pan udziela mi obszernych odpowiedzi! Potem pan wraca, a po drodze zastanawia się, jak odpowiedzieć na kpiny kolegów. Bo będą oni sobie stroili żarty z pańskiego rzekomego rozwolnienia. No, to co? Zaczynamy! Pytanie pierwsze...

– Nie jestem kapusiem – nieoczekiwanie przerwał mu klawisz. – I nic nie powiem!

To niezwykłe zachowanie zaskoczyło Popielskiego. Nie spodziewał się tego po młodym funkcjonariuszu, którego instynktownie wziął za mięczaka. Stanął na szeroko rozstawionych nogach, blokując mu przejście.

– A ja za to powiem wiele... – wycedził powoli. – Za chwilę stanę przed pańskimi kolegami i będę bardzo, ale to bardzo gadatliwy. Ujawnię im, że wsypał pan Mikulskiego, że powiedział mi pan o jego ciemnych sprawkach. Że właśnie jadę na Święty Krzyż, aby go aresztować. Słowa prawdy w tym nie będzie, ale to wystarczy, by pan w ich oczach dużo stracił. Oni go wszyscy raczej lubili, co, panie Małowaniec?

– Małowańczyk – oburzył się strażnik.

Popielski mógł teraz zbyć tę poprawkę warknięciem lub grubym słowem, ale to byłoby właśnie wylanie złości na niewinnego. Głos rozsądku zalecił mu uprzejmość, a nawet pokorę.

– Przepraszam. – W jego głosie zadźwięczały pojednawcze tony. – Proszę mi wierzyć, że przekręciłem pańskie nazwisko niechcący.

Klawisz uśmiechnął się triumfalnie i machnął ręką, jakby chciał go odsunąć, bo mu blokował przejście. Wtedy w głowie Popielskiego głos rozsądku zamilkł. Pochwycił nagle Małowańczyka za mundur i przyciągnął do siebie. Uścisk był mocny. Strażnik, zaskoczony, nawet nie usiłował się wyrwać.

– To co, gadzie? – uśmiechnął się drwiąco przesłuchujący. – Możemy pogadać teraz czy mam cię zabrać na posterunek, pierwej zrobiwszy z ciebie kapusia w oczach kolegów?

– Teraz. – Małowańczyk patrzył na niego z nienawiścią.

Popielski wiedział doskonale, że blef, który właśnie planował, może mu się nie udać. Przecież w zmowie z porywaczami Tyzenhauza mógł być każdy klawisz, który 7 czerwca miał nocną zmianę. Mógł wtedy skrycie wpuścić do więzienia całą trójkę, która przyjechała pociągiem z Nasielska. I zamiast łazić za stodołę i straszyć Małowańczyka, należałoby właśnie od tego ustalenia zacząć całe to śledztwo. Sprawdzić, którzy strażnicy mieli tego dnia dyżur, i ostro ich przepytać. Tymczasem on poszedł innym tropem. Założył – tylko dlatego że Mikulski nagle, zdaniem jakiegoś starego kryminalisty, zmienił miejsce pracy na lepsze – iż cała akcja odbyła się za wiedzą i z udziałem naczelnika. A to mogło być całkiem błędne założenie.

– Panie – odezwał się Małowańczyk – żadne rozwolnienie nie trwa tyle. Musiałbym się nażreć tej żydowskiej kapusty.

Popielski potrząsnął głową.

– Miał pan dyżur nocny we wtorek siódmego czerwca?

– Nie. – Strażnikowi nie drgnęła powieka.

– Skąd pan tak dobrze pamięta, że nie miał? To było miesiąc temu!

– W poniedziałek szóstego żem wyjechał do Torunia na szkolenie, jak udzielać pierwszej pomocy. Był ze mną kolega Bernard Lipszyc, to jeden z tych...

Wskazał głową na stodołę, za którą stała jadłodajnia.

– Ten z żydowskim akcentem? Do którego pan mówił „Benek" – dopytywał się Popielski.

– Tak, to on.

– Jak długo byliście w Toruniu?

– Dwa dni. Wróciliśmy w środę przed południem. Wąskotorówką z Lubicza.

Popielski odetchnął. Ta rozmowa przyniosła jednak jakiś wynik. Przynajmniej dowiedział się, których strażników usunąć z kręgu podejrzanych, bo mieli alibi. Puścił Małowańczyka.

– A teraz przejdźmy do drugiego wątku. – Wyciągnął papierośnicę w jego stronę. – Dlaczego naczelnik Mikulski wyjechał na Święty Krzyż? Przecież tu był kimś ważnym, a tam? Pustkowie, lasy i góry!

Strażnik spojrzał na niego ze zdumieniem i zaciągnął się papierosem.

– Święty Krzyż to więzienie ciężkie! – zakrzyknął. – A więzienie ciężkie to nie taki areszcik jak nasz. Większa forsa, większy szum. Każdy słyszy, każdy podziwia. Wszyscy chcielibyśmy na Święty Krzyż, panie!

Popielski wypuścił kłąb dymu.

– A kto mu to w ogóle zaproponował? Skąd się Mikulski dowiedział, że na Świętym Krzyżu jest wakat? Czy ktoś do niego tu przyjeżdżał? Ktoś z Warszawy? Z kimś konferował tajnie, w skrytości?

– Nie, z nikim – odparł Małowańczyk i nieoczekiwanie się uśmiechnął. – Skrycie to on się tylko z kochanką... Przyjeżdżała do niego koleją i spotykali się w tej nędznej budzie, w tym burdeliku zwanym Hotelem Warszawskim.

Popielski, przypomniawszy sobie wczorajsze odgłosy zza ściany i karaczana pod lustrem, przyznał w duchu, że określenie nadane przez klawisza hotelowi jest nader trafne.

– Jak wyglądała ta kochanka?

– Nie widziałem. Ponoć w woalce była.

– To skąd pan wiedział, że w ogóle była tam jakaś kochanka?

– Portier – odparł Małowańczyk. – Portier chlapie ozorem po całym mieście.

Popielski wdeptał niedopałek w mokrą ziemię.

– A co mianowicie mówił jeszcze ten portier?

– Że tę kochankę przywoził naczelnikowi alfons. A tego to z kolei widziałem. Akurat szłem przez Rynek i zobaczyłem starego Włukę.

– Kogo?

– Portiera znaczy, z Warszawskiego. Chciałem go o coś zapytać. Podeszłem i pogadałem. A stary pokazał mi tego alfonsa, jak szedł przez Rynek. „O widzisz, Bolek, widzisz?", powiedział, „Twój szef dupczy teraz jakąś smarkulę, a jej alfons cygarety i czekoladki kupuje u Bergsona".

– „Smarkula" powiedział? Czyżby była taka młodziutka?

– No, chyba tak, jak Włuka tak mówił – odparł strażnik. – Ale coś panu powiem. Mikulski od czasu śmierci swej żony... Ona się dostała w łapy bolszewików w dwudziestym. Los gorszy od śmierci. Wiele kobiet swatano z Mikulskim. To dobra partia, choć trochę za gruby i prawosławny. Ale on nie chciał żadnej. Kiedyś powiedział koledze, że wierności zmarłej dochowa do śmierci. I opiekował się synem. Bardzo troskliwie. Nie lubię skurwysyna, ale to muszę mu przyznać, że się opiekował. Dlatego coś mi tu nie gra. On każdą siksę nogami z łóżka by spychał, gdyby tam wlazła. Wierny żonie był...

– A jak wyglądał ten alfons? – zapytał Edward, obiecując sobie wziąć portiera w obroty.

– Mały, krępy, włosy jak szczotka nastroszone. Blondyn. Wyglądał na zapaśnika, może na boksera. Widziałem kiedyś podobnego w cyrku w Płocku.

Popielski podrapał się po szyi, aby się upewnić, że to, co słyszy, nie jest halucynacją słuchową.

Sowieci też popełniają błędy – pomyślał. – Chorążuka można trafnie opisać kilkoma przymiotnikami, tak jak to właśnie uczynił ten klawisz. Tymczasem agent winien być człowiekiem bez wyraźnych właściwości. Nijakim.

Uśmiechnął się. W tym uśmiechu była radość – bo natrafił na ślad konszachtów Chorążuka z Mikulskim. Ale też gorycz. Boleśnie zdał sobie sprawę, dlaczego sam nie nadaje się na szpiega – jest zbyt charakterystyczny i każdy potrafiłby go opisać w czterech przydawkach: łysy, wysoki, zwalisty, w ciemnych binoklach.

Zaraz jednak wrócił mu dobry humor. Wyszedł na ulicę, zostawiwszy za sobą skołowanego Małowańczyka. Kiedy szedł w stronę więzienia, zauważył, że coś paskudnego i śmierdzącego przykleiło się do jego podeszwy.

WIĘZIENIE CIĘŻKIE NA ŚWIĘTYM KRZYŻU,
GMINA SŁUPIA NOWA, WOJEWÓDZTWO KIELECKIE,
DWA DNI PÓŹNIEJ

POPIELSKI JECHAŁ ROZPARTY NA TYLNEJ KANAPIE w fordzie „model T" i rozkoszował się wonią rozgrzanych słońcem świętokrzyskich lasów pomiędzy Suchedniowem a Michniowem.

Jego podróż rozpoczęła się wczoraj przed godziną drugą po południu, bo wtedy wsiadł w Sierpcu do pociągu do Nasielska, skąd po kilku minutach od momentu przyjazdu miał zaraz pociąg do Warszawy. Ponieważ w podróży nie było żadnego opóźnienia, w gabinecie Schaetzla zjawił się o siódmej wieczorem. Po odprawie pojechał nocnym do Skarżyska-Kamiennej z przesiadką w Koluszkach o trzeciej nad ranem. O szóstej rano był na stacji docelowej. Tam w hotelu złapał kilka godzin snu, a o jedenastej czekał już na niego przed swym fordem szofer wypożyczony Dwójce przez pana Romana Pniewskiego, właściciela pobliskich dóbr ziemskich w Sieradowicach. Natychmiast ruszyli w drogę.

Ułożony niedbale na tylnej kanapie auta Popielski spojrzał na zegarek. Dochodziło południe. Do Świętego Krzyża brakowało jeszcze czterdziestu kilometrów, a więc czekały go – zważywszy na kiepski stan dróg – jakieś dwie godziny jazdy. Naczelnika Mikulskiego odwiedzi zatem w porze obiadowej, tak planował, i wzburzy mu swymi pytaniami soki żołądkowe.

Ubolewał w duchu, że Schaetzel nie pozwolił mu na jego aresztowanie. Pamiętał, jak uporczywie wpatrywał się wczoraj w swojego szefa, kiedy ten zamyślił się głęboko po wysłuchaniu relacji z Sierpca. Popielski chciał go prawie zahipnotyzować. Jak gdyby bez słów się pytał:

– I co, panie pułkowniku? Aresztujemy tego Mikulskiego?

Chłapowski i Schaetzel milczeli, jakby zastanawiali się nad odpowiedzią. Wieczór był bardzo przyjemny. Upał zelżał, a przez otwarte okno gabinetu szefa Dwójki w siedzibie Sztabu Generalnego przy placu Saskim wpadał lekki wiaterek przynoszący z Krakowskiego Przedmieścia bicie dzwonów, pokrzykiwania dorożkarzy i wymyślne zachęty sprzedawców lodów.

– Mówi pan, poruczniku – odezwał się w końcu podpułkownik – że ta lekarka z Sierpca, co leczyła syna Mikulskiego... No, jak jej tam?

– Doktór Zofia Szaniawska – odpowiedział Edward.

– Dobrze. – Schaetzel powoli wypuszczał nosem dym. – Otóż ta doktór Szaniawska potwierdza opinię tego byłego więźnia, tak?

– Tak jest, potwierdza ona opinię Józefa Włuki. To bardzo zdecydowana osoba. Wygląda mi na świetną lekarkę. Stwierdziła wyraźnie i bez najmniejszych wątpliwości – Popielski spojrzał do notatek i zacytował: – „Na naszych podmokłych mazowieckich terenach gruźlica zbiera wielkie żniwo. Naczelnik Mikulski powiedział mi kiedyś, że mógłby zostać podrzędnym dozorcą w jakimś więzieniu, byleby tylko blisko sanatorium przecigruźliczego, które uratowałoby życie syna Andrzeja".

– A sanatorium Górka w Busku, wśród suchych lasów, otwarte przed rokiem i świetnie wyposażone, to od Świętego Krzyża tylko siedemdziesiąt kilometrów... – odezwał się Chłapowski. – Mikulski może dziecko odwiedzać co tydzień, a jako naczelnik ma do dyspozycji automobil i szofera.

– To prawdziwy dar od losu – wtrącił się Popielski.

– Od Chorążuka, moi panowie, od Chorążuka, nie od losu ten dar. – Schaetzel wstał i zaczął szybko chodzić po gabinecie. – Ale teraz nasuwa się zasadnicze pytanie: skąd zwykły porucznik Dwójki miał takie stosunki w więziennictwie, aby załatwić Mikulskiemu tę posadę? I tutaj widzę zadanie dla pana, Popielski!

Spojrzał na Edwarda, który już cieszył się w duchu, że zaraz otrzyma rozkaz aresztowania Mikulskiego.

– Przycisnąć go, nie aresztować! – rozwiał jego nadzieje podpułkownik. – Mocno docisnąć! Krzyczeć! Straszyć! Tak, Popielski, to pan właśnie zrobi. A my poczekamy na jego reakcję. Zobaczymy, z kim się skontaktuje po pańskiej wizycie. Nasi stenografiści natychmiast zainstalują się w centrali telefonicznej w Kielcach i zapiszą każdą rozmowę wychodzącą ze Świętego Krzyża. Od jutra wszystkie listy stamtąd zostaną poddane ponownej, nie tylko więziennej, ale już naszej, dwójkowej cenzurze! Niech pan tak na mnie nie patrzy, poruczniku! My chcemy rozmontować całą siatkę szpiegowską! Co nam da aresztowanie naczelnika? To może być drugi Chorążuk, człowiek kamień, który słowa nie piśnie.

Schaetzel umilkł wyraźnie zdenerwowany. Wszyscy trzej wiedzieli, że przesłuchania byłego adiutanta – męczonego coraz to brutalniej i pytanego coraz podstępniej – nie przynoszą żadnych efektów. Chłapowski zdradził też Popielskiemu, kiedy Schaetzel musiał wyjść na chwilę, że minister spraw wewnętrznych generał Sławoj-Składkowski, widząc nieskuteczność przesłuchań, próbuje uzyskać u bezpośredniego przełożonego Dwójki, czyli samego Marszałka, wymianę „Małego" z Sowietami jako szpiega za księdza Teofila Skalskiego. Jeśliby Piłsudski posłuchał Sławoja i rzeczywiście taką decyzję podjął, nakazałby natychmiast zamknąć śledztwo w sprawie Tyzenhauza, co oznaczałoby dla Schaetzla osobisty cios.

– Nowy naczelnik więzienia na pewno nic nie wie? – zapytał podpułkownik. – Nie pytam teraz, co powiedział. Chodzi mi raczej o pański instynkt, pańskie odczucia: czy nie kłamał? Może on też brał udział w całym spisku, może ktoś mu powiedział: zrób coś dla nas dobrego, a dostaniesz awans na szefa więzienia w Sierpcu!

– Nowego naczelnika Władysława Poniewierskiego przesłuchałem zaraz po rozmowie z panią doktór i po upewnieniu się u właściciela sklepu kolonialnego Salomona Bergsona, że kupował u niego czekoladę, pomarańcze i papierosy człowiek nadzwyczaj podobny do Chorążuka – odparł Popielski. – Potem intensywnie przesłuchiwałem Józefa Włukę, portiera z hotelu. Szczególnie to ostatnie było rozczarowujące, bo jak panowie słyszeli, wciąż powtarzał, że nie wie, co to za dziewczyna, że nosiła woalkę, a jej młody wiek wywnioskował z jej dziecinnego głosu.

– To już słyszeliśmy, poruczniku – Chłapowski się zniecierpliwił. – Ale co z tym Poniewierskim?

– Byłem mocno zmęczony, niewyspany, mój instynkt w rozmowie z Poniewierskim mógł się przytępić. Mimo wszystko nie sądzę, by on kłamał. Służbę w Sierpcu rozpoczął piętnastego czerwca, czyli kilka dni po tym jak znaleziono majora Tyzenhauza powieszonego we własnej willi. Mikulskiego jego następca wspomina dobrze, miał z nim tylko kontakt służbowy, ot wszystko. Owszem, był szczęśliwy, bo awansował na naczelnika z dozorcy zmiany we Wronkach. Ale to nie znaczy...

– Wiem, że to nic nie znaczy! – powiedział Schaetzel zimnym tonem, co zwiastowało u niego silne wzburzenie. – Nie jestem taki głupi, żeby podejrzewać każdego, kto awansował, o szpiegowanie dla Sowietów. Dochodzą mnie jednak różne sygnały, poruczniku, że polskie więziennictwo jest również na celowniku naszych „przyjaciół" ze Wschodu. W końcu trochę bolszewików u nas siedzi, a dozorcy są najczęściej ledwo piśmienni, pochodzą z biednych rodzin i są nader podatni na komunistyczną propagandę.

O tej wczorajszej rozmowie rozmyślał teraz Popielski, kołysząc się lekko na tylnej kanapie samochodu. Szofer prowadził pewnie. Jechali wśród pól pod niezbyt uciążliwym tego dnia blaskiem słońca, mocno łagodzonym przez chmury. Edward poprawił na nosie ciemne binokle i już prawie by usnął, gdyby nie przypomniał sobie, że na Święty

Krzyż sprowadza go nie tylko śledztwo w sprawie Tyzenhauza. Chciał wykorzystać krótki pobyt tutaj, aby spojrzeć
w oczy osadzonemu Borysowi Kowerdzie. I przeprosić go,
trawestując słowa Marszałka wypowiedziane do ukraińskich oficerów, gdy po haniebnym pokoju ryskim został
zmuszony do internowania tych dzielnych wojowników,
z którymi walczył ramię w ramię przeciwko Rosjanom. „To
nie tak miało być, Borysie. Ja ciebie przepraszam, ja ciebie bardzo przepraszam". Po tym ustaleniu zasnął. Zasada
„w dzień spać, pracować nocą" wciąż działała.

Kiedy stanęli pod bramą więzienia, Popielskiego obudziły na równi hamowanie samochodu, okrzyki wartow-
ników, szczekanie psów i lekki chłód, który po ostatnich
upałach zdawał się bardzo przenikliwy. W końcu góra, na
szczycie której się znajdowali, była dość wysoka.

Wysiadł z auta i spojrzał na mury wystające z gęstej, przy-
tłaczającej mgły. Nad bramą, w której uchylonych drewnianych drzwiach stał strażnik w ciemnobrązowym mundurze, z karabinem i z pałaszem u pasa, widniał napis ŚWIĘTY
KRZYŻ, a poniżej – WIĘZIENIE CIĘŻKIE. Z prawej strony
wznosiła się drewniana wieżyczka strażnicza. Nad wrotami
widać było niewysoki dach budynku – najpewniej wartowni.
Dalej we mgle majaczyły typowe mury starego klasztoru,
który, jak wiedział, został zamieniony na więzienie przez władze carskie w drugiej połowie minionego stulecia.

Podszedł do wartownika i pokazał mu swoje pełnomocnictwo.

– Porucznik Popielski – oznajmił. – Chcę się widzieć
z naczelnikiem Mikulskim!

– Proszę poczekać. – Strażnik wziął dokument i zamknął drzwi od wewnątrz.

Pewnie gdzieś telefonował, bo słychać było jego służbisty ton i podniesiony głos. A potem może dokądś poszedł, bo kroki zatupotały za bramą. Po chwili znów się pojawił.

– Pan naczelnik oczekuje pana porucznika na dziedzińcu. Proszę za mną!

Edward przeszedł przez bramę i małe podwórko. Minął wartownię z prawej strony i wejście do kancelarii z lewej, po czym znalazł się przed kolejną bramą – tym razem żelazną i zaopatrzoną w solidne kraty. Odwrócił się i spojrzał za siebie. Nad pierwszą, widoczny tylko od wewnątrz, znajdował się pokrzepiający napis, który żegnał wychodzących stąd ludzi: „Idź z Bogiem i tu nie wracaj".

Po otwarciu żelaznej kraty wszedł na rozległy dziedziniec, na którym benedyktyni jeszcze do połowy minionego wieku hodowali warzywa i stawiali ule. Teraz były tutaj klatki dla kur i królików oraz dobrze utrzymane trawniki. Na jednym z nich widniał duży obelisk z ośmioramienną policyjną rozetą z orłem w koronie w jej centrum. Obok na skrzynce po mleku stał tęgi, wysoki mężczyzna w ciemnobrązowym mundurze zapiętym na sześć złotych guzików. Na górnej części jego czapki prężył się otoczony wiankiem ukoronowany orzeł, a poniżej na otoku – umieszczona była złota rozeta. To ona, czarny pasek przecinający jego pierś i złoty pasek pod brodą, a także metalowa pochwa, w której tkwił pałasz, odróżniały go od niższych funkcjonariuszy. Jego szarżę komisarza służby więziennej oznaczały trzy ostre kąty ze złotej taśmy na rękawach munduru.

Takie same trzy złote kąty ozdabiały zielone patki na wysokim kołnierzu, który mocno ugniatał grdykę i wypychał tłusty podbródek, wylewający się prawie na obojczyki. Podgardle mężczyzny, jego policzki i broda pokryte były – co było zdumiewające u przedstawicieli służb mundurowych – gęstą szpakowatą szczeciną. Naczelnik więzienia był uosobieniem kontrastu, a nawet komizmu – wyglądał jak nieogolony włóczęga, który się dla hecy wbił w przyciasny mundur.

Władcze spojrzenia, jakie rzucał, i potężny głos, którym łajał i wydawał rozkazy, sprawiały, że więźniowie pracujący na dziedzińcu kulili się oraz przemykali szybko i bojaźliwie pod ścianami otaczających go budynków. Jedni tłoczyli się z lewej strony przy studni, z której nosili wodę do przybudówek oznaczonych szyldami PRALNIA i SZPITAL, inni – z prawej strony dziedzińca – wrzucali worki ze zbożem do magazynu, jeszcze inni wychylali się z bramy stojącego obok domu z napisem ELEKTROWNIA, by spojrzeć na nowego przybysza. Wszystko to robili pod czujnym okiem strażników, którzy nie odrywali dłoni od kabur.

– Dzień dobry! – huknął naczelnik i odczytał dokument, który trzymał w dłoni. – Dzień dobry, panie poruczniku Edwardzie Popielski z Ministerstwa Spraw Wewnętrznych!

To zabrzmiało nienaturalnie, kpiąco i zaczepnie. Więźniowie i strażnicy spojrzeli po sobie.

– Dzień dobry, panie naczelniku – odpowiedział przybysz naturalnym głosem. – Możemy porozmawiać gdzieś w dyskretnych warunkach?

– Nie mam tajemnic przed moimi ludźmi! Tutaj rozmawiamy!

– Chciałbym prosić pana komisarza – szepnął Popielski, sądząc, że użycie innego tytułu zmieni choć trochę upór Mikulskiego – o widzenie z więźniem Borysem Kowerdą. To tylko chwila rozmowy. Sprawa wagi państwowej.

Szef więzienia spojrzał na niego z góry ze swojego podwyższenia.

– Nie wyrażam zgody – warknął. – Do widzenia, panie poruczniku Edwardzie Popielski z Ministerstwa Spraw Wewnętrznych.

Ten się nawet nie ruszył. Naczelnik zszedł i zbliżył się do swego najwyraźniej niemile widzianego gościa. Kroczył powoli, równo stawiając swe wypastowane błyszczące oficerki. Edward widział, jak więźniowie wstrzymują oddech. Tak pewnie podchodził do niejednego z nich, aby bić, katować, upokarzać. Święty Krzyż cieszył się złą sławą, o której trąbiły zwłaszcza socjalistyczne gazety.

– No, jazda stąd! – podniósł głos.

– Lubi pan dziewczynki? – szepnął Popielski, gdy Mikulski już przed nim stanął i owionął go kwaśnym oddechem. – Bardzo młode damy... Dwanaście, trzynaście lat. Takie młode, że muszą swój wiek ukrywać za woalką. Lubi pan takie, naczelniku? Jak tę, z którą porucznik Chorążuk do pana przyjeżdżał, do Hotelu Warszawskiego w Sierpcu. Co, lubi pan młodziutkie niewiniątka?

W oczach nieogolonego mężczyzny zabłysły iskierki furii. Wiotka skóra wokół ust dziwnie zafalowała, jakby zbierały się pod nią jakieś podwodne prądy.

Popielski poczuł się nieswojo. Tu, na tym dziedzińcu, naczelnik był bogiem. Mógł go zabić, a każdy więzień i dozorca przyznaliby później, że przybysz się potknął i uderzył głową o cembrowinę studni. Nie cofnął się jednak i dalej cedził słowa, czując mrowienie w karku.

– Ulżył pan sobie z tą małą, co, naczelniku? A co pan za to obiecał Chorążukowi? Że przyjmie pan kiedyś pod swój więzienny dach w Sierpcu trzech dziwnych przybyszów z Warszawy? Dwóch kolejarzy i starszego mężczyznę na wózku inwalidzkim? No? Tak właśnie było, naczelniku? A w zamian Chorążuk załatwił panu awans na Święty Krzyż, aby pańskiemu Andrzejkowi, biednemu gruźliczkowi, było dobrze w pobliskim sanatorium. Tak było, czy może gdzieś się pomyliłem?

Mikulski zadał cios od dołu. Był on tak szybki, że Edward nie zdążył mrugnąć powieką. Nie doszedł jednak celu. Naczelnik wykonał gwałtowny ruch obiema rękami prawie jednocześnie. Prawą zadał typowy cios podbródkowy, ale lewą jednocześnie go zablokował. I tak oto prawa pięść napastnika trafiła w jego własne lewe przedramię.

Minął Popielskiego i poszedł w stronę kancelarii.

– Ogoliłbyś się, knurze, bo wyglądasz jak łachmyta! – wrzasnął za nim Edward.

Momentalnie ogarnęła go złość na siebie samego za ten wybuch. Naczelnik nie zareagował na prowokację. Jego barczysta sylwetka zniknęła w drzwiach kancelarii.

Nagle wśród kilku więźniów pod pralnią powstało dziwne poruszenie. Jeden z nich podbiegł do Popielskiego. Kajdany dyndały mu wokół kostek u nóg i brzęczały u rąk. Żaden strażnik go nie powstrzymywał.

– Nie kpij, człowiecze małej wiary, z tego, że on zarośnięty! – powiedział poważnie więzień z silnym wschodnim zaśpiewem. – Nie kpij, powiadam! Bo to jest z Boga żywego kpina!

Popielski spojrzał na niego zdumiony.

– Nasz obrządek nakazuje – wykrzykiwał gorączkowo więzień – by człowiek w żałobie przez czterdzieści dni się nie golił i nie mył! A tu minął dopiero dwudziesty i pierwszy dzień. Jeszcze mu dziewiętnaście zostało!

– W jakim obrządku? W jakiej żałobie? – Popielski spojrzał na dwóch strażników, którzy właśnie się do nich zbliżali, trzymając dłonie na pałaszach w czarnych parcianych pochwach. – Zwariowałeś, nieszczęśniku?

– To nie wariat – rzekł jeden z nich. – To ukraiński pop prawosławny, buntownik.

– Chodź, Wasyl, zostaw pana! – mówił drugi. – Chyba że chcesz znowu do piwnicy!

– Jaka żałoba, do cholery? – krzyknął Popielski. – Kto mu umarł dwadzieścia jeden dni temu?

– A jego pierworodny umier, Andrejek mu było – mruknął Wasyl. – Nawróć się, człowiecze małej wiary!

Po tym napomnieniu pop Wasyl odszedł od Edwarda w swych dziwnych podskokach.

ŚWIĘTY KRZYŻ, GMINA SŁUPIA NOWA, WOJEWÓDZTWO KIELECKIE, TEGOŻ POPOŁUDNIA

NACZELNIK MIKULSKI NIE CHCIAŁ JUŻ Z POPIELSKIM rozmawiać, czegokolwiek mu tłumaczyć i przyjmować przeprosin za to, że jego nieżyjący syn został przez przybysza nazwany „gruźliczkiem". Jakby w ramach odwetu odmówił zgody – zdecydowanie i po raz kolejny – na widzenie z Borysem Kowerdą.

Siedział zamknięty w swym domu położonym w zachodniej części kompleksu więziennego, tuż za murami, w ładnie utrzymanym sadzie. Jego służący przekazywał Popielskiemu wszystkie decyzje i nakazy pryncypała, włącznie z ostatnim, który brzmiał krótko: „Proszę się wynosić!". Jedyną konstruktywną reakcją ze strony naczelnika było przyznanie, że jego syn Andrzej umarł w Busku i leży na tamtejszym cmentarzu.

Najwyraźniej pieczęć ministrów spraw wewnętrznych i wojskowych nie robiła na naczelniku wielkiego wrażenia. Co gorsza, z podobną obojętnością przyjmowali ją też jego podwładni. Kiedy Popielski znalazł się już za murami więzienia, aby nadaremnie się dobijać do drzwi Mikulskiego, okazało się, że droga powrotna do zakładu jest już dla niego zamknięta. Strażnik odpowiadał nieustannie zza bramy:

– Nie dostałem rozkazu, by wpuszczać!

Edward, wściekając się w duchu, że nie otrzymał od Schaetzla uprawnień do aresztowania Mikulskiego, usiadł w samochodzie i zapalił papierosa. Miał dwie możliwości dalszych działań. Po pierwsze, mógł wtargnąć siłą do domu naczelnika. Skutek byłby mizerny. Jego podwładni – albo zastraszeni przez szefa, albo wpatrzeni w niego jak w tęczę – szybko by interweniowali i wyrzuciliby stąd natręta na zbity pysk.

Po drugie, mógł odjechać jak niepyszny do Warszawy, zameldować o wszystkim Schaetzlowi i otrzymać nakaz aresztowania podpisany przez najwyższego zwierzchnika polskiego więziennictwa, czyli przez ministra sprawied-liwości. Niewykonanie tego polecenia przez służbę wię-zienną groziło już bardzo poważnymi konsekwencjami: natychmiastową degradacją i procesem, a w jego wyniku cały personel Świętego Krzyża mógłby się znaleźć w takim miejscu jak to, którego teraz pilnował.

To wyjście też nie wydawało się najlepsze. Mikulski stał się być może kolejnym sowieckim agentem, najpew-niej nie ideowym, zważywszy na straszną śmierć jego żony z rąk bolszewików, lecz zwabionym do współpracy obiet-nicą leczenia syna w dobrym sanatorium. Teraz, po śmierci Andrzeja i po zdemaskowaniu Chorążuka jako agenta, nic go już tutaj nie trzymało i zapewne jutro pozostanie tu po nim tylko mdły zapach i kiepskie wspomnienia więźniów.

Co w tej sytuacji robić? – zadał sobie pytanie.

Odpowiedź nasunęła mu się natychmiast: wybrać wyj-ście pośrednie. Zatelefonować do Schaetzla, by zapewnił mu wsparcie miejscowej policji, a potem pilnować, by Mikulski nigdzie się stąd nie oddalił.

Tylko jak to zrobić? – pojawiło się natrętne pytanie. – Telefon jest w domu naczelnika i w kancelarii. I tu, i tu nie chcą mnie wpuścić.

Spojrzał na swego jedynego pomocnika – szofera Ma-riana z majątku Sieradowice. Ten krzepki małomówny młodzieniec, podwinąwszy rękawy koszuli, chodził teraz z miękką ściereczką w dłoni dokoła samochodu. Szukał jakichś rys na karoserii, a kiedy już je znalazł, polerował szmatką. W czasie tej czynności jego silne mięśnie przed-ramion napinały się mocno.

I w tym momencie Popielskiego olśniło. Przyszła mu do głowy bardzo ryzykowna akcja. Podszedł do Mariana i zapytał:

– Byliście w wojsku?

– A jakżeby nie?! Na wojnie z bolszewikami. Pod Sarnami aż. Kraj świata...

– Ile stąd będzie do waszych Sieradowic?

– Nie więcej niż dwadzieścia kilometry.

– Twój pryncypał pan Pniewski ma telefon we dworze?

– Jużci, że ma!

– Widzisz ten dom? – wskazał lokum naczelnika.

– A widzę.

– Jak wychylę się z okna i gwizdnę, masz natychmiast podjechać, ale od strony sadu, przez trawnik, tak żeby cię wartownicy z murów nie widzieli. Rozumiesz?

– Jakżeby nie?! – odparł zdumiony szofer.

– Jak już podjedziesz, to podskoczysz do okna i razem wytaskamy dużego nieprzytomnego chłopa. Wpakujemy go na tył i odjedziemy do Sieradowic. To rozkaz!

– Tak jest – odpowiedział niepewnie Marian. – Ale nic złego mnie za to nie spotka? Ja się żenię za dwie niedziele po sumie.

– Nie bój się! Cała wina spada na mnie, rozumiesz? Jestem oficerem, a ty żołnierzem, co wykonuje rozkazy.

– A jużci!

Popielski klepnął go w mocne ramię i podszedł do domu naczelnika szybkim krokiem. Jego działanie było nieprzemyślane, ale całą nadzieję pokładał w nagłym zaskoczeniu.

Zastukał mocno kołatką o drzwi. Otworzył mu służący – szczupły, niewysoki mężczyzna ze spłaszczonym nosem.

Popielski bez słowa wymierzył mu cios w szczękę. Trafił tam, gdzie splatają się nerwy. Szczęknęły zęby i służący osunął się bez ducha na ziemię. Uderzył przy tym o blaszany stojak na laski i parasole, który się przewrócił, a jego zawartość przeraźliwie zagrzechotała na drewnianej podłodze przedpokoju. To było po myśli Edwarda. Huk wywabi tu Mikulskiego. A wtedy on weźmie go na muszkę, każe usiąść na krześle i w stosownej chwili wymierzy kolbą cios w potylicę.

Uskoczył do pierwszego pokoju na prawo. Był to chyba jakiś składzik, garderoba, a może łazienka, sądząc po zaciemnieniu. Wyciągnął pistolet i czekał. Nasłuchiwał, kiedy się rozlegną kroki i kiedy ze swej zaciemnionej kryjówki w obramowaniu otwartych drzwi dojrzy postać gospodarza.

Ale kroki rozległy się tuż za nim. Ciemne pomieszczenie nie było ani składzikiem, ani łazienką.

Poczuł gwałtowne uderzenie w plecy. Jako ciężkiego i zwalistego mężczyznę niełatwo go było pchnąć tak mocno, by – jak mityczny Antajos – utracił kontakt z podłożem. Niełatwo dało się go nawet przesunąć. Mikulskiemu się powiodło.

Popielski poczuł ból w piersi, usłyszał trzask i runął na podłogę. W jego nozdrza dostały się drobiny kurzu. Leżał wśród starych brudnych gazet, a przedmiot, który się złamał pod jego ciężarem, okazał się stojakiem na prasę.

Nad nim stał Mikulski w rozpiętym mundurze. Wyglądał jak rozjuszony buhaj. Nad górną wargą, pokrytą szorstką szczeciną, rozszerzały się jego potężne nozdrza. Całą twarz zrosiły grube krople potu. Z rozcięcia podkoszulka na piersi wystawały mokre, poskręcane włosy. W ręku trzymał pistolet. Jego lufa wymierzona była w Popielskiego. Ten zrozumiał, że przegrał.

Naczelnik powoli opuścił broń, a oczy mu się zaszkliły.

– Mój Andrzejek nie żyje, a zabił go ten mały skurwysyn! – zadudnił jego głos. – Ja się już nie będę mścił. Nic ci nie zrobię, przybłędo. Nie mam czasu. Umieram za dziewiętnaście dni.

Jaki mały skurwysyn? – chciał zapytać Popielski.

Milczał jednak. Chyba wiedział doskonale, o kogo chodzi.

– Wstawaj, wszystko ci opowiem. – Naczelnik odwrócił się i usiadł za biurkiem.

Pomieszczenie to było jego gabinetem. Dusznym i ciemnym, z zasłoniętymi oknami.

ŚWIĘTY KRZYŻ, GMINA SŁUPIA NOWA,
WOJEWÓDZTWO KIELECKIE, TEGOŻ POPOŁUDNIA

RYSOPIS „MAŁEGO SKURWYSYNA" – a zwłaszcza zwyczaj ściskania dłoni z wielką siłą – idealnie pasował do Włodzimierza Chorążuka. Kilka miesięcy wcześniej zatelefonował on do więzienia w Sierpcu i poprosił o rozmowę z naczelnikiem. Przedstawił się jako „porucznik Ludwik Toporkiewicz z II Oddziału Sztabu Generalnego". Zaproponował poufne spotkanie w sprawie wagi państwowej. Nie chciał się zgodzić, by odbyło się ono w gabinecie naczelnika, nalegał na rozmowę gdzieś na neutralnym gruncie i sam zaproponował Hotel Warszawski. Mikulski zgodził się spotkać pod tym wszakże warunkiem, że otrzyma pozwolenie swojego bezpośredniego przełożonego Seweryna Jezierskiego, naczelnika Departamentu Karnego w Ministerstwie Sprawiedliwości. Wtedy jego rozmówca oświadczył sucho, że sprawa ta jest ściśle tajna i żadna osoba trzecia nie może o niej nic wiedzieć, nawet szef tegoż departamentu. W takim razie Mikulski odmówił i na tym się zakończyła ich rozmowa. Naczelnik nie uznał za stosowne informować swych przełożonych o czymś, czego nie było.

Tydzień później na prywatny adres Mikulskiego przyszedł list wystukany na maszynie i podpisany tajemniczo „osoba znana WPanu telefonicznie". W liście tym ponowiono zaproszenie do Hotelu Warszawskiego w Sierpcu z tą dodatkową sugestią, że „zgoda na spotkanie wyrażona przez WPana Naczelnika na pewno korzystnie wpłynie na stan Jego spraw rodzinnych, zwłaszcza sytuacji zdrowotnej Jego syna. Oczywiście, sprawę będę uważał za niebyłą, jeśli WPan Naczelnik powiadomi o niej osoby trzecie". Poniżej był wypisany numer telefonu. Mikulski, przeczytawszy list, natychmiast tam zatelefonował. Kilka dni później w Hotelu Warszawskim po raz pierwszy poczuł żelazny uścisk dłoni.

Przybyszowi z Warszawy towarzyszyła jakaś bardzo młoda dziewczyna ukryta za woalką. Zamknęli się we dwóch w jednym z pokojów, podczas gdy ona zniknęła w drugim. Niewysoki, muskularny tajny agent wywiadu okazał legitymację służbową Dwójki wystawioną na nazwisko „porucznik Ludwik Toporkiewicz" i wyjaśnił, że towarzysząca mu kobieta jest tutaj „dla zmylenia śladów". Kiedy Mikulski zaczął domagać się wyjaśnienia, o jakie „zmylenie śladów chodzi", funkcjonariusz odpowiedział:

– Nie mogę się z panem spotykać oficjalnie, bo różni ludzie w Sierpcu mieszkają, tajni agenci naszych wrogów również. Nawet pan naczelnik nie zdaje sobie sprawy, ilu ich jest wokół nas. I ci agenci mogą nasze spotkania uznać za podejrzane, i donieść komu trzeba. A tutaj mamy dobre wytłumaczenie. Jest pan wdowcem, panie naczelniku, a każdy mężczyzna ma swoje potrzeby. Wszyscy w Sierpcu pomyślą, że przywożę panu jakąś laleczkę. Żonatemu to nie przystoi, to byłoby nieprzyzwoite, ale wdowcowi – to jak najbardziej. Nawet ksiądz to zrozumie na spowiedzi, niech się pan nie martwi. A mnie miano „alfonsa" w niczym nie uchybi.

Naczelnik, człowiek pobożny i moralny, usłyszawszy to wyjaśnienie, wzburzył się mocno, chciał przerwać rozmowę i natychmiast wyjść. Powstrzymała go jednak niedbale rzucona wzmianka o świetnym sanatorium dla dzieci cierpiących na gruźlicę kostną, które niedawno zostało otwarte w suchych borach kieleckich, w miasteczku Busko.

– Nigdy nie widziałem twarzy tej dziewczyny – westchnął Mikulski. – Zawsze miała woalkę na twarzy. A raz, kiedy przyszła do mnie w nocy, było całkiem ciemno. Wiem tylko tyle, że była bardzo młoda.

– Co znaczy bardzo młoda? – zapytał Popielski. – Ile miała konkretnie lat?

– Nie wiem. Ze czternaście, szesnaście...

– Skąd pan to wie?

– Już mówiłem, że przyszła raz do mnie w nocy w hotelu. To było tylko raz. Broniłem się, nie chciałem, obiecałem zmarłej żonie, że jej nigdy nie zdradzę. Ta dziewczyna powiedziała mi, że to się dobrze składa, bo ona też się nie pali... By się oddać. Niedawno po raz pierwszy, no wie pan... Po raz pierwszy i ją bolało. Niedawno ona jeszcze dziewica. I do tego mówiła, że nie będzie żadnej zdrady, bo tylko mi ulży. I ulżyła. Taka szczupła, drobna, dziecko jeszcze... Przecież była prostytutką. A one to bardzo wcześnie... No, ile miała lat, jak do mnie przyszła, jeśli niewiele wcześniej miała mężczyznę po raz pierwszy? No ile mogła mieć lat? Piętnaście? Szesnaście góra!

– I co było dalej? W czasie tego pierwszego spotkania?

Toporkiewicz poprosił wtedy naczelnika o pomoc w ściśle tajnej misji. Chodziło mianowicie o to, aby w najzupełniejszej tajemnicy przetrzymać czas jakiś sowieckiego szpiega w nieznanym nikomu miejscu. Więzienie w Sierpcu idealnie się do tego nadawało, bo było niewielkie, leżało na skrzyżowaniu połączeń kolejowych i liczyło niewielu funkcjonariuszy personelu.

– Im mniej ktoś wie o całej akcji, tym lepiej, panie naczelniku. – Toporkiewicz uśmiechał się przymilnie. – Chcemy odwrócić tego szpiega. To znaczy chcemy go zmusić, by pracował dla nas, nie zrywając jednocześnie kontaktów z Sowietami. Podwójny agent, mówi to panu coś?

Mikulski na wieść o tym, że może się jakoś przyczynić do walki z Sowietami, a przy okazji pomóc swemu dziecku, zgodził się na wszystko, zwłaszcza gdy dowiedział się, jaka go czeka nagroda za pomoc – w połowie czerwca miał otrzymać stanowisko naczelnika na Świętym Krzyżu, a jego syn miejsce w sanatorium w Busku.

Pod koniec maja spotkał się z Toporkiewiczem po raz drugi i ostatni w Hotelu Warszawskim w Sierpcu. Dowiedział się, że 7 czerwca wieczorem zjawią się u niego w więzieniu dwaj funkcjonariusze wywiadu przebrani dla niepoznaki w kolejarskie mundury. Będą mieć ze sobą szpiega – najpewniej nieprzytomnego, bo odurzonego jakimś specyfikiem, i dla niepoznaki przebranego za inwalidę na wózku. Wejdą do więzienia i pozostaną tam przez kilka dni, bo tyle potrwa „odwracanie" agenta. Naczelnik obiecał udostępnić im tajną izolatkę i wszystko zachować w tajemnicy. Wymyślił jakieś hasło i kazał zatransportować delikwenta przez pole do tylnych drzwi prowadzących do więziennego ogrodu. Toporkiewicz po chwili wahania zgodził się, aby w całe przedsięwzięcie wtajemniczyć – i to w minimalnym tylko stopniu – jednego z zaufanych strażników. Miał tylko wypatrywać obcych ludzi od strony pola, a kiedy takowi już podejdą pod mur, należało powiadomić naczelnika i zniknąć. Dostarczyć siennik i prześcieradło do izolatki, a potem sam Mikulski miał donosić funkcjonariuszom jedzenie.

– To był mój najbardziej zaufany człowiek. Ufam mu jak synowi. Nazywa się Bernard Lipszyc.

Popielski chciał powiedzieć: „Wiem, który to. Chwalił cię, że trzymałeś z nimi sztamę, kiedy jakaś inspekcja podejrzewała was o defraudację. Chodziło o jedwabniki czy morwy".

Tej nocy Mikulski pozostał w hotelu, aby uwiarygodnić maskaradę, że niby dla dziewczyny tu przychodzi, by swoje męskie potrzeby zaspokajać.

7 czerwca około jedenastej w nocy Lipszyc, trzymający wtedy wartę na wieżyczce od strony ogrodu, zatelefonował wewnętrzną linią do naczelnika i wypowiedział dwa słowa:

„Już są". Po chwili dwóch kolejarzy, spoconych jak konie po galopie, wtaskało do piwnicy z izolatkami wózek z mężczyzną.

– Maglowali go chyba dwa, może trzy dni – mówił naczelnik Popielskiemu. – Nie „odwrócili" go, nie zrobili z niego podwójnego agenta. Bydlak po prostu umarł. Nie wiem, czy sam, czy mu w tym pomogli. Wyglądali na takich, co potrafią człowieka na tamten świat wyprawić. Któregoś wieczoru wynieśli ciało nazad przez bramę ogrodową. Usłyszałem warkot silnika. Odjechał samochód. Chyba osobowy, bo warkot nieduży. Widzieliśmy to i słyszeliśmy tylko Lipszyc oraz ja.

I potem nastąpiło szczęście, a po nim tragedia. Mikulski objął w swe posiadanie Święty Krzyż i wprowadził tu nowe porządki. Wydał bezpardonową walkę brudowi i robactwu. Odwszawialnia pracowała pełną parą, pościel tak się gotowała, aż okna całego karceru mgłą zachodziły. Był sprawiedliwy i zdecydowany. Jednego więźnia, który usiłował Borysa Kowerdę namówić, a potem siłą skłonić do wszetecznych usług, osobiście skatował i zamknął w izolatce, skazując na dwutygodniowy post. Ukraińskich bojowników rozdzielił po różnych celach, nie pozwalając im spiskować. Kiedy trzeba, był bezwzględny, kiedy indziej wyrozumiały. Już w ciągu tygodnia zdobył wielki mir. Więźniowie się go bali z nienawiścią, podwładni – z szacunkiem.

Pierwszej niedzieli pojechał do Buska, by odwiedzić Andrzejka. Zakład pod szyldem „Sanatorium »Górka«. Kolonia Lecznicza Dziecięca im. dr. med. Rektora J. Brudzińskiego w Busku-Zdroju" wzbudził jego zachwyt. Położony na pięknym wzniesieniu, ze stawem, boiskiem i sadem, był wymarzonym miejscem dla dzieci cierpiących, jak Andrzejek, na gruźlicę kostno-stawową. Mikulski spacerował tej niedzieli z synem, grał z nim w piłkę, piknikował pod gołym niebem. Następnej niedzieli nie spędzili już razem. Chłopiec umarł w sobotę.

– Źle się poczuł po śniadaniu – mówił naczelnik Popielskiemu. – Zaczął się dusić, drgawek dostał. Przed obiadem już nie żył.

Mikulski, kiedy się o tym dowiedział, zaczął wyć. A potem przestał się myć i golić. Siedział na strychu w domu, nieporuszony jak kamień, i nie odzywał się do nikogo. Jego obowiązki przejął starszy dozorca. Po kilku dniach naczelnik wstał i opuścił poddasze. Nie ogolił się, natomiast bardzo dokładnie obmył z fekaliów i podłogę na strychu, i siebie samego.

„Niedługo umrę! – darł się, chodząc po więzieniu z obnażonym pałaszem. – Ale to nie znaczy, że wam pofolguję w ostatnich dniach mojego życia, darmozjady!"

– Święty Krzyż stał się w tych dniach kolonią karną – opowiadał teraz. – Wszyscy mnie znienawidzili... oprócz jednego ukraińskiego buntownika. Popa Wasyla. Tylko on rozumiał, że nie postradałem zmysłów.

Tymczasem kielecka policja zabrała się ostro do roboty. Wyjaśnienie śmierci syna naczelnika więzienia przyćmiło jej wszystkie zadania. Stary medyk Antoni Jeziorowski z kieleckiego Szpitala Świętego Aleksandra dokonał sekcji zwłok. Widząc, że krew żylna chłopca jest barwy jasnej zamiast ciemnej, postawił hipotezę, iż mógł on zostać otruty cyjanowodorem. Policjanci poszli tym tropem. Ustalili, że jedyną rzeczą, która feralnego dnia miała jakikolwiek kontakt z jamą ustną Andrzejka – i z niczyją inną! – był jego proszek do zębów. Hipolit Edelist, chemik z Komendy Wojewódzkiej Policji Państwowej w Kielcach, odkrył, że paczka proszku w jednej trzeciej wypełniona była cyjanowodorem. W czasie mycia zębów chłopiec po prostu wtarł truciznę w dziąsła. Pozostało najważniejsze: stwierdzić, jak się ona znalazła w paczuszce proszku. Do sanatorium przyjechało trzech policjantów i zaczęło przesłuchiwać personel i chore dzieci.

Jeden z chłopców zeznał, że w wieczór poprzedzający dzień, kiedy umarł jego kolega, poszedł w nocy do łazienki i ujrzał tam obcego człowieka. Był niewysoki i ubrany w marynarkę z krótkimi rękawami. Chłopiec określił go przymiotnikami „straszny" i „dziwny". To drugie miano wzięło się stąd, jak tłumaczył mały pacjent, że „włosy tego pana były jak szczotka ryżowa".

Tej nocy, kiedy zdobyto rysopis podejrzanego, na Święty Krzyż przyjechał z Kielc policyjny chevrolet. Komisarz Czesław Skórkowski z Urzędu Śledczego Komendy Wojewódzkiej po minucie rozmowy z Mikulskim usłyszał nazwisko „Ludwik Toporkiewicz" wykrzyczane w wielkiej furii. Następnego dnia referent zajmujący się sprawami osobowymi w pałacu Saskim, siedzibie Dwójki, negatywnie odpowiedział na telefoniczne zapytanie komisarza Skórkowskiego. Nikt o nazwisku Ludwik Toporkiewicz tu nie pracował. W Warszawie obiecano działania identyfikacyjne wtedy, gdy dotrze tam portret pamięciowy. Ten jednak nie nadchodził. Kielecki artysta plastyk, który wykonywał takie zlecenia dla tamtejszej policji, akurat spędzał urlop w Zakopanem. A potem zapadło głuche milczenie.

Popielski wiedział dlaczego. Po wyczynach Januszka Pirożyńskiego wszyscy w Dwójce byli zbyt zajęci szukaniem tropu kolejowego, a ci, którzy nawet kojarzyli z Chorążukiem podany im ustnie rysopis, wobec braku portretu pamięciowego wzruszali ramionami i wracali do swoich pilnych spraw. Tymczasem zaś morderca chłopca przebywał w podwarszawskiej wsi Siekierki Duże. Siedział tam w piwnicy i przyjmował kolejne ciosy od silnorękich Schaetzla. I nic nie powiedział do dzisiaj.

– Nie wiem, dlaczego to zrobił – mówił Mikulski głuchym głosem. – Nie wiem... Wiem tylko jedno, moje dni są policzone.

Popielski patrzył na tego załamanego mężczyznę wielkiego jak tur. Jego rozpacz była bezgłośna, bez szlochu i jęku, skamieniała jak cierpienie Niobe. Mówiły o niej tylko krople potu ściekające mu po twarzy i szyi oraz zaciśnięte szczęki, na których drgała wiotka skóra. Edward poczuł nagle bolesny zryw współczucia. Chciał jakoś pocieszyć tego człowieka, który dla dobra dziecka zrobił wszystko i wszystko stracił – czyli samo dziecko właśnie. Podjął decyzję. Złoży obietnicę, choć mogła ona być równie pochopna i równie bez pokrycia jak ta, którą niedawno dał Kowerdzie. Ale czuł, że musi ją złożyć.

– Zabijesz go, Mikulski – szepnął. – Dam ci na tacy Włodzimierza Chorążuka, bo tak się ten skurwysyn nazywa!

Naczelnik spojrzał na niego czerwonymi oczami i powiedział coś bardzo dziwnego, przeraźliwie fatalistycznego.

– A co mi po tym skurwysynu? Po śmierci mojej Kazi,
co ją bestie bolszewickie rozszarpały, przyrzekłem coś,
wiesz? Obiecałem sam sobie, że jeśli jeszcze kiedyś stracę
Andrzejka, to odczekam czterdzieści dni w żałobie, a potem się powieszę. Czy mi dasz tego bydlaka, czy mi nie
dasz, wszystko jedno. Ja i tak się powieszę. Tak przyrzekłem. A przyrzeczenie to rzecz święta, pamiętaj!

Popielski wstał gwałtownie i oparł się o biurko naczelnika, aż zabrzęczały ozdobne kryształki stojącej na nim
lampy.

– Bogu przyrzekanie jest wiążące, nie człowiekowi! –
krzyknął w tym ukrytym akcie samousprawiedliwiania. – Nie
sobie samemu obiecywać, ale Bogu, to jest zobowiązanie!

Mikulski uśmiechnął się gorzko.

– Bogu, powiadasz? – powiedział cicho. – To ja ci coś powiem o Bogu. Samobójstwo jest odwróceniem się od niego.
Powiedziałem sobie: jeśli on się odwróci ode mnie i zabierze mi jedyne dziecko, to ja z hukiem się od niego odwrócę.
To będą moje nienawistne pozdrowienia dla niego. Tak,
człowieku! Z hukiem! Z wyrazami nienawiści!

Zapadła cisza. Popielski usiadł i zacisnął powieki, jakby
chciał powstrzymać łzy.

Ale wcale nie dlatego, że ostatnie słowa Mikulskiego
przejęły go egzystencjalną grozą. Nie dlatego, że ich poe-
tycki patos poruszył jakieś wrażliwe struny duszy Edwarda.
On już gdzieś słyszał tę frazę „nienawistne pozdrowienia"
i nie mógł sobie przypomnieć, gdzie to było. Zaciśnięcie
powiek zawsze pomagało mu w anamnezie.

Ale teraz nic to nie dało.

– „Wyrazy nienawiści", „nienawistne pozdrowienia" – powtarzał bardzo wolno. – Sam pan wymyślił te słowa, panie naczelniku, czy już gdzieś pan je czytał, a może posłyszał?

– A słyszałem, słyszałem – odparł. – I osobliwie mi się spodobały... – Potarł palcami skronie. – To było owej nocy, kiedy przyszła do mnie ta dziewczynka – szepnął. – Powiedziała: „Ulżę ci, staruszku, ulżę... W ten sposób ty zakrzyczysz z rozkoszy, a ja moimi usty wykrzyczę mą nienawiść do mężczyzny, który mnie skrzywdził. Twój krzyk to będą nienawistne pozdrowienia dla niego". Tak właśnie rzekła. To jakaś poetycka natura ta mała. Potem było jej chyba trochę wstyd, ale noc ciemna wszystko zakryła.

Popielski usiadł. Krzesło zatrzeszczało. A on siedział i słyszał, jak prawie dziecinny, kobiecy delikatny głos szepce w jego głowie:

„Ślę ci nienawistne życzenia świąteczne. Obyś tych świąt nie dożył, ty i twoja flama. Oby się twoja córka ośćmi zadławiła. Kreślę się z nienawistnymi pozdrowieniami, niedoszła twoja Sybilla".

* * *

SZOFER MARIAN ODETCHNĄŁ Z ULGĄ, kiedy dziwny pasażer oznajmił mu, że nie dojdzie do żadnego porwania i spokojnie będzie mógł się ożenić „za dwie niedziele po sumie". Stracił jednak dobry humor, kiedy się dowiedział, że czeka go teraz kurs do Warszawy. Oznajmił niechętnym tonem, że na tę podróż musi otrzymać telefoniczną zgodę swego pryncypała. Liczył w duchu, że pan Roman Pniewski będzie miał dość wypożyczania swego auta i pracownika. Tu się jednak pomylił. Pniewski najwyraźniej uważał łysego pana nie za wariata, jak poczciwy szofer, ale za jakąś bardzo ważną personę. Głosem twardym i nieznoszącym sprzeciwu nakazał wykonywać wszystkie polecenia swego pasażera – nawet gdyby Marianowi wydały się nadzwyczaj ekscentryczne.

Podróż ze Świętego Krzyża do Radomia, trasą liczącą niecałe osiemdziesiąt kilometrów, trwała prawie cztery godziny, zważywszy na to, że większość dróg, którymi się poruszali, za całą nawierzchnię miała grubszą lub cieńszą warstwę kamieni. Szofer zwinnie wymijał koleiny i dziury. Sypał na prawo i lewo piachem i kamykami. Zostawiał za sobą potężne obłoki kurzu i ludzi, którzy przerywali żniwa, stawali osłupiali, dłonią osłaniali przed słońcem oczy i patrzyli za nimi – długo i bezmyślnie.

W Radomiu byli o szóstej po południu. Szofer, otrzymawszy dziesięć złotych na kolację i paliwo, zatrzymał się przy pompie benzynowej w rynku, by uzupełnić bak. Popielski poprosił go o kupienie jakiejś bułki, dobrej kiełbasy i dwóch butelek piwa, po czym poszedł do pobliskiego budynku poczty. Tam wszedł na piętro, gdzie – jak słusznie sądził – mieściło się mieszkanie naczelnika. Okazawszy mu swój dokument, oderwał go od rodzinnej kolacji. Kazał prowadzić się do biura i zostawić tam samego. Kiedy naczelnik wszystko to uczynił, Edward łączył się z jednym, drugim, a potem z trzecim warszawskim numerem. Wszystko to trwało godzinę.

Schaetzla nie było ani w biurze, ani w mieszkaniu. Od służącego się dowiedział, że pan pułkownik zostawił wiadomość przeznaczoną tylko dla tego dzwoniącego, który w ciągu minuty odpowie na pytanie, w jakim mieście mieszka portier hotelu nazwiskiem Józef Włuka. Brzmiało to jak żart, ale Popielskiemu nie było do śmiechu.

– Sierpc – odpowiedział bez wahania.

– Ja mam Sierpiec, nie zgadza się, odkładam słuchawkę – odezwał się kamerdyner głosem tak uroczystym, jakby składał przysięgę na wierność swemu panu.

– Stój, gamoniu! – wrzasnął Popielski. – Masz napisane „w Sierpcu”?

– Tak.

– Nie ma miasta Sierpiec! Jest tylko Sierpc. Sprawdź w encyklopedii, durniu!

Zapadło milczenie. Rozmówca łykał zniewagę przez piętnaście sekund.

– Wiadomość jest taka. – Ton służącego nie zmienił się ani na jotę. – Czytam: „Ma pan wracać natychmiast do Warszawy, Mały zacznie mówić, mam na niego niezawodny sposób". Odkładam słuchawkę.

Tym razem naprawdę to zrobił.

Popielski zatelefonował teraz do Chłapowskiego. Czekała go trudna rozmowa. Musiał przekonać prezesa, aby zatrzymał w areszcie domowym własną bratanicę, która – jak wiedział – zajmowała w sercu stryja szczególne miejsce. Wychowywał ją od dziecka, po tym jak jego brat i szwagierka umarli na hiszpankę gdzieś w Wielkopolsce w czasie Wielkiej Wojny.

Czekał i czekał, wiedząc, że służąca Chłapowskiego Marianna panicznie się boi telefonu, bo uważa go za diabelski wynalazek. Jeśli odbierze, to tylko wtedy, gdy długotrwałe dzwonienie zmęczy już jej uszy.

– Hallo! Słucham! – w słuchawce rozległ się melodyjny, dziewczęcy głos Sybilli. – Mieszkanie pana prezesa Chłapowskiego, słucham!

Teraz zdał sobie sprawę, że jego dawna kochanka naprawdę ma głos jak dziecko.

– Prze-przepraszam. – Zmienił głos na wysoki i zaczął się jąkać. – Kłaaaniam się uni-uniżenie... Moje naaa-nazwisko Poraj-Kożuchowski, raaadca Poraj-Kożuchowski z Ministeeerstwa Spraw Wew-wewnętrznych. Czy moogę do aparatu prosić pana preeezesa?

– Nie ma go. – Ton Sybilli stał się służbisty. – Wyjechał do Juraty. Będzie w najbliższy wtorek.

Popielski uwielbiał ten ton dobrej uczennicy. Przypomniał sobie, jakie podniecenie poczuł, gdy po raz pierwszy go usłyszał, nie wiedząc, ile ona ma lat i jak wygląda. Rozmawiał z nią wtedy często, bo przekazywał jej różne meldunki i przyjmował polecenia od zwierzchników. Znał ją tylko telefonicznie. Tą drogą próbował z nią flirtować. Po kilku rozmowach potrafił już wywołać u niej lekki, ledwo słyszalny chichot. W wyobraźni widział ją jako połączenie chichoczącej zmysłowej kobiety i służbistki, która równo układa notatki i patrzy mu w oczy, pytając: „Dobrze robię, panie szefie?". Tak potem się go pytała wśród westchnień, kiedy skrzypiały sprężyny w hotelowych pokojach.

Nie powinien był mieszać spraw osobistych ze służbowymi. Ale nie potrafił się oprzeć jej głosowi.

– Przyjdę dziś do ciebie, Sybillo – powiedział.

– Naprawdę? – zachichotała. – A ja mam na pana czekać? W samej halce, tak jak pan lubi? Nawet nie śnij o tym, staruszku!

Zapadło milczenie. Chciał coś jeszcze powiedzieć, ale odebrało mu oddech. Czuł się jak człowiek, który uderzył o ziemię. Sybilla odłożyła słuchawkę. Popielski kilkakrotnie trzasnął po łysinie otwartymi dłońmi. Otrzeźwienie przyszło po chwili.

Znów zakłócił spokój naczelnika poczty – tym razem zastając go przy lampce koniaku i cygarze – ale już tylko po to, aby mu podziękować. Ten naburmuszony nieco urzędnik, który w sześćdziesięciotysięcznym mieście był z pewnością znaną personą, dał się przebłagać, zwłaszcza kiedy usłyszał obietnicę, iż Popielski już nigdy więcej nie będzie go niepokoił podczas posiłków.

Z Radomia do Warszawy prowadziła dobra bita szosa długości dziewięćdziesięciu pięciu kilometrów. Pokonali ją w ciągu następnych trzech godzin. Było jeszcze zupełnie widno, gdy Marian parkował przed mieszkaniem Chłapowskiego w Alei Ujazdowskiej.

Popielskiemu wydawało się, że w oknie na pierwszym piętrze poruszyła się firanka.

Kiedy, przywitawszy się z dozorcą, wchodził po schodach, czuł pod sercem nieznośny ciężar. Miał wrażenie, że jakaś kula bilardowa toczy mu się po przełyku – w górę i w dół. Wiedział, że nie jest to jedynie skutek spożycia po drodze kiełbasy jałowcowej oraz radomskiego piwa Nektar.

Sprzeczności go dławiły. Sybilli nie chciał widzieć, lecz jednocześnie chciał i musiał ją ujrzeć – by aresztować za współpracę ze zdrajcą Chorążukiem. Miał tylko nadzieję, że otworzy mu Marianna. Wtedy – tak planował – weźmie służącą na świadka przy aresztowaniu dziewczyny. Zabezpieczał się w ten sposób przed czynnym oporem Sybilli, którego się spodziewał po tej pełnej temperamentu osóbce – przed drapaniem, krzykiem i kopnięciami. Wiedział, że dziewczyna bywa bestią – ale tylko *tête-à-tête*. Dobre maniery nie pozwolą jej na wybuch wobec służącej.

Nadzieja okazała się płonna. Otworzyła mu sama Sybilla. Stała w drzwiach z lekkim uśmiechem, wykwitającym na uszminkowanych karminowych ustach. Ubrana była w letnią sukienkę, zakończoną frędzelkami i niewiele sięgającą za kolana. Popielskiemu zdało się nagle, że czuje ich dotyk, gdy wkłada rękę pod sukienkę.

– Stryj naprawdę jest w Juracie, tak jak panu mówiłam przez telefon. A służącej dałam wolne, kiedy się dowiedziałam, że pan przyjdzie. Poszła na tańce nad Wisłę. Ale teraz, jak na pana patrzę... Na tę odętą gębę. Na tę łysą pałę... To już nie chcę być z panem sam na sam. Rozmyśliłam się.

Chciała zamknąć drzwi, ale zablokował je kolanem. Potrząsnęła głową z niedowierzaniem. Drgnęły jej czarne włosy odsłaniające szyję.

– Nie rób skandalu na całą kamienicę. – Pochylił się i wciągnął w nozdrza zapach jej perfum pomieszany z lekką wonią alkoholu. – Wpuść, bo rozwalę te drzwi w drzazgi!

– Lubię, kiedy jest pan brutalny – syknęła i odwróciła się.

Weszła w głąb mieszkania. Jej pantofle na wysokich obcasach stukały po parkiecie, a mięśnie szczupłych łydek napinały się lekko. Popielski też poczuł napięcie – ale nie w łydkach. Zamknął drzwi i patrzył, jak dziewczyna nagle znika w trzecich drzwiach po lewej. Wiedział, że prowadzą do salonu. Poczuł się niepewnie. Nigdy tam nie był i nie wiedział, jaki jest rozkład mebli i czego się spodziewać po osobie, która tam się ukryła. Mógł nastąpić szaleńczy atak świecznikiem albo ciężkim kryształowym wazonem.

Sięgnął po pistolet i zaczął się cicho skradać. Między pośladki spłynęła mu zimna strużka potu. Podniecenie ustąpiło. Spodnie pod brzuchem znów przybrały swój zwykły kształt.

Doszedł do drzwi salonu. Włożył dłoń w padającą z nich smugę światła i natychmiast ją cofnął. Nic się nie stało. Żaden flakon, żaden świecznik nie poleciał. Usłyszał, jak ktoś zaczyna kręcić patefonem i układa na nim płytę.

– „W szynkach Argentyny każdy ją zna…" – usłyszał słynne tango wykonywane przez Stanisławę Nowicką.

Stanął w drzwiach. Za oknem zapadał zmierzch i park Ujazdowski przybierał odcień szarozielony. Jednak światła było dość dużo – na tyle, by dobrze oświetlać stoliki do kart, wiśniowe kanapy i fotele w salonie oraz twarz Sybilli „o cerze jasnej, księżycowej" – jak do niej szeptał niegdyś po nocnych uniesieniach.

– Lubię tę piosenkę – powiedziała zupełnie naturalnie, jakby konwersowali przy kawie. – Jeszcze raz ją nastawię, bo pan mi przeszkodził. Chcę jej wysłuchać od początku. Potem z panem pójdę.

W szynkach Argentyny każdy zna ją
Bawi gości śpiewem, tańcem i grą
Kto zapłaci, temu odda swój czar
Ciała i ust żar.

Muzyka nie grała głośno.

– Podsłuchiwała pani. – Zabrzmiało to dość głupio. – Podłoga trzeszczała pod drzwiami prezesa. Pułkownik myślał, że to służąca, a to była pani, prawda? Wszystko pani słyszała...

Oparła rękę o biodro i lekko stukała obcasem o podłogę. Była bardzo szczupła. W ciemności można ją było rzeczywiście wziąć za nastoletnią dziewczynę.

– Musimy iść do łóżka, żebyśmy mówili sobie po imieniu?

Coś mu znów podpowiadało, aby nie mieszał spraw osobistych ze służbowymi. I znów nie posłuchał podpowiedzi.

– I co będziesz robić w tym łóżku? – Z trudem hamował wybuch wściekłości. – To co z tym grubym nieszczęśnikiem w Hotelu Warszawskim w Sierpcu? Jak on mi to powiedział? „Wyrazy nienawiści wypowiem moimi usty". Tak ponoć powiedziałaś. Ale chyba nie zdołałaś wypowiedzieć niczego, bo usta tej nocy miałaś zajęte, ale nie słowami!

Sybilla milczała i uśmiechała się drwiąco. Końcówki jej ułożonych w fale włosów zawijały się poniżej brody, a ich podwinięte końcówki kierowały się w stronę szyi jak małe zakrzywione sztylety. Jej kark był tak kruchy, że Edward mógł go przetrącić jednym uderzeniem. Nagle na jej twarz wypłynął rumieniec.

– Nie chciałam być twoją laleczką, łotrze! – podniosła głos. – Twoją metresą, która czeka z buzią w ciup, ale z nóżkami to już rozrzuconymi na boki, aż mój pan do mnie przyjdzie! Aż mój ukochany brutal sięgnie pod moją koronkową suknię, w którą się dla niego ubrałam, i władczym gestem ją poszarpie i rozerwie, aby się dostać do mojej nagości! Nie chciałam wciąż na niego czekać, bo może znajdzie

chwilę czasu i znów wyznaczy mi schadzkę w jakimś hotelu! Chciałam tylko jednego: abyś mnie poślubił, kochał
i szanował!

Stanisława Nowicka śpiewała refren:

Wando,
Kocham cię nad życie.
Jedź ze mną w świat.
Wando,
W tej spelunce podłej
Zwiędniesz, jak kwiat.
Nie płacz, podaj usta malowane
Wierz mi, jam ci bliski, jam ci brat!

Popielskiemu opadły ręce. Jak przekonać kobietę o swej
miłości i szacunku? Takie ponawiał pytanie, gdy zasypy-
wała go podobnymi zarzutami. I zawsze krzyczała to samo:
chcesz mnie przekonać, że mnie kochasz? To usuń ze
swego życia Leokadię!

Nie chciał teraz tego słuchać i znów czuć się jak nauczyciel chóru szkolnego, który po raz tysięczny musi popra-
wiać tych samych fałszujących śpiewaków.

Belfer kiepski, a chórzyści głuchoniemi – podsumował
w myślach to nieoczekiwane porównanie.

Głos Sybilli stał się ostry i świdrujący.

– I wiesz, jak chciałam zdobyć twój szacunek? Wiesz, ty
podlecu? – Zaczęła się śmiać nerwowo. – Podsłuchiwałam.
Tak, przychodziłam często do mojego stryja z mieszkanka,
gdzie wypłakiwałam oczy po tobie. Podsłuchiwałam, gdy

prowadził sekretne narady. Zapisywałam wszystko, o czym rozmawiali. I znów płakałam po nocach, i wzywałam ciebie. Żebyś przyszedł i powiedział mi: tak, kochana, odprawiłem już tę kobietę. Wtedy otworzyłabym notes i powiedziała: zobacz, jaka jestem Mata Hari! Wiem o najtajniejszych intrygach wywiadowczych! Wykorzystaj je i zdobądź to, o czym marzysz: stanowisko w służbie wywiadu! Ale ty wolałeś siedzieć we Lwowie z tą swoją starą wywłoką! I nie przychodziłeś do mnie...

Zaczęła szlochać.

– No, to ja przyszedłem – odezwał się niski męski głos. – W pana zastępstwie.

W drzwiach stał wysoki barczysty oficer w randze kapitana. Czapka rogatywka siedziała mu na czubku głowy. Atletyczny tors był wyeksponowany przez dwa pasy – jeden ściskający go w brzuchu i drugi idący w poprzek piersi. Białe akselbanty na prawym ramieniu wskazywały, że przed Popielskim stoi teraz adiutant sztabowy. Jego szeroki uśmiech zwiastował dobre zamiary, w odróżnieniu od pistoletu Steyr, który oficer ściskał mocno w dłoni.

– Kapitan Olgierd Andrukiewicz melduje się. – Wydatny podbródek z dziurką w środku poruszył się kilkakrotnie, jakby mocny głos dochodził właśnie z niego, nie z wilgotnych, wywiniętych nieco ust. – Adiutant pułkownika Schaetzla.

Popielski powinien teraz ryknąć. Wrzasnąć, co on sobie myśli, co to za głupie dowcipy z tym pistoletem! Tonem kategorycznym żądać wyjaśnień. Ale sparaliżował go strach. O Leokadię i o Ritę.

– Pan nie we Lwowie? – zapytał, a jego barytonowy bas, budzący zwykle podziw u kobiet, stał się nagle cienki i urywany. – Nie z moją kuzynką? Nie miał pan jej pilnować?

Andrukiewicz milczał. Usta jeszcze szerzej mu się rozciągnęły. Oczy stały się szparkami pod pokrytym bruzdami czołem. Był starszy od Popielskiego, być może przekroczył nawet pięćdziesiątkę.

– A co z moją córką? Gadaj, skurwysynu! – wrzasnął i zacisnął pięści.

W zamku do drzwi wejściowych rozległ się chrzęst klucza. Skrzypnęły zawiasy domagające się naoliwienia. W przedpokoju rozległy się ciężkie kroki. Do salonu weszło dwóch muskularnych mężczyzn w samych koszulach z zakasanymi rękawami. Ich palce zaciśnięte były na tęgich drewnianych pałkach. Obaj mieli spodnie na szelkach i kaszkiety na głowach. Wiele szczegółów ich do siebie upodabniało jak braci. Na przykład tatuaże na przedramionach i podobne głupawe uśmieszki, które się pojawiały na ich twarzach, kiedy językiem przesuwali zapałki z jednego kącika ust do drugiego.

Popielski spojrzał w stronę zamkniętego balkonu i pomyślał o swoim tymczasowym szoferze Marianie.

– Nie ma go, a auto samo gdzieś odjechało! – powiedział jeden z mężczyzn. – Nie ma. Warszawa to bardzo niebezpieczne miasto. Miasto nożowników.

Edward nie miał szans. Jeśli na nich ruszy, to strzaskają mu pałki na głowie i plecach. Jeśli się rzuci na Andrukiewicza, zostanie poczęstowany ołowiem. Jeśli sięgnie po swego browninga, doświadczy i jednego, i drugiego.

– Powiedzcie, chłopaki, kiedy mam się zacząć was bać – mruknął. – To wtedy zacznę piszczeć i dygotać.

– W mundurach kolejowych budzą większy respekt, poruczniku. – Andrukiewicz przestał się uśmiechać.

Mężczyźni minęli kapitana. Wypluli swe zapałki i zbliżali się powoli do Popielskiego. Gruby dywan tłumił ich kroki.

Nagle Sybilla podskoczyła do Andrukiewicza, objęła go i swoje karminowe usta podała jego wilgotnym wargom.

Popielski nie powinien był skupiać na tym swej uwagi. Nie powinien był mieszać spraw osobistych ze służbowymi. Nie powinien był sobie pozwolić na dekoncentrację.

Cios pałką w splot słoneczny był celny. Zabolało. Bardzo zabolało. Ale jeszcze bardziej, gdy został trafiony w skroń. Poprawka ciosu w czoło wygasiła nędzne światło zmierzchu. Ostatnie, co usłyszał, to słowa Sybilli:

– Nie chciałeś mi się oddać, Edwardzie, no to ja się oddaję. Wszystkim mężczyznom tego świata.

Nie poczuł już dotyku mokrej szmaty nasączonej eterem, którą ktoś zarzucił mu na nos i usta.

Nocą obaj mężczyźni znieśli go po schodach. Przebrali się wcześniej w białe fartuchy i białe czapki z czerwonym krzyżem. On siedział na wózku inwalidzkim z otwartymi oczami. Mężczyźni mieli dorobione klucze do bramy i nie budzili dozorcy.

Kiedy wyszli na ulicę, z rogu Alei Ujazdowskiej i Alei Róż wyjechał ambulans z wielką syreną na masce. Po kilkunastu sekundach zaparkował pod kamienicą. Mężczyźni opiekujący się inwalidą na wózku otworzyli tylne wejście

i po prowizorycznej pochylni wepchnęli swego podopiecznego do środka. Po chwili z bramy wybiegł kapitan Andrukiewicz. Rozejrzał się dokoła, a potem usiadł obok szofera.
Był zadowolony. Żadnych gapiów nie dostrzegł.

Ruszyli w stronę Nowego Światu, a kiedy już do niego
dotarli, skręcili w lewo w Aleję Trzeciego Maja. Wisłę pokonali mostem Poniatowskiego. Jechali na wschód.

W prostopadłościennej budzie z czerwonym krzyżem,
opatrzonej dwoma okienkami, siedzieli dwaj „sanitariusze" – ci sami, którzy się zajmowali Popielskim. Razem
z pozbawionym przytomności Edwardem w tym ambulansie
było sześciu mężczyzn – dwóch w szoferce i czterech w budzie; wśród tych ostatnich – trzech żywych i jeden martwy.

W lasach pod Wesołą ambulans zatrzymał się i wyrzu-
cono z niego ciało młodego człowieka. Miał się żenić za
dwie niedziele po sumie.

CZĘŚĆ V

KRWOTOK WEWNĘTRZNY

Profesor Roger Greymore spojrzał na zegarek. Do końca wykładu zostało piętnaście minut. Trochę za mało, aby przejść do nowego wątku. Owszem, mógł go rozpocząć, ale musiałby wtedy pod presją czasu przerwać w jakimś przypadkowym momencie, niekoniecznie w tym najbardziej emocjonującym. A to już by było niezgodne ze sztuką nauczania, jaką na Uniwersytecie Harvarda wpoił mu jego mistrz, wybitny znawca dziejów Rosji, niedawno zmarły profesor Richard Pipes. Mówił on zawsze do swoich doktorantów tak:

– Cykl wykładów, by był dobry i przyciągał słuchaczy, musi być skomponowany jak powieść w odcinkach. Każdy odcinek, czyli pojedynczy wykład, powinien urywać się w najbardziej intrygującym miejscu.

Aby nie sprzeciwiać się zaleceniom Pipesa, Greymore musiał epilog historii Kowerdy i Popielskiego albo rozciągnąć, dodając jakieś szczegóły, albo tak zaintrygować słuchaczy, by pod koniec zajęć zalała go lawina pytań i wypełniła ostatnie minuty. Postanowił pójść tą drugą drogą.

– Tak, drodzy państwo. Kapitan Olgierd Andrukiewicz uciekał. Ale tego wieczoru, gdy rzucił się do ucieczki, musiał szybko powiadomić Moskwę o swoich działaniach i porwaniu Popielskiego. Szpiegowska łączność działała błyskawicznie. Już następnego dnia wczesnym rankiem na biurku Schaetzla pojawiła się zaszyfrowana depesza z Gdańska. Została ona wysłana przez nowego rezydenta Dwójki kapitana Edmunda Pawłowskiego. Zawierała propozycję, jaką nad ranem na statku na Motławie przedstawił jego sowiecki odpowiednik rezydent Razwiedupru w Gdańsku porucznik Aleksy Popow *vel* Aleksandrs Popovs. Pułkownik w trakcie pierwszej lektury prychnął kawą tak mocno, iż jej czarne krople poplamiły mu mundur. Wydawało mu się, że to, co czyta, jest senną halucynacją. Po dwukrotnym przejrzeniu wiadomości zapalił papierosa. Musiał się głęboko zastanowić, jak ma tę sowiecką propozycję przedstawić swojemu zwierzchnikowi, szefowi sztabu generałowi Tadeuszowi Piskorowi, by ten nie uznał go za idiotę. Sowieci podnieśli cenę i zaproponowali ni mniej, ni więcej, tylko wymianę księdza Teofila Skalskiego na – i właśnie to sprawiło, że Schaetzel prychnął kawą! – na porucznika Edwarda Popielskiego oraz dwóch swoich agentów, a mianowicie porucznika Włodzimierza Chorążuka i kapitana Olgierda Andrukiewicza. Trzech za jednego. Absurdalność całej sytuacji polegała na tym, że Sowieci żądali od niego rzeczy niemożliwych. Nie mógł dać czegoś, czego nie miał. Bo z trzech wymienionych przez Moskwę panów w swoim ręku trzymał tylko Chorążuka. Andrukiewicz – niezależnie od uznania go przez sowieckie służby za własnego agenta – był wolnym człowiekiem i jego najzaufańszym współpracownikiem, podobnie jak Popielski. Mistrzowskie operowanie przez Moskwę kłamstwem i prowokacją było jak szachowe gambity, a w tej grze Sowieci nie mieli sobie równych. Za oczywistą prowokację uznał bowiem Schaetzel oczernienie Andrukiewicza, a za szczyt bezczelności żądanie wydania Popielskiego, który pięć lat wcześniej mocno napsuł krwi wschodnim sąsiadom Polski, co będę miał państwu okazję szerzej jeszcze przedstawić.

Nie, tych dwóch Schaetzel nie mógł po prostu związać i przerzucić przez graniczną rzekę Prypeć! W jego głowie zapanował mętlik. Wszystko się wyjaśniło chwilę później. Zatelefonował do niego komisarz Marian Sobota, kierownik XIII Komisariatu Policji przy ulicy Hożej. Schaetzel po pięciu minutach rozmowy zrozumiał, że propozycja Sowietów nie jest absurdem.

Otóż do komisarza Soboty zgłosił się o poranku Alojzy Sorówka, stróż kamienicy, w której mieszkał Chłapowski. Przyniósł osobliwą wieść, że oto w czasie spełniania porannych obowiązków odkrył w bocznej ulicy Szopena przy torze Towarzystwa Łyżwiarskiego elegancki samochód marki Ford, model T. Nie widziałby w tym niczego dziwnego, gdyby nie to, że siedzenie szofera owego samochodu było potężnie zachlapane krwią. I to może nie wyglądałoby tak szokująco – każdy może przecież dostać krwotoku z nosa – gdyby z owego samochodu nie wysiadł dzień wcześniej przed jego kamienicą łysy pan, który ostatnio bywał często u prezesa Chłapowskiego.

Mężczyzna ten wydawał się cieszyć jak najlepszym zdrowiem. Ale widocznie źle się poczuł w czasie wizyty u panny Alicji, bratanicy prezesa, bo około północy na wózku inwalidzkim wytaskało go z bramy dwóch sanitariuszy, co dozorca widział doskonale. Zapakowali go do ambulansu i odjechali. Towarzyszył im dobrze zbudowany kapitan w średnim wieku, w rogatywce i z akselbantami, który ostatnio też często bywał u panny Alicji, zwłaszcza pod nieobecność gospodarza. Dodatkowo stróż został tego ranka poinformowany przez jednego z lokatorów, że około dziesiątej wieczorem poprzedniego dnia dwaj podejrzani osobnicy otworzyli sobie własnym kluczem drzwi wejściowe do kamienicy. Sorówka uznał to wszystko za bardzo niepokojące. Chciał poprosić pannę Alicję Chłapowską o wyjaśnienia, ale tej już nie było w mieszkaniu prezesa. Przez cały ranek dozorca usiłował się dodzwonić do jej stryja, ale połączenie z Juratą było niemożliwe. Toteż udał się on w końcu do komisariatu na Hożą. Komisarz Marian Sobota, wiedząc o tym, że wszelkie kwestie dotyczące prezesa Chłapowskiego powinien konsultować z biurem pułkownika Schaetzla, to właśnie uczynił.

Szef Dwójki był zdruzgotany. Relacja stróża i depesza z Gdańska wskazywały na jedno: Andrukiewicz, do którego idealnie pasował podany opis, mógł rzeczywiście być sowieckim agentem i porwał Popielskiego jako zakładnika. Byłyby to dla polskiego wywiadu i dla pułkownika osobiście nokautujące ciosy. Oto w ciągu dwóch miesięcy dwaj jego zaufani adiutanci okazują się agentami wrogiego wywiadu, a niezwykle zdolny tajny funkcjonariusz, który doprowadził do ujęcia pierwszego i był zapewne na tropie drugiego, zostaje porwany – i to za sprawą bratanicy prezesa Chłapowskiego, przyjaciela i nieoficjalnego, ale najbliższego współpracownika w wywiadowczej materii!

Zrozumiał, że jeśli nie ugasi tego pożaru, to już teraz może się podać do dymisji. Żywił jedną jedyną i bardzo wątłą nadzieję zwycięstwa. Był to ów „niezawodny sposób", o którym Popielskiemu miał wspomnieć kamerdyner, kiedy mówił: „Proszę wracać natychmiast, Mały zacznie mówić, mam na niego niezawodny sposób". To był misterny plan. Ale w tej nowej skomplikowanej sytuacji wprowadzenie go w życie nie zależało już tylko od Schaetzla.

Ignorując gniewne interwencje hrabiego Romana Pniewskiego, właściciela dóbr Sieradowice, który już kilkakrotnie dzwonił i i pytał, kiedy otrzyma z powrotem automobil i szofera, Schaetzel zatelefonował do bezpośredniego przełożonego. Przedstawił krótko swoją prośbę: konieczność widzenia się ze zwierzchnikiem ich obu. Generał Piskor natomiast bez chwili zwłoki powiadomił premiera i ministra spraw wojskowych jednej osobie, marszałka Józefa Piłsudskiego. Ten wyznaczył termin nadzwyczajnej narady i wezwał ich obu oraz ministra spraw wewnętrznych generała Felicjana Sławoj-Składkowskiego.

Trzech mężczyzn o najwyższych szarżach wojskowych, to znaczy minister spraw wewnętrznych, szef sztabu i szef wywiadu wojskowego, spotkało się o drugiej po południu w gabinecie Piłsudskiego w Ministerstwie

Spraw Wojskowych przy ulicy Nowowiejskiej 3–5. Schaetzel przedstawił sprawę Kowerdy, sprawę Chorążuka i nieoczekiwaną propozycję Sowietów. Na koniec scharakteryzował swój ryzykowny „niezawodny plan", któremu dał nazwę *Inexpectatus eventus*, i którego kluczowym ogniwem był już nie Chorążuk – jak to było w wersji pierwotnej – ale Andrukiewicz. Trwało to wszystko godzinę.

Piłsudski przeprosił Schaetzla i Piskora i wraz ze Sławoj-Składkowskim, swoim bliskim przyjacielem, wyszli z papierosami na balkon, aby porozmawiać. Tam najprawdopodobniej minister przekonywał Piłsudskiego, że ksiądz Skalski jest ważniejszy dla opinii publicznej niż jakiś Popielski, a dwaj byli adiutanci Schaetzla niech wracają tam, gdzie ich miejsce, do Związku Sowieckiego. Co ważniejsze, zdaniem Sławoj-Składkowskiego Andrukiewicz był nie tylko ogniwem głównym planu Schaetzla, ale ogniwem najsłabszym, bo nieistniejącym. Aby wprowadzić w życie *Inexpectatus eventus*, należało najpierw ująć właśnie jego. A on pewnie już jest na Wołyniu. Czas ich gonił i nie dawał im możliwości przeprowadzenia koronkowej akcji Schaetzla.

Piłsudski, mając we wdzięcznej pamięci poczynania Popielskiego przy okazji akcji „Dziewczyna o czterech palcach", ofuknął ostro rozmówcę. Nie zwykł poświęcać swych żołnierzy, a tak nazywał tego wiernego policjanta, za klechów, z którymi od dawna miał na pieńku. Postanowił dać Schaetzlowi zielone światło.

Do ścisłego kierownictwa akcji kazał dołączyć szefa Korpusu Ochrony Pogranicza generała Henryka Odrowąża-Minkiewicza. Kiedy się dowiedział, że ten zażywa letniego wypoczynku w Druskiennikach, oznajmił wszystkim grubym słowem, ile warte są w tej sytuacji wywczasy generała.

Na koniec zebrania krzyknął do Schaetzla: „Jak to się stało, że wyhodował pan na swej piersi dwie takie żmije!? Jaki z pana naczelnik, co ludzi nie umie dobierać! Jeśli ta akcja się panu uda, to być może nie podpiszę pańskiej dymisji, którą jutro mam widzieć na moim biurku, do jasnej cholery!".

W kuluarach Sztabu Generalnego mówiono później, że Marszałek zgodził się na ten arcyryzykowny plan również ze względu na jego kryptonim. Lubił łacinę, a nawet jej nauczał, dorabiając sobie jako korepetytor w czasie zesłania na Syberii. Wiedział, że *inexpectatus eventus* oznacza „nieoczekiwany wynik, skutek". A on nie bał się nigdy nieoczekiwanych zdarzeń. Gdzie w tym czasie byli Andrukiewicz i Popielski? – zapytacie. Dokładnie w tym momencie kiedy prawie wszyscy najważniejsi wojskowi w państwie zebrali się w gabinecie Marszałka, do dwudziestotysięcznego Łucka, czyli do stolicy województwa wołyńskiego, wjeżdżał ambulans. Przebył w ciągu czternastu godzin bez przerwy trasę czterystu kilometrów, co było nie najgorszym wynikiem, zważywszy na stan dróg w centralnych i wschodnich województwach Rzeczypospolitej.

CAŁE MIASTO, UŚPIONE LETNIM UPAŁEM, było w to niedzielne popołudnie jakby wyludnione. Nie budząc niczyjego zainteresowania, karetka przejechała głównymi ulicami Kościuszki i Jagiellońską, po czym skręciła w prawo w długie na dobre dwa kilometry Aleje Chrobrego. Po prawej stronie tej wylotowej ulicy ciągnęły się cmentarze – najpierw prawosławny, potem karaimski i żydowski. Naprzeciwko tego ostatniego, prawie na samych rogatkach miasta, mieściło się przedstawicielstwo znanego słowackiego browaru Hellenbach – cel pośredni ich podróży.

Wjechali na podwórze. Jakiś człowiek otworzył im tylne drzwi do firmy. Inni zatroszczyli się o pojazd. Kilku ludzi zabrało się do roboty tak sprawnie i tak fachowo, jakby niczego innego w życiu nie robili. Z wielką łatwością zdemontowali syrenę, odlepili ceratowe białe płachty z czerwonymi krzyżami, a na ich miejscu nakleili duże, również ceratowe, plakaty z napisem „Piwo Słowackie L.T.A.B. Zast. Hellenbach". Samą część towarową samochodu przerobili tak, by przypominała typową budę małego automobilu dostawczego. Rozmontowali i zdjęli drewniany dach pokryty papą. Zamiast niego nad platformą dostawczą rozpięli brezent, naciągając go grubymi linami konopnymi na żebrach burt. W środku przestrzeń podzielono na dwie części. Pierwsza z nich, szersza, została całkiem zastawiona skrzynkami z piwem, które tworzyły grubą, zwartą i nieprzeniknioną okiem bryłę. Druga, węższa część platformy – ta pomiędzy szoferką a owymi skrzynkami – była całkiem pusta i przypominała mały pokój. Jego ściana, zbudowana ze skrzynek, została zabezpieczona przed upadkiem parcianymi pasami, które były wewnątrz rozpięte gęsto od góry do dołu – w razie gdyby auto gwałtownie zahamowało.

Po sześciu godzinach na podwórzu stał całkiem inny pojazd niż ten, który tu wjechał.

Kapitan Andrukiewicz zamienił mundur na roboczy kombinezon. Takie same wdziali na siebie trzej „sanitariusze", pozbywszy się kitli i czapek z czerwonym krzyżem. Ich stare łachy zostały wepchnięte do pieca. Oblane benzyną i spalone będą dopiero jutro, kiedy zaczną swą produkcję różne okoliczne fabryczki. Dzisiaj, w dzień wolny od pracy, smród dymu mógłby się komuś wydać podejrzany. Od szefa przedstawicielstwa „L.T.A.B." przybysze otrzymali stosowne faktury przewozowe, które poświadczały, że byli ekspedytorami i handlowcami. Zgodnie z tymi papierami celem ich podróży służbowej były Równe, Hoszcza, Kostopol i Sarny.

O czwartej po południu, skonani po męczącej podróży, poszli spać. Szofer i Andrukiewicz spali pięć godzin, natomiast jego dwaj pozostali ludzie po dwie i pół godziny, ponieważ zmieniali się przy pilnowaniu Popielskiego. Nie było to zresztą potrzebne. Eter odebrał Edwardowi siły i rozum, a grube postronki, którymi przywiązano go do kraty w oknie, jakąkolwiek możliwość poruszania. Andrukiewicz, dla którego Popielski był kartą przetargową, wolał jednak dmuchać na zimne.

O dziewiątej wszyscy oprócz więźnia zjedli kolację. Wraz z pięcioma robotnikami i z szefem przedstawicielstwa wypili pięć półlitrowych butelek wódki. Przy stole dyskutowano po polsku i po ukraińsku na tematy polityczne i personalne, związane z kierownictwem Komunistycznej Partii

Zachodniej Ukrainy. Kilku robotnikom bardzo się nie podobał kierunek, w którym szedł niejaki Osyp Kiryłyk, znany skądinąd Popielskiemu jak zły szeląg. Inni – przeciwnie – mocno ten kierunek popierali. Doszło do kłótni, a gdyby było więcej wódki, pewnie na pyskówce by się nie skończyło.

Na więcej alkoholu Andrukiewicz jednak swoim ludziom nie pozwolił. Wycałowali się serdecznie z towarzyszami z Łucka i wyszli za podwórko w krzaki, gdzie wszyscy, włącznie z Popielskim, zgodnie oddali mocz przed podróżą. Edward usłyszał, jak mówią, że zaraz opuszczą miasto. Już wcześniej – z dochodzących do niego rozmów przy stole – zorientował się, gdzie się znajdują.

Potem zajęli miejsca w nowo wyszykowanym pojeździe. Najpierw jeden człowiek wpełzł na budę pod poluzowaną nieco płachtę brezentu. Znalazł się właśnie w owym pokoiku – w wolnej przestrzeni pomiędzy szoferką a sześcienną bryłą skrzynek zajmujących ponad połowę paki. Potem przepchnęli tam Popielskiego, który miał ręce związane postronkiem tak ciasno, że zbielały mu dłonie. Jako ostatni wlazł Andrukiewicz. Dwaj pozostali ludzie przywiązali mocno linami brezent do burty i wsiedli do szoferki. Gdyby ich zatrzymali żołnierze Korpusu Ochrony Pogranicza i podnieśli z tyłu plandekę, zobaczyliby zwartą ścianę skrzynek z butelkami. Mało komu chciałoby się męczyć w tym upale i wyciągać z ciężarówki wszystko, aby sprawdzić, czy ktoś czegoś nie przemyca.

Ruszyli. Samochód trząsł się na wybojach, a parciane pasy zabezpieczające skrzynki napinały się i skrzypiały przeraźliwie.

Popielski dochodził do siebie powoli. Głód przenikał mu wnętrzności jak cienkie ostrze. Ostatni posiłek, jaki spożywał, to kiełbasa i bułki, które mu w Radomiu kupił szofer Marian. Roił o różnych potrawach, które teraz mógłby zjeść na wolności. Wyobrażał też sobie, jak bardzo ma brudne ubranie, jak już niedługo zaczną śmierdzieć mokre plamy po moczu na spodniach. Podczas załatwiania czynności fizjologicznej trudno obiema związanymi rękami utrzymać przyrodzenie we właściwej pozycji.

Andrukiewicz zapalił zapalniczkę i w świetle jej płomienia przyglądał się Edwardowi.

– Ksawciu – odezwał się do swojego podwładnego. – Rozwiąż mu sznurek. My szanujemy jeńców, nie jak białopolacy, którzy zamęczyli dziesiątki tysięcy naszych po wojnie.

Pociągnął łyk wódki z butelki i skierował jej szyjkę w stronę Popielskiego. Ten pokręcił przecząco głową. Przypomniał sobie, że kolejarze, którzy porwali Tyzenhauza, nazywali się Ksawery Składnik i Henryk Jugerman. Kiedy mu rozwiązano ręce, zgasł płomień.

Zaczął masować uwolnione od więzów nadgarstki. Krew napłynęła do nich ledwo wyczuwalnie, ale w głowę uderzyła nagle gorącą falą. Myśl o kolejarzach pierzchła pod wpływem niepokoju, który go nagle zaczął dławić.

– Gdzie jest moja kuzynka i moje dziecko? – wychrypiał.

– Widzę, że już panu wróciła trzeźwość po eterze – skonstatował kapitan w ciemności. – No, to możemy sobie pogawędzić. Pierwszy przystanek za Hoszczą, to niecałe cztery godziny jazdy stąd. Będziemy około drugiej. Mamy zatem czas, panie poruczniku.

– Gdzie moja...

– W bezpiecznym miejscu i jedna, i druga. – Głos Andrukiewicza był lekko zniekształcony przez alkohol. – Dziecko we Lwowie pod opieką służącej Hanny. Albo też u niej na wsi.

Popielski odetchnął z ulgą.

– A panna Leokadia jest już w tym miejscu, do którego zmierzamy... – zdrajca zapalił papierosa, a w świetle płomienia ślina zabłysła mu na wargach. – Pojechała z moimi ludźmi. Grzecznie, z fasonem. Nie opierała się zbytnio, zwłaszcza że jej powiedzieli, iż do pana ją wiozą. Jest bezpieczna, chyba że pan będzie nierozsądny. A jeśli okaże się pan nierozsądny i spróbuje stąd uciec albo walczyć z nami w ciemności, wykorzystując swoje chwilowo wolne od więzów ręce, to...

Samochód zakołysał się, jakby najechał na coś miękkiego.

– To wtedy będę ją gwałcił, panie poruczniku – szepnął w ciemności Andrukiewicz. – Od przodu i od tyłu. Jest jeszcze bardzo powabna. Zadbana, pachnąca, taka arystokratyczna. Będę do niej przychodził. Bił i rozkładał na stole. I tak dzień w dzień. Po dwa razy. Aż mnie pokocha swym całym burżuazyjnym sercem.

Ksawery parsknął śmiechem.

– A jeśli pan się powstrzyma od głupich działań – sapał kapitan, jakby się podniecił własnymi słowy – to i ja się też powstrzymam. Nie mam już dwudziestu lat. Nie muszę dwa razy dziennie, jak na przykład Ksawery... Co, Ksawciu?

Odgłos głuchego klepnięcia w plecy. A potem wesołe okrzyki.

– To jak? Zostanie pan ze mną? Wszystko będzie cacy, a rano przywita się pan z kuzynką. I razem...

– Skrzywdzili ją pańscy ludzie? – przerwał mu Edward w pół słowa. – Co z nią? W jakim jest stanie?

Wyrzucał z siebie te pytania. Czuł wstrętną woń bijącą z własnych ust – pomieszanie wymiocin, słodyczy eteru i żołądkowych kwasów. Ryknął silnik, jakby auto przyśpieszyło.

– Nikt jej nie skrzywdził! – W głosie Andrukiewicza zabrzmiał twardy ton. – Komuniści nie są bardziej zwierzętami niż białopolacy. Wie pan, co Żydówkom i Ukrainkom robili pańscy rodacy z oddziałów Listowskiego albo Bułak-Bałachowicza?

Popielski wiedział. Nie powiedział ani słowa.

– Powiedziałem „pańscy", bo ja sam jestem Litwinem – rzekł z mocą kapitan.

Zapadła cisza.

– Nikt jej nie zhańbił, ponieważ taki dałem rozkaz. – W jego głosie zabrzmiała groźba. – I nikt jej nie zhańbi, chyba że go cofnę.

Popielski poczuł ruch powietrza wokół swoich ust.

– Papierosa? – usłyszał.

– Dziękuję, nie! – na myśl o dymie zrobiło mu się niedobrze.

Jego rozmówca najwyraźniej pił i palił prawie równocześnie. Zacharczało jego gardło przemywane wódką, a dym wszedł mu w płuca jakby z westchnieniem.

– Jak pan pamięta, miałem jej pilnować we Lwowie na rozkaz pułkownika. – Andrukiewicz chuchnął po potężnym łyku i chyba się lekko przesunął, bo głos dochodził nieco z innej strony. – Tom pilnował. Przedwczoraj rano Schaetzel wzywa mnie do Warszawy. Przez telefon mówi mi tylko tyle, że wraca pan z ważnej misji i mamy się spotkać we trzech, by przeprowadzić jakąś akcję, która by w końcu zmusiła Włodka, to znaczy porucznika Chorążuka, do zeznań. Przyjechałem więc...

W jego głosie pojawił się teraz jakiś obleśny ton. Jakby w gardle zachlupotała ślina.

– Warszawa zawsze nastraja mnie romantycznie. Już następnego dnia nabrałem wielkiej ochoty na małą Alicję, którą pan tak pięknie nazywa Sybillą. Była sama, jej stryj w Juracie. Pojechałem do niej z kwiatami. A ona mi powiedziała, że pan do niej telefonował. Zrozumiałem, że dostałem niespodziewany prezent od losu. Przyniosę towarzyszowi Zaranowi-Zaranowskiemu na tacy jego znienawidzonego wroga, co będzie dla naszych osłodą po aresztowaniu Chorążuka. Opuszczę z tarczą tej Kraj Przywiślański, już i tak wiele w nim zrobiłem dla mojej prawdziwej duchowej ojczyzny, Kraju Rad. To było rozsądne, tym bardziej że w Warszawie wciąż byli moi pretorianie, gotowi do pomocy, prawda, Ksawciu?

Ksawery Składnik mruknął coś przez sen.

Teraz do wypowiedzi Andrukiewicza znów wrócił twardy ton.

– Jestem komunistą i będę walczył z kontrrewolucją! Ale nawet bokser może walczyć tylko wtedy, gdy ma wokół siebie trochę powietrza. A pan, poruczniku, zabrał mi to powietrze. W zamian więc... Jutro, może pojutrze przekroczymy razem granicę. Zabiorą się do pana nasze sowieckie zuchy. I wtedy to pan będzie miał mało powietrza. Niech pan mi wierzy, ciężko się oddycha w naszych tiurmach. – Ziewnął potężnie. – Idę spać, Edziu! Dawaj łapę, przywiążę ją do skrzynek. Nie będę cię tak strasznie krępował. Jedną ci tylko przywiążę. No, dawaj! Znam taki węzeł, że go nie rozplączesz drugą!

Popielski się zawahał. Nie miał wyjścia. Musiał podać mu rękę. Andrukiewicz przywiązał ją po omacku, a potem pstryknął zapalniczką. Zadowolony z efektu, opadł na ławkę i po chwili zachrapał. Musiał chyba kiedyś być marynarzem, skoro na ślepo wiązał węzły.

Popielski miał jedną rękę wolną. Najprościej byłoby teraz uklęknąć, wymacać komunistę, wyrwać butelkę z jego ręki, zbić ją i poderżnąć mu gardło. A potem zająć się Ksawerym. Zaraz stłumił w sobie ten zapał.

Musiałbym być cyrkowcem, by jedną ręką ogłuszać, wyrywać butelki i podrzynać gardła – pomyślał trzeźwo. – Walkę w budzie wygrałbym tylko wtedy, gdybym zabił ich obu, co w tych ciemnościach i jedną ręką niepodobna. Wystarczy, że któryś z nich krzyknie, a zaraz się szofer zatrzyma, wyskoczy tu wraz ze swym kompanem i będę musiał walczyć nie z dwoma, lecz z czterema! Zemsta tego bolszewika może być straszna. Zwiąże mnie jak snopek i przemyci jakoś przez granicę w tej czy innej budzie albo i pod budą. A Leokadię odda swoim hajdamakom!

Pozostawało mu tylko jedno wyjście. Odtworzył sobie w głowie słowa Andrukiewicza: „Pierwszy przystanek za Hoszczą to niecałe cztery godziny jazdy stąd".

„Stąd", czyli z Łucka. Miał wciąż na przegubie zegarek marki Eberhardt. Nikt mu go nie zabrał, choć ukraińscy towarzysze z Łucka łakomie nań zerkali. Teraz spojrzał on. Fosforyzujące wskazówki mówiły, że jechali już dwie godziny, a więc pokonali połowę drogi. Wytężał teraz swoją pamięć, czemu nie sprzyjał ani głód, ani ból głowy, który nagle zaczął nim szarpać.

Gdzie jest ta Hoszcza i jakie miasta i wioski leżą pomiędzy nią a Łuckiem? – zadawał sobie pytania.

Niestety, ten pierwszy wołyński toponim nie mówił mu absolutnie nic. Usiłował z całej siły umysłu przypomnieć sobie geografię Wołynia, którą studiował, gdy przybył tu pięć lat temu z misją zwaną „Dziewczyna o czterech palcach".

Do najważniejszego wniosku doszedł po dłuższej chwili. Ze słów Andrukiewicza wynikało, że zbliżają się do sowieckiej granicy i że zdrajca chce ją przekroczyć możliwie szybko. Z Łucka nad granicę można się było dostać – to sobie akurat przypomniał – tylko dwiema dobrymi drogami. Jedna prowadziła na Równe, a druga na Dubno.

Dobrymi, czyli takimi, na jakich tak bardzo nie trzęsie – uzupełnił w myślach swoje rozumowanie. – Takimi, jakimi teraz właśnie jedziemy...

W obu tych miastach znajdowały się wojskowe garnizony. Zrozumiał, że ma tylko jedną szansę. I wtedy podjął decyzję.

Wstał i wymacał w ciemności parciane pasy rozpięte pomiędzy podłogą a sufitem. Były zapinane na klamerki jak pasek u spodni. Operując tylko jedną ręką, rozpiął cztery takie klamry. Huk silnika wytłumił jego kroki i manipulacje. Modlił się, by samochód nie zahamował zbyt wcześnie – kiedy jeszcze on nie będzie gotów do ataku.

Przez szpary w plandece zaczęły teraz przeciskać się lekkie promyki zamglonego światła, a wóz zaczął się mocniej trząść. Blask latarń i kocie łby. Wjeżdżali do jakiegoś miasta. Dubna lub Równego. Popielski usiadł szybko na podłodze z drugiej strony „pokoju", gdzie pasy były wciąż nienaruszone.

Andrukiewicz i Składnik wykazali się zwierzęcym instynktem. Obudzili się w jednej i tej samej chwili.

– Cicho – szeptał kapitan. – Bo strzelę ci w kolano. Wiesz, jak to boli?

Edward nie wiedział i nie chciał wiedzieć. Po kwadransie ciężarówka przestała podskakiwać, a żółte plamy znikły. Obaj komuniści sapnęli z wyraźnym zadowoleniem. Silnik ryczał. Auto nabierało szybkości. Skrzynki niebezpiecznie zatrzeszczały, jakby się chciały przesunąć.

Jechali znów w ciemności po równej nawierzchni. Auto chwilami podskakiwało, jakby najechało na coś miękkiego – pewnie martwe zwierzątko. Popielski modlił się o dwie rzeczy: po pierwsze, aby nie wpakowali się w jakąś dziurę, leśną zwierzynę albo w inną nieoczekiwaną przeszkodę, po drugie zaś – aby przejeżdżali przez jeszcze jedno miasto.

Minęła kolejna godzina, a temu drugiemu pragnieniu Edwarda stało się zadość. Mdłe światło latarń przedostało się przez dziury w plandece nad szoferką i pełzało przez chwilę po suficie. Andrukiewicz znów się obudził. Patrzył na więźnia, trzymając broń w pogotowiu. Było to małe miasto, bo po kilku minutach światła zgasły. Popielski zdołał jeszcze dostrzec, że Andrukiewicz zamyka oczy.

Zapadła ciemność. Furgonetka nabierała pędu. Jechała już pełnym gazem, kołysząc się nieco na boki.

To była chwila, na którą czekał. Moment kiedy samochód będzie jechał szybko, a dwaj jego strażnicy się rozluźnią.

– Mogę zapalić? – zapytał Popielski. – Dacie mi papierosa?

– Masz – odezwał się kolejarz Ksawery.

Edward wymacał w powietrzu jego dłoń. Zatrzeszczała zapałka potarta o draskę, huknął głuchy odgłos wyciąganego z butelki korka. W świetle płomienia dostrzegł poruszającą się grdykę Andrukiewicza, gdy ten pił wódkę.

Z całej siły chwycił za denko i pchnął butelkę w górę. Usłyszał zgrzyt i wrzask bólu. Na dłoni poczuł wilgoć i jakiś piasek albo mały kamyk zastukał o podłogę. Pewnie wybity ząb.

Andrukiewicz się darł jak człowiek w męczarniach. Popielski poczuł, że Składnik usiłuje go złapać za pasek u spodni. Przesunął szybko dłoń po butelce – od denka do szyjki. Była pokryta lepką cieczą – śliną lub krwią zdrajcy. Wyślizgnęła mu się z dłoni i o coś uderzyła. Wokół prysnęła wódka i zabrzęczały kawałki szkła. Andrukiewicz w odróżnieniu od swego kompana Chorążuka był niezbyt odporny na ból.

– No, usłysz to, kurwa, i hamuj! – Edward wypowiedział te słowa jak modlitwę.

Szofer, słysząc wrzaski Andrukiewicza, gwałtownie wcisnął hamulec. Wokół rozległ się trzask drewna. Skrzynki z butelkami piwa runęły. Ku zdziwieniu kapitana nie napotkały żadnego oporu. Parciane pasy ich nie powstrzymały, bo były rozpięte. Ciężkie kolumny szkła i drewna wywracały się, miażdżąc wszystko dokoła. Ale upadały tylko tam, gdzie je Popielski wcześniej poluzował. Tylko tam, gdzie teraz byli obaj komuniści. Drewno pękało, piwna piana buchała wokół, ludzie jęczeli. A potem przestali.

Popielski wymacał wolną ręką jedną z butelek i trzasnął nią na oślep. Szkło prysło, a piana się wzburzyła na jego dłoni. Najechał od wewnątrz na napięty brezent bandyckim tulipanem, jak nazywano szyjkę butelki z poszarpanym szkłem, i mocno nacisnął. Przerwał materiał z trzaskiem, który był niesłyszalny przy wciąż włączonym silniku.

Potem zajął się swym powrozem. Niełatwo było go przeciąć w ciemnościach. Wzburzony, nie czuł nawet ran na nadgarstkach, które sam sobie zadawał. Wiedział jednak, że nie pójdzie w ślady swego ulubionego Seneki, który rozpruł żyły w samobójczym akcie. Mimo wszystko jego przegub jest teraz chroniony przez pasek zegarka.

– Ksawery! Panie kapitanie! – słyszał głosy.

Powróz w końcu puścił. Popielski rozerwał brezent obiema rękami i wyskoczył z samochodu. Pod stopami i kolanami poczuł miękką ziemię. Było to jedno z najmilszych dotknięć ostatnich lat. Przed sobą w porannej mgle widział rów, a po obu stronach szosy kępy drzew.

– Patrz, łysy ucieka! – usłyszał wrzask. – Wal do niego!

Gruchnął strzał. Popielski rzucił się w stronę drzew, ściskając w dłoni stłuczoną butelkę po piwie, która była jego jedyną bronią. Bolała go noga, ale mógł biec. I biegł, biegł, kuśtykał, potykał się i podnosił. Sunął wśród krzaków, zapadał się w podmokły grunt śmierdzący wilgotną i gnijącą roślinnością, pluskał w jakichś bulgocących błotach, aż ciężko dysząc, dopadł zagajnika i przykucnął za jakimś pniem, wciąż dzierżąc w dłoni swoją broń. I wtedy od strony samochodu doszedł potężny głos. Ryk samca, który oznajmia całemu światu swoją żądzę.

– Będę ją ruchał, Popielski – doszedł od samochodu potężny głos. – Nabiję ją na mój pal!

Niestety, Andrukiewicz nie był połamany.

LUDWIPOL, POWIAT RÓWNE, WOJEWÓDZTWO WOŁYŃSKIE, PORANEK NASTĘPNEGO DNIA

O CZWARTEJ NAD RANEM BYLI W LUDWIPOLU, małym miasteczku oddalonym od granicy sowieckiej o osiemnaście kilometrów. Liczyło ono niewiele ponad tysiąc mieszkańców. Był w nim kościół katolicki i urząd gminy wyposażony w telefon. Ludwipol – rzucony w wołyńską głuszę, otoczony lasami od zachodu, bagnami od wschodu, a rzeką Słucz od północy – był niegdyś idealnym miejscem dla szpiegów i przemytników, którym nie mógł skutecznie przeciwdziałać jeden jedyny stacjonujący tu policjant. Przed dwoma laty wybudowano jednak za Słuczem stanicę wojskową Korpusu Ochrony Pogranicza, która mocno ograniczyła swobodę działań przemytników i dywersantów. Żołnierze często bywali w miasteczku i mieli oczy szeroko otwarte.

Choć niebo było teraz mgliste i zachmurzone, to zabudowania koszar wyraźnie od niego odcinały. Widział je mocno potłuczony kapitan Andrukiewicz, gdy mała ciężarówka wjechała za bramę składu tartacznego, nad którą szyld głosił: „Listwin-Ludwipol Spółka Akcyjna".

– Zdążyliśmy, jeszcze nie zaczęli pracy. – Odsapnął, poślinił palec i starł zaschniętą ciemną strużkę, która kilka godzin wcześniej wydostała się na policzek z zębodołu.

Wytoczył się z samochodu, a szoferowi kazał czekać. Z biura tartaku wyskoczył niewysoki tęgi mężczyzna i podbiegł do przybysza, kiwając się nieco na boki. Był ubrany w spodnie pumpy i w białą koszulę rozpiętą pod szyją. Jedwabne podkolanówki takiegoż koloru oplatały grube łydki, które wychodziły z modnych dziurkowanych trzewików. Pod wydatnym nosem rozciągała się długa szpara, a powyżej, obok niego – dwie inne. Były to usta i oczy szefa tartaku Bazylego Szeremetiuka.

Potrząsał on teraz mocno prawicą Andrukiewicza. Ten dał znak szoferowi, by wyszedł z auta. Jego człowiek uczynił to, podszedł do burty ciężarówki i krzyknął coś przez dziurę, wyszarpaną w plandece przez Popielskiego. Wylazł stamtąd „kolejarz" nazwiskiem Jugerman.

– To od pana znajomego, co przyjechał tu przedwczoraj. – Szeremetiuk wręczył mu kartkę papieru. – Z damą i z dwoma żołnierzami, których zaraz przebrałem w cywilne ciuchy. Potem on zostawił wszystkich i zawrócił. Nie rzekł słowa, skąd przyjechał ani dokąd wyruszył, a ja nie pytałem. Dopiero jeden z obstawy damy powiedział mi, że przybyli z Równego.

Alkohol działał coraz słabiej. Ból zęba stawał się dotkliwy i mącił myśli przybysza. Wyraz jego twarzy układał się w znak zapytania.

Równe? Jakie Równe? – myślał gorączkowo.

– No, ten oficer, co mnie wynajął – wyjaśnił gospodarz miejsca z pewnym zniecierpliwieniem, które naraz zamieniło się w troskę: – Co się panu stało w twarz?

Andrukiewicz przeklął w myślach swoje chwilowe zaćmienie. Oczywiście doskonale wiedział, o kogo chodzi. To był porucznik Filip Djaczewski, wykładowca w szkole wojskowej w Hoszczy. Jednostka ta o pełnej nazwie Szkoła dla Niezawodowych Oficerów Piechoty przy I Brygadzie Korpusu Ochrony Pogranicza, przy III Batalionie Granicznym została niedawno zorganizowana w tym miasteczku nad Horyniem. Djaczewski – usadowiony w samym sercu południowo-wchodniego Wołynia – używał kryptonimu „Cezary". Andrukiewicz poznał go kilka lat wcześniej na tajnym szkoleniu wywiadowczym w Łucku. Odetchnął z ulgą.

– Miałem pewne kłopoty – powiedział i otworzył usta, w których od razu rzucała się w oczy dziura po górnej jedynce. – Zaraz się zemszczę na tym, kto mnie w nie wpędził. Gdzie jest dama?

– Nie dało się jej tu trzymać – odparł Szeremetiuk. – Ze swoją elegancją i manierami zbytnio rzucała się w oczy. Nie mogła zrobić dwóch kroków, bo proste chłopaki z tartaku zaraz głupio dowcipkowały. Zawiozłem ją piętnaście kilometrów stąd, do opuszczonej wioski Zawołocze koło moich zakładów w Hucie Bystrzyckiej. Jest tam od dwóch dni. Pilnują jej dwaj pańscy ludzie, ci żołnierze, co ją przywieźli z Równego pod wodzą oficera. Nocują wszyscy troje w starej, rozpadającej się cerkiewce. To dobre miejsce i bezpieczne, choć komfort tam niewielki. Mieszkańcy Zawołocza, wyłącznie katolicy, nie dbają o tę świątynkę i nawet tam nie zachodzą. – Zachichotał. – Nie jest to Hotel George'a we Lwowie, a i pająków tam pewnie niemało. Ale zapewniam, tutaj nie mogłem ich trzymać. Zbyt wielu ciekawskich.

Tartacznik wskazał głową na dwóch mężczyzn, którzy wyciągali teraz z budy jęczącego Składnika.

– Chyba jednak nie wszystko w porządku? – zapytał, po czym zawołał do nich. – Do biura z nim! Za moim gabinetem jest pokoik z kanapą. Tam go zanieście!

Spojrzał pytająco na Andrukiewicza.

– Przewróciły się na nas skrzynki. – Kapitan zrozumiał to spojrzenie. – Jednemu z moich ludzi złamały nogę, mnie wybiły ząb. Szofer wraca z chorym do Łucka, a ja idę tylko z nim. – Wskazał głową na Jugermana.

Szeremetiuk opuścił brodę. Jego policzki obwisły, odsłaniając w ten sposób uszy, do tej pory niewidoczne, jeśli się patrzyło na niego *en face*.

– Zgodnie z umową, którą zawarłem z pańskim znajomym z Równego, mam przerzucić przez granicę trzech, którzy przyjadą z Łucka, i damę z dwoma pilnującymi ją strażnikami. Pięciu mężczyzn i kobieta. Razem sześć osób. – Głośno myślał. – A tu się okazuje, że będzie o jedną osobę mniej.

Szparki jego oczu i ust lekko się poszerzyły.

– Ale płaci pan za sześć – zaznaczył ostrym tonem. – O rannych nic nie stało w umowie!

– Tak – odparł sucho kapitan. – Nie czas na targi. Zapłacę za sześć osób.

– Dobrze, pieniądze odbiorę od pana w Zawołoczu, kiedy wyruszymy.

– Pan też idzie z nami przez las? – Kapitan patrzył ze złośliwym uśmieszkiem na strój i pękatą sylwetkę Szeremetiuka. – Będzie się pan tam pchał? Skarpetki pan sobie jeszcze poszarpie!

Szef tartaku cofnął się i spojrzeniem zmierzył Andrukiewicza od stóp do głów. Jego owłosione nozdrza rozdęły się jak u byka.

– Ufa pan swojemu znajomemu z Równego, który mi zaproponował ten interes? – syknął. – Ufa pan, że wybrał mnie jako właściwego człowieka? Bo jak nie, to proszę pojechać do niego i mu to powiedzieć. Że źle zrobił... No, proszę mu to powiedzieć! Nie wydaje mi się, aby zniósł to spokojnie. On chyba bardzo nie lubi, jak mu się sprzeciwiają! Znam go dobrze, choć nie wiem, jak się naprawdę nazywa. Przedstawia mi się zawsze jako „Człowiek z Równego”. Mówimy sobie na ty, ufamy bezgranicznie, bo od wielu lat obaj wspólnie działamy na pograniczu. Ja szmugluję różne towary, w tym i ludzi, a on też tu ma jakieś sprawy, o których nie wiem i nie chcę wiedzieć.

Kapitan pokiwał ugodowo głową. „Cezary” rzeczywiście nie znosił, gdy ktoś kwestionował jego decyzje.

– I jeszcze jedno – mruknął Szeremetiuk. – Od teraz do momentu przekroczenia granicy o wszystkim, o pańskich ludziach i o damie, decyduję ja i tylko ja, zrozumiano?

– Aha... – Andrukiewiczowi nie mogło przejść przez gardło „tak jest!”.

– Nie słyszę! – cienki głos tartacznika wzniósł się o rejestr wyżej. – I szybciej, bo musimy jechać. Zaraz przyjdą do pracy ludzie!

– Tak jest! Pan tu dowodzi!

Kapitanowi w końcu przeszło to przez gardło.

KUŚTYKAŁ ZAKURZONĄ SZOSĄ NA POŁUDNIE i wciąż myślał o marnych szansach na powodzenie przedsięwzięcia, które jednak jakoś się powiodło. Był bezgranicznie zdumiony łaskawością losu. Tej nocy zaszła kumulacja zdarzeń, z których żadne nie wystarczyłoby do sukcesu w pojedynkę, a zajście ich wszystkich naraz – to już prawie niepodobieństwo. Po pierwsze, udało mu się w zupełnej ciemności rozpiąć pasy zabezpieczające ładunek, po drugie, doprowadził w wyniku ataku na Andrukiewicza do gwałtownego hamowania samochodu, a po trzecie, w końcu potężne stukilogramowe kolumny zbudowane ze skrzynek z butelkami pełnymi piwa runęły, miażdżąc jego przeciwników. Największym łutem szczęścia było zdobycie bandyckiego tulipanu. Przecięcie nim postronka na nadgarstku i rozdarcie plandeki to już była drobnostka. Wahanie komunistów, czy pomagać towarzyszom, czy też gonić zbiega, było również darem losu, bo zyskał kilka minut bezcennego czasu. Bezgwiezdna noc nad Wołyniem, utrudniająca pościg i ustrzelenie uciekiniera, dopełniła dzieła.

Myśl o szansach i prawdopodobieństwie dała mu – niestety, zbyt krótką – chwilę wytchnienia pomiędzy napływami gniewu i rozpaczy. Wiedział, że po całej serii szczęśliwych zdarzeń musi nastąpić coś, co będzie kulminacją zła, co wepchnie go w otchłań cierpienia. Wiedział, że dla niego będzie to gwałt zdrajcy na Leokadii. Oczyma wyobraźni widział jej podartą sukienkę, napuchniętą twarz, krew i łzy zaschnięte na posiniaczonych policzkach. Żołądek podchodził mu do gardła, gdy wyobrażał sobie jej włosy – zawsze tak zadbane, układane codziennie rano przed lustrem – owinięte wokół brudnych paluchów i pięści, gdy ją bolszewicy będą ciągnąć po klepisku w jakimś chlewie. Najgorszą zmorą stał się pal, oblepiony krwią i smołą, na którym w jego wizji Leokadia drga w agonii.

Ta przerażająca wizja dławiła go i tkwiła mu wciąż pod powiekami. Nie mógł dopuścić do jednego – by ów upiorny fantom zagłuszył inne jego myśli, by zaburzył logikę działania. Jeśli tak się stanie, to nastąpi najgorsze – zamieni się w nędzną duszyczkę, użalającą się nad sobą i pełną tchórzliwej rezygnacji. Musiał zrobić wszystko, aby te obrazy udręczenia Leokadii wróciły tam, skąd przyszły – do piekła.

Zaciskając zęby, brnął wśród pyłu wiejskiej drogi. Nie myślał o rozoranej łydce, którą spływająca krew oblepiła czerwoną podkolanówką, ani o krwawych piekących pręgach na nadgarstku, którymi sam się naznaczył, szarpiąc postronek. Skupił się tylko na jednym: dotarciu do jakiegoś miejsca, skąd mógłby zatelefonować do Schaetzla. I na tym, żeby podpułkownik zarządził blokadę granicy, bo Andrukiewicz – taką przynajmniej Popielski miał nadzieję – poganiany przez czas i skoncentrowany na ucieczce, pewnie zostawi sobie Leokadię na deser jako nagrodę dla wojownika, kiedy już się znajdzie po sowieckiej stronie.

Wiejska droga doprowadziła Edwarda do całkiem porządnej szosy. Za nią, w oddali, majaczyła kopuła cerkwi i kryte strzechą chałupy. Jeśli tylko geograficzne rozważania, które prowadził w ciemnościach ciężarówki, były choć częściowo słuszne, to powinien znaleźć się w wiosce na jednej z głównych wołyńskich dróg prowadzących do granicy – albo z Dubna, albo z Równego.

Przekroczył szosę i ruszył w stronę osady. Było wpół do szóstej. Słońce wiszące po jego lewej ręce ledwo dawało o sobie znać ukryte za spęczniałą watą chmur. Po lewej pojawiły się jakieś zabudowania – mur i brama folwarku.

Wyjechał z niej parobczak na koniu. Ruszył kłusem w stronę wędrowca, który wlókł się w brudnym, poplamionym krwią garniturze. Zatrzymał się przed nim gwałtownie. Miał około trzydziestki, okrągłą twarz, tatarskie wąskie oczy i mocny, szczecinowaty zarost na twarzy. Spojrzał z najwyższym zdumieniem nie na rozdartą łydkę wędrowca, lecz na jego elegancki zegarek na poszarpanym skórzanym pasku.

– Dobry deń – powiedział Popielski po ukraińsku.

– A dobry, dobry deń.

Jego ton był nijaki, obojętny, mógł zapowiadać wszystko: równie dobrze pomoc, jak i rabunek. Edward zaczął szukać w głowie ukraińskich słów, jakie mu zostały po nauce tego języka w cesarsko-królewskim gimnazjum w Stanisławowie.

– Bandyty napały na mene. – Znalazł te, które mu były potrzebne, i wskazał dłonią najpierw na chałupy, a potem na drogę. – Jake to seło? W jaku storonu ta doroha prowadyt?

– Fedoriwka, pane – odparł mężczyzna. – A doroha prowadyt do mista Braniw.

Nawet gdyby nic nie powiedział, to miałoby to dla Popielskiego taką samą – zerową – wartość informacyjną.

– Na Braniw to tam czy tam? – wskazał na wschód i na zachód.

– Braniw tam. – Parobek wykonał takie same gesty jak Popielski i w identycznej kolejności. – A tam to Riwne, pane.

Popielski aż podskoczył.

– Posłuchaj, człowieku! – krzyknął w podnieceniu po polsku, aż wierzchowiec się wystraszył, jakby nie lubił urzędowego języka. – Posłuchaj! Ja muszę do Równego, pożycz mi konia! Umiem jeździć, jestem żołnierzem! Zapłacę! Dobrze zapłacę!

Zaczął uderzać się po kieszeniach. Jeździec skrzywił się lekko.

– Ja do pracy, na pole! Mnie już czas! – zawołał po polsku. – Poszedł won, pijak!

Edward zdjął zegarek. Parobek nagle przestał się śpieszyć.

ZAWOŁOCZE POD HUTĄ BYSTRZYCKĄ,
GMINA LUDWIPOL, POWIAT RÓWNE,
WOJEWÓDZTWO WOŁYŃSKIE, POŁUDNIE

JECHALI PRAWIE TRZY GODZINY FURMANKĄ. Andrukiewicz i Szeremetiuk siedzieli na ławie, jaką tworzyła gruba deska opierająca się na burtach wozu. Jugerman zajął miejsce obok woźnicy, ukraińskiego robotnika tartacznego. Droga wiodła najpierw przez pola, a potem przez sosnowy las – pachnący żywicą i pełen pustych przestrzeni po wyrębie drzew. Co chwila przystawali i Ukrainiec usuwał mniejsze lub większe kłody leżące w poprzek leśnego duktu.

Szeremetiuk milczał. Na wszystkie próby podjęcia rozmowy przez Andrukiewicza reagował monosylabami. Ten, sądząc, że szef tartaku się pogniewał, zganił w myślach sam siebie za głupi docinek o skarpetkach, którym go pewnie uraził. Wiedział, że Djaczewski miał doskonałe rozeznanie w tutejszych warunkach. Kwestionowanie kompetencji ludzi, z którymi współdziała „Cezary" – jeden z najlepszych agentów Moskwy, umocowany w samym sercu Wołynia – było ze strony Andrukiewicza zupełnie nieuprawnione, choćby ci współpracownicy wyglądali, jakby ich żywcem wzięto z operetki, tak jak ten ekscentrycznie ubrany elegant w wołyńskiej puszczy.

No cóż... – pomyślał kapitan. – Niech nie będzie taki obrażalski, grubas jeden, w końcu dobrze mu płacę.

Wstał i przeniósł się na tył wozu, pozostawiając Szeremetiuka samego. Nie dbał o to, że szef tartaku może się jeszcze bardziej obrazić. Miał teraz teraz na głowie ważniejsze sprawy.

Z kieszeni wyjął notes i ołówek. Otworzył kopertę kieszonkowego zegarka i wyciągnął mały kartonik. Był to prosty i jednorazowy klucz do szyfru. Wcisnął binokle na nos i otworzył list od „Cezarego". Deszyfrował przez kwadrans, a znacznie krócej uczył się treści na pamięć:

Wiadomość dla przewodnika: Dzień targowy, wioska Szopy po radzieckiej stronie. Wiadomość dla przezgranicznika: dom w Szopach, tuż przy ujściu Pereweźnej do Słucza. Tam czekać. Hasło znane.

Niechcący czubkiem języka dotknął fragmentu ułamanego zęba. Ból sięgnął mózgu palącym promieniem. Potarł zapałkę o draskę – zapalniczka zginęła mu w czasie szarpaniny z przeklętym Popielskim. Wiatr, który po załamaniu pogody mocno dmuchał, nie pozwolił mu spalić listu i klucza do szyfru. Zmiął wszystko w kulkę i cisnął w krzaki, po czym wrócił na swoje miejsce.

– Wieś Szopy, mam tam być w dzień targowy – powiedział do Szeremetiuka. – Kiedy to będzie?

– Dzień po pojutrzu – ten odpowiedział bardzo precyzyjnie. – Dzisiaj dostanę wieści od moich posłańców. Jeśli będą dobre, śpimy z Zawołoczu w cerkiewce i wyruszamy jutro z samego rana. Jeśli będą złe, wyruszamy już przed północą...

Wjechali do Huty Bystrzyckiej, dużej wsi składającej się może z pięćdziesięciu domów. Były tam sklep, karczma, kościół i oczywiście młyn i tartak firmy Listwin-Ludwipol S.A. Andrukiewicz, którego przodkowie zajmowali się myślistwem i zbieractwem w Puszczy Nalibockiej, wiedział, skąd ta dziwna nazwa „huta". Niegdyś mieszkańcy tej osady, podobnie jak jego antenaci, wydobywali na torfowiskach i spod darni brązowy piasek i wytapiali go w prymitywnych dymarkach. Tę starożytną metalurgię rud żelaza do dziś praktykowano na tych terenach.

Ale już niedługo, niedługo – pomyślał Andrukiewicz z nadzieją. – Tym przestarzałym metodom położy kres socjalistyczna gospodarka wielkoprzemysłowa. A ona obejmie te zacofane ziemie i uświadomi ich mieszkańców.

Szeremetiuk przerwał mu futurystyczne rozważania i pokazał drogę do Zawołocza.

– To tylko kilometr, nie mogę was tam zawieźć. Tu wszyscy muszą wiedzieć, że jesteście najemnymi parobkami do żniw, których podwiozłem z życzliwości, a jestem tu powszechnie z niej znany. – Parsknął śmiechem. – Przejdziecie przez rzeczkę Wydrynkę, a potem pierwsza w prawo. Za ostatnim domem po prawej znajdziecie cerkiewkę. Właściwie jest to kapliczka. Tam są już wasi ludzie z damą. Nie pić wódki, zachowywać się cicho i czekać na wiadomość. Być może w nocy wyjazd furmanką...

Pół godziny później Andrukiewicz i Jugerman wkroczyli do wioski. Była prawie pusta z powodu prac żniwnych, które mieszkańcy prowadzili na niewielkich poletkach wyrywanych z trudem puszczy. Przybysze zastukali obcasami na zmurszałych deskach mostku nad strugą Wydrynką, a po stu metrach, na rozdrożu, skręcili w prawo.

Za ostatnim domem rzeczywiście stała prawosławna kapliczka. Brakowało jej charakterystycznej kopułki, a o jej wyznaniowej przynależności świadczył jedynie bizantyjski krzyż. Zbudowana z drewna, miała w nieoczywistych miejscach jakieś załamania, daszki i okapy, jakby jej budowniczy nie znosił krągłości i był wielbicielem kantów. Od frontu kołysało się w przeciągu jedno tylko skrzydło drzwi. Okna powyżej wejścia szczerzyły się w dolnych framugach resztkami szyb.

Andrukiewicz podszedł bliżej i wykrzyknął nazwę swej rodzinnej miejscowości w Puszczy Nalibockiej.

– Iwieniec! Iwieniec!

– Kromań! Kromań! – odkrzyknięto z cerkiewki nazwę tamtejszego uroczyska.

Z budynku wyszli dwaj ludzie z pałkami i spoglądali na nieznanego sobie Andrukiewicza, którego „Cezary" nie opisał zbyt dokładnie.

– Od tego momentu ja rozkazuję. – Kapitan powtórzył słowa Szeremetiuka.

Proste chłopaki o twarzach bez żadnych krągłości, jakby wyciosanych z jednego pnia przez tego samego architekta, który stworzył cerkiewkę, patrzyły na niego tępo, jakby nie rozumiejąc.

– Założyć czapkę, ale już! Tak jak wasz kolega! – krzyknął do pierwszego z nich. – Musicie stać się podobni do miejscowych chłopów. A oni czapkę ściągają tylko do kościoła i do pierdolenia!

Mężczyzna, do którego skierowano polecenie, miał poważną, ponurą twarz, podczas gdy jego towarzysz, ubrany przepisowo, czyli w czapce na głowie, śmiał się do rozpuku.

– A dyć w kościele byłem, w cerkwi znaczy, w miejscu świętym, to i bez czapy na głowie. – Napomniany przeciągnął dłonią po rzadkich włosach.

– A co jak w cerkwi chłop pierdoli, to co? – ryczał wciąż jego kolega. – Dwa razy kiepę zdejmuje?

Ten był obdarzony fryzurą tak gęstą, że nie mieściła mu się pod nakryciem głowy. Nad niskim czołem wiły się mu loki, zawijały się ku górze i sięgały aż ceratowego daszka czapki.

Andrukiewicz nie odpowiedział. Wskazał brodą rozbite drzwi cerkwi.

– Jest tam dama?

– Jest, a co ma nie być? – Bujnowłosy znów się roześmiał, ukazując pozbawiony zębów bok górnej szczęki.

Nadeszła ta chwila. W głowie kapitana dźwięczały słowa „pierdolić w cerkwi". Poczuł dreszcz na plecach, jaki zawsze go ogarniał, gdy miał dokonać na kimś zemsty. A kiedy tym kimś była kobieta, dreszcz ogarniał jego lędźwie.

– Idę do pani, droga panno Leokadio! – krzyknął.

Słowa, które sam przecież wypowiedział, wydały mu się nagle wstrętne. Były ćwierkaniem z wyższych sfer, należały do salonowego języka elit. Ten białoruski Litwin, jak określał sam siebie, chciał do tych elit dołączyć, ale one go odtrąciły, śmiejąc się z jego nieokrzesania. Podczas wojny bolszewickiej zdezerterował z armii najeźdźcy, by przyłączyć się do Polaków. Walczył, owszem, dzielnie, uczył się z dziką zaciekłością i awansował w końcu błyskotliwie, aż znalazł się na samym szczycie, w Sztabie Generalnym. Ale wciąż – choć teraz dyskretnie i po cichu – wyśmiewano go na rautach w arystokratycznych salonach. Wciąż był uważany za Polaka gorszej próby, choć po polsku mówił lepiej niż jego koledzy – bawidamki i malowani oficerkowie z podkręconymi wąsikami.

I wtedy zjawił się w jego życiu Włodzimierz Chorążuk, pochodzący z tych samych stron, ze wsi Lichacze pod Rakowem, i z tego samego plemienia ludzi puszczy. Wspólne losy i wspólne zadawnione kompleksy scementowały ich przyjaźń. Z nim rozmawiał po białorusku, nie musiał się silić na salonowy język. Pewnego dnia, dwa lata temu, Chorążuk uświadomił mu, że Związek Radziecki nigdy nie gardzi swymi dawnymi funkcjonariuszami, potrafi im przebaczać i być dla nich bardzo hojny. I wtedy wszystko się zmieniło.

Potrząsnął teraz głową ze złością. Już nigdy wyszukanej, wytwornej polszczyzny! Teraz będzie mówił jak prości żołnierze z armii komdywa Nikołaja Sołłohuba, których tak naprawdę miał zawsze za swych braci. A ci, łupiąc pańskie dwory w roku dwudziestym, nie pytali: „Czy łaskawa pani jest ochotna?". Oni rzucali na stół szlachcianki, zdzierali spódnice, bili do krwi, szarpali i brali, co chcieli, aż do omdlenia, aż do zamęczenia!

– Ty dziwko! – ryknął czerwony z podniecenia. – Podnoś kiecę! W tej cerkwi cię wyrucham.

Nie powinien był tego mówić.

HOSZCZA, POWIAT RÓWNE, WOJEWÓDZTWO WOŁYŃSKIE, TRZY GODZINY WCZEŚNIEJ

PAROBEK O IMIENIU MAKSYM BYŁ CZŁOWIEKIEM SPRYTNYM, ale niezbyt dobrze obeznanym z zegarkami naręcznymi. Rozumował w sposób prosty: mały zegarek kosztuje mniej niż duży budzik. Dlatego, owszem, udostępnił swego konia temu obszarpanemu elegantowi, ale nie pozwolił mu samemu jechać do Hoszczy. Jeszcze ten by konia nie oddał!

Towarzyszył mu do samej bramy koszar z napisem „Korpus Ochrony Pogranicza Batalion Hoszcza". Tam odebrał zapłatę i odjechał w przekonaniu, że wyświadczył zagubionemu wędrowcowi ogromną przysługę. Tłukł się przecież piętnaście kilometrów w tę i z powrotem za głupi, pewnie pozłacany zegarek, który jest wart mniej niż budzik, nie mówiąc już o zegarze stojącym, jaki widział u hrabiny Czosnowskiej w Braniowie!

Popielski zapukał i zaraz po otwarciu bramy ujrzał dwie rzeczy: lufę karabinu oraz otwarte ze zdumienia oczy wartownika.

Cały kwadrans zajęło mu przekonywanie go. Trudno się rozmawiało z człowiekiem, który chyba nie najlepiej czytał, bo pogniecione i brudne pełnomocnictwo Popielskiego nie robiło na nim najmniejszego wrażenia i nie chciał nawet słyszeć o wpuszczeniu oberwańca na teren koszar. W końcu jednak dał się uprosić, ale tylko o to, by okazać dokument komuś wyższemu rangą.

Ku zdumieniu Popielskiego po chwili zjawił się jakiś porucznik. Miał twarde męskie oblicze aż sine od świeżo ogolonego zarostu. Mięsisty podbródek, wystający poza pasek rogatywki, nadawał mu wygląd rzymskiego centuriona. Ten imponujący obraz był jednak zaburzony elementami niewieścimi: małymi delikatnymi dłońmi i zbyt szerokimi biodrami.

– Porucznik Filip Djaczewski – przedstawił się mocnym głosem. – Dowódca kompanii szkolnej batalionu. Proszę wybaczyć, ale pański strój, poruczniku, nie wzbudził zaufania wartownika. On zresztą niezbyt rozgarnięty, ale nie mieliśmy dzisiaj lepszego. Większość żołnierzy jest na akcji. Proszę za mną.

Popielski wszedł za nim na schody prowadzące na piętro. Jego przewodnik wskazał mu drzwi z napisem „Dowódca batalionu mjr Julian Królikowski". Edward wszedł tam i zobaczył innego porucznika, który wstał, trzasnął obcasami i przedstawił się jako adiutant batalionu, po czym oznajmił, że „dowódcy nie ma, bo dowodzi w pilnej akcji przygranicznej".

Popielski przedstawił krótko swoją prośbę. Adiutant zażądał od telefonistki natychmiastowego kontaktu z biurem szefa Dwójki pułkownika Schaetzla. Jednocześnie batalionowa radiostacja nadała do niego pilny meldunek o treści: „Muszę natychmiast porozmawiać. Sprawa bardzo pilna. Popielski". Ponieważ owo „natychmiast", użyte i w meldunku, i poleceniu danym telefonistce, mogło się w praktyce równać kilku godzinom, Popielski dostał przybory toaletowe i materiały opatrunkowe, po czym udał się do oficerskiej łazienki. Tam się ogolił, wziął natrysk i przebrał w przydzielony mu tymczasowo mundur z dystynkcjami porucznika.

Z sykiem bólu obklejał plastrami łydkę, nadgarstek i ranę koło ucha. Z odruchem niechęci wciągał na nogi czyjeś oficerki, wyobrażając sobie ich grzybicze zakażenie. Na szczęście były nieskazitelnie czyste i błyszczące. Potem zabrał się do zapinania przyciasnej bluzy. Przy tej czynności zastał go adiutant batalionu, który wbiegł do łazienki z zaaferowanym obliczem.

Po chwili Edward siedział w jego pokoju, sąsiadującym z gabinetem dowódcy batalionu. Trzymał sztywno słuchawkę i – będąc uprzedzonym, że przy innej jeszcze słuchawce w Warszawie siedzi szef sztabu KOP major Artur Maruszewski – składał Schaetzlowi raport o ostatnich wydarzeniach. Ten słuchał go uważnie i nie przerywał. Kiedy Popielski skończył, w słuchawce rozległ się jego spokojny głos.

– Dobrze, poruczniku, wszystko jasne. Mam przed sobą mapę sztabową okolic Hoszczy i Tuczyna. Z pańskiej relacji wynika, że szedł pan godzinę i wyszedł pan wprost na wieś Teodorówka, tak?

– Tak jest!

– A to oznacza, że jeśli kontynuowali drogę po pańskiej ucieczce, to pojechali na Ludwipol i Bereźne, prawda, panie majorze?

Teraz odezwał się nieznany Popielskiemu głos.

– Niezupełnie. Na Bereźne nie pojedzie, bo oddaliłby się mocno od granicy. Ludwipol to lepsze dla niego miejsce. Pełno lasów, brak połączenia kolejowego. Miasteczko izolowane. Ale my je zablokujemy. Przesuwamy wszystkie formacje na odcinek granicy Storożów–Siwki, o tutaj. Cały wołyński KOP będzie miał na oku tych pięćdziesiąt kilometrów granicy. Mysz się nie prześlizgnie. Jutro będziemy go mieli w kajdanach.

– Jestem z pana bardzo zadowolony, Popielski – odezwał się pułkownik. – Teraz pojedzie pan do Korca. Tam powinien czekać na pana major Królikowski, szef „Hoszczy", czyli batalionu, na którego terenie się pan teraz znajduje. Podlega pan tylko jemu.

– Tak jest. – Maruszewski powiedział to takim tonem, jakby rozkaz skierowany był do niego. – Panie poruczniku, kiedy skończymy rozmowę, proszę oddać słuchawkę adiutantowi batalionu, a wtedy wydam odpowiednie rozkazy. A teraz wytyczne lokalne. Z batalionu „Hoszcza" otrzyma pan konia i dwóch ludzi do obstawy. Jeśli nie zastanie pan majora Królikowskiego w Korcu, proszę kierować się wzdłuż granicy na północ. Będzie on... Spoglądam na mapę, spoglądam... Będzie on w Chutorze Monastyrskim, w Hołyczówce, Mrozówce, Kobylej lub w Storożowie. Proszę zapisać te nazwy. Miejscowi ludzie pana doprowadzą. Powodzenia, panie poruczniku!

– Własnoręcznie pan ujmie tego zdrajcę – dodał Schaetzel. – I przyprowadzi mi go pan na postronku. Do widzenia, poruczniku!

– Zaraz! Zaraz! – krzyknął Edward.

Kręciło mu się w głowie. Jak miał mu opowiedzieć o pie-
kielnych wizjach pohańbienia Leokadii? Jakich słów teraz
użyć, by opisać krwawy pal w zmorze, która go męczyła?

– Przepraszam, panie pułkowniku, ale już pewnie jest
w jego rękach...

– Kto mianowicie?

– Moja kuzynka Leokadia Tchórznicka. On groził, że ją
zgwałci. Może mnie szantażować. Musi pan wiedzieć, panie
pułkowniku, że zrobię wszystko dla niej, nawet jeśli... Zrobię
wszystko, by ją uratować od gwałtu. Nawet jeśli musiałbym
odrzucić w jakimś momencie pańskie rozkazy.

Zapadła cisza.

– No cóż. Robimy, co w naszej mocy, i postaramy się
ocalić pańską kuzynkę – usłyszał suchy głos Schaetzla. –
A złamanie rozkazu? O czym pan mówi?! Współpraca ze
zdrajcą na niekorzyść ojczyzny?! No cóż, Popielski... to już
jest kwestia pańskiego sumienia. To do mnie nie należy.
Coś jeszcze?

Popielski czuł łomot w głowie. Spojrzał przez okno na
las, który się zielenił nad rzeką Horyń. Usłyszał plusk wody.
Skakali do niej miejscowi chłopcy. Nagle wyobraził sobie,
że z soczystej trawy, porastającej jej brzegi, wypełzają żmije
i oplatają nogi dzieci.

– Tak, jeszcze coś – wychrypiał. – Chciał mi pan pułkownik przedstawić jakiś tajny plan zmuszenia Chorążuka do

zeznań. Może tu byłby ratunek dla Leokadii? Na przykład wymienić Chorążuka za Leokadię, pod warunkiem...

– Tak, ale to już nieaktualne – odparł szef Dwójki. – Akcję „Chorążuk" zamieniłem na akcję „Andrukiewicz". Mówiąc krótko, mój plan polega na sprawdzeniu wszystkich znajomości i kontaktów zdrajcy na terenach przygranicznych. Mamy stosowną ich listę, przesłaliśmy ją majorowi Królikowskiemu. On pana z nią zapozna. I właśnie wprowadzamy ten plan w życie. Przed rozmową z panem nie wiedziałem nic o pańskiej kuzynce. Ale z całym szacunkiem dla niej i dla pana, jej sytuacja nie zmienia naszych zamierzeń.

Zabrzmiało to jak: „Niech ją gwałci, kto chce, akcja »Andrukiewicz« jest ważniejsza od wszystkiego".

Popielski milczał. Zanim w Warszawie odłożono słuchawkę, usłyszał:

– Co to za kuzynka Leokadia i ile ma lat?

– To chyba jego nieformalna żona. – Głos Schaetzla prawie zanikał. – Trochę starsza od niego.

– Eeee tam, za stara na gwałt.

Popielski odłożył słuchawkę i chwycił się za głowę. Pogardliwy ton Maruszewskiego stanowił obelgę dla kobiety, o której sztabowiec nie miał zielonego pojęcia. Był deptaniem uczuć ludzkich, plunięciem Edwardowi w twarz.

Długo ocierał twarz z tej słownej plwociny. W końcu oderwał dłonie od skroni i spojrzał na zegarek. Na nadgarstku zobaczył puste miejsce pełne krwawych zacięć. Zegar na ścianie oznajmiał: dochodzi dziewiąta rano.

Wstał i wyszedł na dziedziniec koszar. Wartownik mu zasalutował, nie wiedząc, gdzie ma podziać oczy, by nie narazić się na gniewny wzrok. Ale on nie patrzył gniewnie. Jego twarz była bez wyrazu. Po kwadransie podjechali do niego na koniach dwaj żołnierze. Pomiędzy nimi prychał radośnie piękny siwek.

– Ile stąd kilometrów do Korca? Do granicy? – zapytał Popielski.

– A ze trzydzieści będzie! – odmeldował jeden z nich.

– No, to w drogę! – Edward włożył nogę w strzemię i wskoczył na konia.

Jadąc przez uśpione miasteczko, uświadomił sobie nagle, że zna lek na rozpacz i zwątpienie.

– Człowiek żyje w dwóch stanach – szeptał do siebie. – Jeden z nich to ten, kiedy wciąż może działać. Drugi, kiedy mówi sobie: „Więcej zdziałać już nie mogłem". Pierwszy stan zależy tylko od jego decyzji, drugi już tylko od Boga. A ja nie jestem Bogiem i podejmuję decyzję. Wciąż jeszcze tylko to mogę.

* * *

PORUCZNIK FILIP DJACZEWSKI, SIEDZĄCY W GABINECIE dowódcy batalionu, odłożył słuchawkę, dopiero kiedy zegar wybił dziewiątą i usłyszał, jak Popielski opuszcza biuro. Gdyby to zrobił wcześniej, przybysz mógłby usłyszeć charakterystyczny trzask w słuchawce i powziąć jakieś podejrzenia, że ktoś podsłuchuje.

Wyszedł zaś z tego gabinetu, kiedy Popielski już odjeżdżał w asyście dwóch żołnierzy. „Cezary" poszedł szybko do stajni, wskoczył na konia i ruszył do bramy. Powiedział wartownikowi, że gdyby ktoś pytał, wróci za godzinę, i ruszył kłusem przez miasteczko. Kiedy był na szosie Równe-Korzec, skręcił w lewo i przeszedł w galop. Potem pojechał w prawo na Ludwipol drogą, której powierzchnia składała się z piachu i kamieni. Jechał teraz wolniej po świeżych śladach wydrążonych przez ciężki samochód. W końcu ujrzał głębsze koleiny i dziury, jakie pozostawiło hamujące auto. Obok leżały kawałki szkła i pocięte strzępy plandeki. Wzdłuż drogi rosły niezbyt gęste krzewy i rachityczne drzewka.

Miał szczęście – pomyślał Djaczewski, patrząc na tę roślinność. – Gdyby świecił księżyc, byłby widoczny jak pająk na ścianie. „Litwiniuk" zaś by nie spoczął, dopóki by go nie złapał lub nie zabił.

„Cezary" nie po to jednak tu przyjechał, by sprawdzać, czy Popielski, składając Schaetzlowi raport, mówił prawdę, czy też nie. Trącił konia ostrogami i ruszył dalej drogą. Jego celem był majątek ziemski Krasnosiele.

Był tam po półgodzinie. Oddał rumaka koniuchowi i wszedł do dworu. Przywitał się z panią domu i właścicielką posiadłości Ludmiłą Iwanow. Ta pocałowała go czule w usta i zaprowadziła do gabinetu swojego zmarłego męża. Tam zostawiła samego.

Djaczewski poprosił o połączenie z tartakiem Listwin-Ludwipol. Po kwadransie usłyszał w słuchawce głos kierownika zmiany informujący go, że pan Szeremetiuk jest w tartaku w Hucie Bystrzyckiej i wróci za godzinę. Rozłączył się więc i czekał z kamiennym spokojem, aż minie godzina, nie reagując na zaproszenia do rozmowy ze strony gospodyni.

W końcu zamówił ponowne połączenie i czekał na zgłosze-
nie telefonistki. Kiedy w końcu szef tartaku odebrał, porucznik był lekko zdenerwowany. Bez zbędnych wstępów
zrelacjonował dokładnie wszystko, co był podsłuchał podczas rozmowy Popielskiego z Schaetzlem.

– Widziałeś tę listę znajomych Andrukiewicza? – zapytał tartacznik.

– Tak – odparł „Cezary". – Nie martw się, nie ma tam
twojego nazwiska. Mojego też. Ale czas nas obu goni. Jeśli
go złapie KOP, mogą z niego wiele wyciągnąć. Już ja znam
ich metody, sam ich nauczam.

Ostatnim słowom towarzyszył nerwowy śmiech.

– Gdyby moje nazwisko tam było, to musiałbym ja sam
jeszcze dziś przekroczyć granicę – mruknął Szeremetiuk
i odłożył słuchawkę.

Długo myślał, wypalając niezliczone papierosy. W końcu
podjął decyzję. Kazał jednemu ze swoich zaufanych pracowników zwołać kilku chłopaków, którzy trudnili się prze-
mytem „na wariata" albo na „hurra", bez żadnego planu
przełazili przez granicę i często padali ofiarą „masałków"
obu stron, czyli polskich lub sowieckich pograniczników.
Chłopaki te były durne i piły na potęgę, ale odnosiły się do
Szeremetiuka, a zwłaszcza do jego pieniędzy, z ogromnym
respektem i kiedy im coś zlecił, wykonywali to najlepiej, jak
umieli. Tym razem plan był prosty. Mieli się dobrać w dziesięciu i obsadzić dziesięciokilometrową linię granicy pomiędzy Myszakówką a Budkami Uścieńskimi. Dostali polecenie, by tam siedzieć przez dwa dni i nasłuchiwać w nocy
wycia wilków. Jeśliby wilk zawył trzy razy, a potem dwa, to

oznaczałoby, że do danego posterunku zbliża się sam Sze-remetiuk. Wtedy mieliby mu meldować, co się wokół dzieje i czy nie natknęli się na oddział KOP-u.

Szef tartaku kazał następnie milczącemu ukraińskiemu woźnicy zawieźć się furmanką do Zawołocza. Nie miał dobrych wiadomości dla Andrukiewicza i jego ludzi. Musieli wyruszać nie jutro, nie w nocy, ale natychmiast.

Oni zaś mieli dla niego jeszcze gorsze wieści, które zwiastowały wielkie kłopoty. Z pięciu osób, które się ukrywały w cerkiewce, jedna była ciężko ranna, a inna nie żyła.

* * *

LEOKADIA TCHÓRZNICKA DOBRZE ZNAŁA ŻYCIE i nie miała złudzeń ani przesadnych oczekiwań wobec świata, a zwłaszcza wobec jego brzydszej i bardziej agresywnej połowy. Tę postawę życiową wyrobiła sobie jeszcze pod koniec studiów romanistycznych na lwowskim Uniwersytecie Jana Kazimierza, które – co było jej słusznym powodem do dumy – ukończyła jako druga kobieta w historii tej uczelni. W męskim świecie akademickim ta dystyngowana młoda dama, szczupła, smukła i bladolica, była obiektem westchnień i niezdrowej wręcz ekscytacji.

Nie sprawiało jej to przyjemności, bo skazywało na osamotnienie. Kiedy nawiązywała rozmowę z jakimś kolegą z wydziału, na przykład na temat Balzaka, to ten natychmiast zaczynał ją komplementować, podczas gdy ona naprawdę chciała tylko porozmawiać o tym francuskim pisarzu, o niczym więcej. Po jakimś czasie porzuciła próby kontaktu z kolegami na gruncie intelektualnym. To ją skazało na zupełną izolację. Wybierała samotne ślęczenie nad książkami, słysząc zewsząd złośliwe komentarze o wyniosłych manierach i grożącym jej staropanieństwie.

Kiedy już jej tak doskwierały, że zamierzała się rzucić w ramiona pierwszego lepszego mężczyzny, bożek miłości Amor natychmiast wykorzystał zmianę jej nastawienia. Straciła głowę dla przystojnego jak Apollo studenta filozofii. Ten syn obszarnika z Podola, arystokrata wywodzący się od antenatów z czasów Kazimierza Wielkiego, poprosił ją kiedyś nieśmiało w czytelni o pomoc w tłumaczeniu fragmentów Kartezjańskiej *Rozprawy o metodzie*. Zgodziła się chętnie i po miesiącu była do szaleństwa zakochana i w Kartezjuszu, i w jego pięknym badaczu. Pierwszemu oddała swój bystry umysł, drugiemu ciało. Kartezjanista obiecywał małżeństwo, ale wkrótce rodzina wysłała go do Szwajcarii na dalsze studia. Z Zurychu słał jej listy pełne miłosnego żaru. Po kilku miesiącach listy były już rzadsze i żaru jakby mniej. W końcu korespondencja się urwała.

Leokadia wpadła w czarną rozpacz, z której wyciągnęła ją literatura francuska, a zwłaszcza komediopisarz Molier, ironiczny nowelista Guy de Maupassant oraz dekadencki, a potem bogobojny Huysmans. Od tych pisarzy się nauczyła, że łagodny w formie, lecz nieugięty dystans, połączony z dobrotliwą, melancholijną ironią, jest właściwą tarczą na całe zło tego świata.

Od tej chwili traktowała mężczyzn – a zwłaszcza swojego kuzyna Edwarda, z którym los związał ją później platoniczną miłością – z wyrozumiałością i powagą, która czyniła ją w ich oczach starszą, niż była w rzeczywistości. Wszyscy oprócz Popielskiego porównywali ją w myślach do surowej rzymskiej matrony. Tylko Edward wiedział, że czasami Leokadia potrafi pokazać twarz beztroskiej psotliwej pannicy, a niekiedy bywa naprawdę samotna i łatwa do zranienia. I że ta wielbicielka racjonalizmu wciąż żyje rojeniami, choćby zaprzeczała temu z całych sił.

Choć spędziła noc w tej brudnej cerkiewce pełnej komarów, pająków i zaskrońców, a obok niej chrapali dwaj śmierdzący mężczyźni, to jednak wciąż wierzyła, że cała ta wołyńska awantura odbywa się rzeczywiście – bo tak jej rzekł we Lwowie kapitan Andrukiewicz – na prośbę Edwarda, który na tych dzikich terenach ma do załatwienia jakieś sprawy wagi państwowej, a ją samą wzywa do siebie. „W mieście jest zbyt niebezpiecznie, zdaniem pani kuzyna – tak właśnie mówił jej opiekun. – Komunistyczni Rusini szykują na niego zamach, on chce mieć panią przy sobie i nie zamykać jej w areszcie domowym".

Wysłała zatem Hannę z małą Ritą do Strzelczysk pod Mościskami, rodzinnej wsi służącej, a sama pojechała pociągiem do Równego. Nie miała powodów niczego złego podejrzewać, kiedy, zgodnie z planem Andrukiewicza, w drugi dzień jej pobytu w Hotelu San-Remo w Równem przyjechał tam jakiś przystojny porucznik w towarzystwie dwóch swoich podkomendnych. Odwieźli ją do tartaku w małym miasteczku, gdzie miał na nią czekać kuzyn.

Tak się jednak nie stało, Edwarda w Ludwipolu nie było. Komicznie ubrany właściciel tartaku wyjaśnił jej, że kuzyn jest w głębi lasu, gdzie czyha na sowieckich dywersantów. Wtedy poczuła pierwsze ukłucie zwątpienia.

Kiedy żołnierze, którzy byli jej obstawą, przebrali się w cywilne ubrania w tymże tartaku i zawieźli ją furą w las, jej podejrzenia się pogłębiły, a kiedy ujrzała wnętrze ich noclegowni, prawie że straciła nadzieję, iż o tym wszystkim Edward wie. Zachowała jednak cień złudzeń.

Ale następnego dnia wszystkie one runęły i ogarnął ją przeraźliwy strach, który wolała – jakby broniąc się przed emocjami – nazywać „samotnością". Poczuła się tak, jakby nagle ktoś przyłożył jej do pleców śliskie, zimne dłonie. Stało się to, kiedy usłyszała: „Podnoś kiecę! W tej cerkwi cię wyrucham!", a do środka wkroczył kapitan Andrukiewicz z rozpiętym rozporkiem.

Postanowiła się bronić. Nie zdawała sobie jednak sprawy, że obrona jest możliwa tylko wtedy, gdy można oddychać. Kiedy ją przewrócił i runął na nią całym ciężarem, pod jego dziewięćdziesięciokilogramowym cielskiem straciła oddech. Chwycił ją za szyję i zaczął dusić. Jego kolano rozsuwało gorączkowo jej nogi. Usiłowała zewrzeć uda, ale coraz bardziej słabła. Puścił szyję, a wolną ręką sięgnął do spodni, by sobie pomóc wtargnąć w jej ciało.

I wtedy usłyszała krzyk:

– W cerkwi! W domu Bożym! To obraza boska!

Czoło gwałciciela uderzyło ją z całej siły w nos. Łzy napłynęły jej do oczu. A potem uścisk zelżał i tors Andrukiewicza zadrżał jak w agonii. Oczy wpatrujące się w nią nagle zaszły bielmem. Powieki powoli się zamknęły.

Nie były to jednak oznaki rozkoszy.

Uderzenia, które później nastąpiły, przypominały walenie drągiem w pień drzewa. Leokadia poczuła nagle na twarzy i na włosach cieplawy gęsty płyn i jakieś grudki. Starła je szybko. To mógł być mózg. Widziała już kiedyś podczas wojny taką wydzielinę wypływającą z rozbitej czaszki.

I wtedy straciła przytomność.

Natychmiast kiedy się ocknęła, potarła udem o udo. Żadnego bólu nie czuła, a desusy miała nienaruszone. Do gwałtu nie doszło. Szybko przesunęła się po nieheblowanych deskach podłogi i oparła o ścianę. Wyglądała groteskowo w rozdartej letniej eleganckiej sukience i w bucikach od braci Jabłkowskich. Wytarła ze wstrętem włosy i twarz. Miała wrażenie, że jej napuchnięta dolna warga zwisa aż do brody.

W środku było pięciu mężczyzn. W rozpadających się drzwiach stał nieco cofnięty kompan Andrukiewicza, który wspólnie z nim dzisiaj tu przybył. Przed nim – znany jej niski i grubawy właściciel tartaku. Był w ubraniu myśliwskim, a na jego głowie tkwił zielony kapelusik z piórkiem. Brakowało mu tylko waltorni, na której zagrałby hymn *Darz bór*.

Na środku pomieszczenia jęczał Andrukiewicz, a jego włosy – zdawało się – były krwią przyklejone do podłogi. Obok niego leżał jeden z żołnierzy, który ją tu przywiózł z Równego, ten łysawy i ponury. Jego głowa wyglądała jak dwie polane malinowym sokiem, przekrojone i na powrót zwarte ze sobą połówki melona, z których jedna została później lekko przesunięta w bok względem drugiej. Z tego przecięcia wystawały krzywo dziąsła i zęby.

Czapka piątego mężczyzny – tego o bujnej czuprynie – który klęczał teraz na środku z półotwartymi ustami, leżała w lepkiej czerwonej kałuży. Spadła mu z głowy najpewniej wtedy, gdy łeb swego kompana roztrzaskiwał drągiem. Ten przedmiot stał oparty o drewnianą ścianę i z jej miejsca widać było przyklejone doń kępki rzadkich włosów. Wszystko było jasne. Andrukiewicz został pozbawiony przytomności za to, że usiłował zgwałcić Leokadię w domu Bożym. Pobożny obrońca świątyni – a zarazem czci niewieściej – zapłacił za to życiem. Zdążył tylko raz uderzyć Andrukiewicza, kiedy do akcji ruszył jego kudłaty towarzysz – idąc w sukurs gwałcicielowi. Wyrwał mu drąg i roztrzaskał głowę obrońcy Leokadii prawie na miazgę. Kawałki mózgu, które na swej twarzy poczuła kobieta, pochodziły z czaszki jej wybawcy.

Ale panna Tchórznicka nie myślała teraz o kolejności zdarzeń. W jej głowie pojawiło się nieznane jej do tej pory uczucie do Edwarda.

Nienawiść. Piekąca nienawiść.

* * *

Z ZAWOŁOCZA WYRUSZYLI PÓŹNYM POPOŁUDNIEM, kiedy już pod lasem pochowali zabitego. Było chłodno, a deszcz ściekał z nieba rzadkimi, lecz nieprzerwanymi strumykami. Wszyscy oprócz Leokadii i Andrukiewicza nasmarowali buty rycyną, chroniąc je w ten sposób przed przemoknięciem. Do drągów, wystających na metr ponad burty wozu, przywiązano jakąś derkę, tworząc w ten sposób swoisty dach przykrywający całą furmankę.

Ruszyli na południowy wschód ścieżkami, które mogły w tej deszczowej szarówce być wypatrzone jedynie przez wprawne oko kogoś, kto jak Szeremetiuk znał te knieje jak własną kieszeń. Siedział on teraz na koźle obok małomównego Ukraińca imieniem Pawło, obserwował drzewa i półgłosem raz na jakiś czas udzielał woźnicy odpowiednich wskazówek.

Razem z tymi dwoma było dziewięcioro ludzi. Na furmance leżał jęczący Andrukiewicz z owiniętym czołem. Jego potłuczona czaszka była przeszywana gwałtownym bólem wraz z każdym kiwnięciem i przechyleniem się pojazdu na jakiejś leśnej koleinie. Leokadia siedziała skulona na samym końcu wozu, pilnie uważając, aby zdrajcy, zajmującego prawie całą przestrzeń, nie dotknąć nawet czubkiem pantofla. Z prawej strony szedł zabójca jej obrońcy, zwany „Czupryniukiem". Owszem, nie lubił on swego kolegi, którego zabił. Tamten wciąż okazywał mu jakąś nieuzasadnioną wyższość. Mimo to Czupryniuk nie mógł pojąć, dlaczego tylekroć przywalił drągiem w jego głowę. Nikt tego nie pojmował, ale też nikt o to nie pytał.

Po lewej maszerował Henryk Jugerman. On i Czupryniuk stanowili straż boczną. Byli uzbrojeni w rosyjskie karabiny Mosin z oberżniętą lufą, która to broń określana była tutaj mianem „otriezu". Za wozem kroczyła straż tylna – trzej młodzi przemytnicy, zwani wariatami. Każdy z nich dzierżył w dłoni siekierę.

Szli prawie całą noc z trzema zaledwie przystankami, a deszcz tłumił wszelkie odgłosy boru. Kiedy na niebie pojawiły się pierwsze zapowiedzi świtu, znaleźli się na jakiejś leśnej polanie. Stał tu opuszczony chutor, otoczony płotem z chrustu. Stara chata rozszerzała się przy ziemi jak nieforemna gruszka. Przyklejone były do niej jakieś składziki i chlewiki, świecące dziurami po wyrwanych deskach.

Na ten widok Szeremetiuk odetchnął z ulgą.

– Jesteśmy koło Bielczakowskiej Kolonii, za nami dwadzieścia wiorst – spojrzał na wariatów. – Wóz odprowadzić do lasu za chutor, konie opatrzyć i nakarmić! A potem jeden na wartę. Zmiana co godzina. Pozostali do chaty! Odpoczywać i nosa nie wystawiać. Ja z Pawłem idę na zwiad. Wrócimy za kilka godzin.

Wychodząc, klepnął Andrukiewicza w ramię i powiedział coś, co z uwagi na jego stan zabrzmiało jak ponury żart:

– A panu niech się nie zbiera przypadkiem na amory!

Zaszeleściły krzaki i Leokadia nie wiedziała, czy to deszcz, czy to Szeremetiuk i Pawło weszli w las.

Pozostali wsunęli się ostrożnie do chałupy, wypatrując podobnych do żmij węży zwanych „midiankami", które – choć niejadowite – potrafiły boleśnie kąsać. Chutor zbudowano z grubych bali, przyciętych i ułożonych niestarannie. Belki sufitowe były czarne i osmolone, jakby spiekł je ogień z paleniska, które zajmowało centralną część izby. Jugerman i Czupryniuk wyszykowali dla Andrukiewicza ławę, na którą zarzucili stary kożuch. Sami rozpalili w piecu, wypili trochę spirytusu i zapadli w sen, ułożywszy się z tyłu paleniska obok siebie jak śledzie. Leokadia milczała, usiłując złapać trochę ciepła z ognia. Obserwowała przy tym ze strachem, jak po podłodze izby biegają liczne leśne chrząszcze. W ciepłym powietrzu rozchodziła się wstrętna woń, będąca mieszaniną potu i starych namoczonych ubrań.

Szeremetiuk i Pawło wrócili po sześciu godzinach. Szef taboru oznajmił, że wokół jest kilka polskich patroli i wymarsz nastąpi dopiero o zmierzchu.

I tak mijał dzień. Wariaci, wobec wydanego im zakazu picia spirytusu, pogryzali chleb, słoninę i grali w karty, Czupryniuk i Jugerman drzemali, a Andrukiewicz, choć mocno poturbowany, sączył jad w uszy Leokadii.

– On wiedział, ten twój Edzio, jaka cię spotka kara, jeśli mi czmychnie – syczał jak wąż. – Mówiłem mu to wyraźnie. Że ty za to zapłacisz. Że ty jesteś moją zakładniczką. A jeśli ucieknie, to ja cię dosiądę! Ale on o to nie dbał! Ulotnił się, ryzykując twoją cnotę! O ile pięćdziesięcioletnia baba może jeszcze ją mieć! Ha, ha!

Czupryniuk najwidoczniej nie spał i słuchał tych zjadliwych wywodów, bo nagle rozległ się jego huczący śmiech. Najwyraźniej minął mu już zły humor, jaki go dręczył, po tym jak zatłukł kolegę w niewyjaśnionym ataku szału. Leokadia spojrzała na rannego i wyrzekła z zupełnym spokojem:

– Proszę mi nie mówić na „ty", kapitanie! Nie przypominam sobie żadnej okoliczności, żebym to panu proponowała! Bo damy nigdy nie spoufalają się z chłopstwem!

Andrukiewicz aż zakipiał ze złości. Nieświadomie trafiła go w bardzo czuły punkt. Sama też jednak została zraniona.

– Do pięćdziesiątki trochę mi brakuje, ty kmiocie! – prychnęła.

Wstała i szorstko obudziła drzemiącego Szeremetiuka.

– Proszę wstawać – zadysponowała. – Już nie pada. Muszę się poddać ablucjom w jakimś strumieniu. Nie życzę sobie, by towarzyszył mi któryś z tych pańszczyźnianych chłopów! Baczenie na mnie będzie miał pan, bo tylko on tutaj, choć nie jestem do końca pewna, należy do sfery zbliżonej do mojej!

Wszyscy się rozbudzili po tej wielkopańskiej tyradzie. Andrukiewicza napełniła ona furią, woźnica Pawło – słabo mówiący po polsku – niewiele zrozumiał, a Jugerman, robotniczy syn z Będzina, uznał, że określenie „chłop pańszczyźniany" jest skierowane do wszystkich innych, tylko nie do niego. Czupryniuk otworzył usta, dziwiąc się, że ktoś pragnie mycia w tych leśnych ostępach, a Szeremetiuk roześmiał się wesoło. Podał Leokadii ramię.

– Umyj się dobrze! – Andrukiewicz nad sobą nie panował. – Bo lubię czyste!

Przewodnik spiorunował go wzrokiem i wyszedł z Leokadią, która pod pachą dzierżyła torebkę. Kiedy wrócili, była zupełnie odmieniona. Choć włosy miała mokre, to jej twarz promieniała spokojem. Czupryniuk szepnął do Jugermana, że szef chyba nieźle jej dogodził, bo taka zadowolona. Zachichotali. Leokadia słyszała to, ale omiotła ich obojętnym wzrokiem.

– Tak, tak! – otworzył usta Andrukiewicz, ukazując ułamany fragment zęba. – No, szykuj się, szykuj!

Po zjedzeniu barszczu, który z zakwasu buraczanego – wobec zdecydowanej odmowy gotowania go przez Leokadię – upichcili wariaci, o zmierzchu tabor wyruszył w ostatni etap swej wędrówki. Przed nimi było około dwudziestu kilometrów do wsi Szopy, której zabudowania rozchodziły się szeroko już po sowieckiej stronie, pod lasem, przy ujściu rzeki Pereweźny do Słucza. Tam mieli na swego agenta czekać radzieccy towarzysze.

Poruszali się wolno w siąpiącym deszczu i w głuchej ciemności. Miejsce na wozie zajmowali Szeremetiuk, woźnica Pawło, Leokadia i Andrukiewicz. Niekiedy przewodnik rozświetlał mrok naftową latarnią i szukał różnych, sobie tylko wiadomych, znaków na drzewach. Po sześciu godzinach wędrówki usłyszeli szmer poruszanych wiatrem roślin. Pawło użył zapalniczki i w jej świetle ujrzeli trzciny poruszające się w zimnym podmuchu. Szeremetiuk stanął na wozie i zawył jak wilk – trzy razy, a potem dwa. Leokadia aż drgnęła ze strachu.

– To rzeczka Pereweźna – mruknął przewodnik, wskazując na trzciny. – Nie wiem, czy uda nam się przebyć ją wozem. Być może trzeba będzie brodzić w wodzie.

Wydał polecenie najniższemu z wariatów. Ten rozebrał się do naga, starając się – co było absurdalne w wątłym świetle – uraczyć Leokadię widokiem swej męskości. Wszedł do wody i zniknął. Po chwili wrócił. Był mokry tylko do połowy torsu.

– Dotąd jest woda – powiedział Szeremetiuk, dotykając jego skóry. – Wjedziemy wozem do rzeki i przejdziemy po nim jak po moście. Dalej na piechotę. Może pan iść? A pani? Da pani radę w tych bucikach?

Andrukiewicz mruknął coś, a Leokadia skinęła głową. Przewodnik jeszcze raz zawył. Dwa i trzy razy. Wtedy zaszeleściły krzaki gdzieś z tyłu i ktoś z nich wyszedł. Szeremetiuk przywitał się z przybyszem i uważnie go wysłuchał. Zniknięcie jego rozmówcy nie zostało zasygnalizowane przez jakikolwiek dźwięk. W tym lesie wszyscy poruszali się cicho jak widma.

– Dobrze – szepnął szef taboru. – To był mój zwiadowca. Oddział KOP-u jest w strażnicy. To dwie wiorsty stąd. Nie ma go w lesie. A granica jest za pół wiorsty, za rzeką. Choćby stanęli na głowie, to nas już nie zatrzymają! Teraz inkasuję zapłatę, przechodzimy przez rzeczkę i *adieu!*

Andrukiewicz wyjął zza pazuchy duży pakunek. Szeremetiuk i Pawło wleźli do niego pod derkę, tworzącą dach wozu. Pierwszy liczył wolno pieniądze, drugi świecił mu zapalniczką. Trwało to długo, bo jej gorący metal parzył woźnicę w palce i wciąż musiał przerywać. Przed samą granicą niebezpiecznie byłoby jednak palić latarnię, nawet pod derką.

– Dobrze – szepnął przewoźnik, policzywszy w końcu. – Wszystko się zgadza. Tyle, ile mówił „Cezary".

Dał znak furmanowi. Ten smagnął lekko konia. Wóz wolno, prawie bez plusku, wjechał do rzeki. Woda sięgała mu do dyszla. Przeszli jak po moście. Pawło został z wozem i z koniem.

Jeden z wariatów wyciągnął grubą linę. Wszyscy się jej trzymali, unikając zabłądzenia. Szli wzdłuż rzeki w takiej ciemności, że nikt z taboru nie widział pleców osoby poprzedzającej. Tylko Leokadia wiedziała, że przed nią idzie jej niedoszły oprawca, bo chwilami jęczał cicho i zataczał się jak pijany. Minęli szuwary, zza których doszła ich woń gnijącej roślinności.

– To uroczysko Hłuczki i bagno – mruknął Szeremetiuk do Andrukiewicza. – Jesteśmy na miejscu. Widzi pan polną drogę pod lasem?

Wskazał dłonią na białawą smugę odcinającą się od czerni drzew. Kapitan przytaknął.

– Tą drogą w lewo i cały czas prosto. Za kwadrans lekkiego marszu wieś Szopy. A teraz proszę z powrotem otriezy... No moje strzelby – wyjaśnił.

Jugerman i Czupryniuk oddali mu broń. Zapadła cisza. Szeremetiuk po prostu zniknął wraz ze swoimi trzema pachołkami. Ich kroki tłumiła miękka trawa.

Po chwili – jakby na pożegnanie – za rzeką rozległo się wycie wilka.

Leokadia przestała być wyniosłą damą. Upadła na kolana i zaczęła płakać. W jej elegancką sukienkę wsiąkało błoto, a piach, dostawszy się do pantofli, drapał w stopy. Mokre włosy zamieniały się w tym deszczu w strąki.

Teraz naprawdę wiedziała, czym jest samotność.

SZOPY NAD RZEKĄ PEREWEŹNICĄ,

PO ROSYJSKIEJ STRONIE GRANICY,

NASTĘPNEGO DNIA PRZED POŁUDNIEM

WYSZLI CAŁKIEM Z LASU I RUSZYLI W STRONĘ WSI DROGĄ, którą deszcz zamienił w lepką bryję. Po pięciu minutach zamigotały wokół nich latarki, rozległy się rosyjskie okrzyki oraz metaliczne odgłosy przeładowywania broni. Po chwili snopy światła przesunęły się po kobiecie o mokrych włosach. Brudna sukienka lepiła się do szczupłego ciała, a błoto barwiło czernią smukłe łydki. Latarki Sowietów wydobyły też z mroku człowieka z obandażowaną głową, który chwiał się na nogach.

– Pijani czy ki czort? – zapytał ktoś. – Z wesela wracają i drogę pomylili?

Dwaj pozostali mężczyźni nie byli z całą pewnością pijani. Trzymali się grubej liny i patrzyli spode łba w światła latarek, zza którymi czapki budionówki sterczały w niebo swymi sukiennymi szpicami.

– Iwieniec! Iwieniec! – nagle krzyknął ranny.

– Kromań! Kromań! – mruknął ktoś zza świateł.

– Idziemy, chłopaki! – zadysponował ten sam władczy głos. – Bierzemy ich do naczalstwa. A ty, Saszka, w te pędy do kapitana Morozowa. Budzić go, ale już!

Po dziesięciu minutach, kiedy już niebo całkiem poszarzało, znaleźli się wśród wiejskich zabudowań. Ostatnie z nich – okazała chałupa – stało jakby na cyplu, który mógł być punktem, gdzie zlewały się dwie rzeki. To by się zgadzało z krótkim opisem, jaki „Cezary" zawarł w zaszyfrowanej depeszy: „Dom w Szopach, tuż przy ujściu Pereweźnej do Słucza". Andrukiewicz odetchnął z ulgą. Jeden z żołnierzy sowieckich otworzył drzwi do chałupy i zaprosił ich do środka komicznym gestem, zginając się wpół jak lokaj.

Przybysze ciężko usiedli przy wielkim stole zajmującym środek izby. Leokadia oparła łokcie o pocięty nożem blat, a smukłe palce wsunęła w mokre włosy. Wodziła po izbie mętnym, jakbym sennym wzrokiem. Wciąż nie mogła uwierzyć w realność scen i zdarzeń ostatnich dni.

Żołnierze, trzymając między kolanami karabiny, zajęli miejsca na ławach pod oknami. Wisiały na nich firanki tak gęste, że w tej szarówce prawie nie przepuszczały światła. W środku jednak było jasno od dwóch lamp naftowych, które wisiały pod okopconą powałą. Oświetlały ściany, ułożone z niedbale ociosanych siekierą bierwion i duży, wygasły teraz piec, znajdujący się obok wejścia. Lewą stronę izby oddzielało długie przepierzenie – zasłona na drucie. Podłoga była gliniana, ściany gołe. Na stole stały przepełnione popielniczki i leżało kilka zwiniętych map sztabowych. Ta chałupa była najwyraźniej jakimś centrum dowodzenia.

Do środka weszła kobieta wielka jak piec. Spod jej brody wystawały rogi białej chustki. Tęczówki i źrenice chowały się w wąskich szparkach oczu. Towarzyszyły jej dwie młodziutkie i podobne do niej dziewczyny. Podniesionym głosem wydała im jakieś polecenia, których Leokadia nie rozumiała. Pobrzmiewało w nich kilkakrotnie „kapitan Morozow".

Na stole znalazły się wielki razowy chleb, słonina, kiszone ogórki w słoju i flaszka mętnego płynu. Kiedy Czupryniuk sięgnął po nią, jeden z krasnoarmiejców wstał gwałtownie i odsunął butelkę. Popchnął w stronę gości tylko chleb i słoninę. Powiedział przy tym coś ostro. W jego słowach zadźwięczało „kapitan Morozow".

Drzwi trzasnęły tak mocno, że wszyscy podskoczyli. Z belki nad wejściem uniósł się obłoczek kurzu. Deski podłogi zatrzeszczały pod ciężkim człowiekiem.

Oficer o często wymienianym dzisiaj nazwisku doskonale wiedział, że budzi bojaźń i respekt wśród swoich podwładnych.

Nie zdziwił się zatem, kiedy krasnoarmiejcy wyprężyli się na jego widok i położyli „ruki po szwam".

Zapadła cisza, przerywana tylko odgłosem żucia słoniny przez Jugermana i Czupryniuka. Kapitan przeszedł się po izbie, zaglądając w oczy każdemu z przybyszów. Deski podłogi skrzypiały teraz cienko pod tym mężczyzną o szerokiej twarzy i wydatnej szczęce.

Usiadł przy stole. Dłonią o nieoczekiwanie czystych i zadbanych paznokciach przesunął po powiekach, jakby odganiał sen. Przy tej czynności zabłysły cztery bordowe grudki na czerwonych pagonach, a fałda łącząca szeroki nos z wypukłym czołem pogłębiła się nieco. Uniosły się krzaczaste brwi nad czarnymi przenikliwymi oczami. Panna Tchórznicka uznała, że w innych okolicznościach mężczyzna mógłby się jej spodobać.

Powiedział coś cicho do kobiety w chustce. Ta podeszła do Leokadii, lekko ujęła ją pod ramię i poprowadziła za przepierzenie. Za chwilę przyniosła tam miednicę z parującą wodą, szare mydło, grubo tkaną sukmanę z chropowatego materiału i białą czystą szmatę jako ręcznik. Zasunęła zasłonę i jak strażniczka stanęła przed przepierzeniem z ponurą miną. Leokadia, schowana przed spojrzeniami mężczyzn, zaczęła się rozbierać przed myciem.

W tym czasie kapitan Morozow bez słowa nalał płynu, każdemu po pół szklanki. Powoli wzniósł toast, patrząc na Andrukiewicza.

– Za powodzenie waszej misji, towarzyszu! – powiedział czystą polszczyzną z lekkim, jak u wszystkich na tych terenach, wschodnim zaśpiewem.

Wypili, powąchali chleb, kapitan odgryzł kawał ogórka. Kiedy już połknął, zwrócił się do Andrukiewicza.

– Nazywam się Fiodor Iwanowicz Morozow – powiedział wolno. – Urodziłem się w Warszawie i studiowałem matematykę na Cesarskim Uniwersytecie Warszawskim. Lubię, towarzyszu, jak wszystko pasuje jak w równaniu, gdy strona lewa równa się prawej. Wiecie, o czym mówię?

Andrukiewicz pokręcił przecząco głową.

– Dam inny przykład. Gracie w domino?

– Gram.

– To wiecie, że jedna kostka pasuje do drugiej. Kostki to są ostatnie zdarzenia z waszego życia, kapitanie. Ja mam je ułożone w głowie, ale nie wszystkie... Między niektórymi są dziury. Więc jak? Wypijmy jeszcze po jednym, będzie nam się lepiej rozmawiało. – Kiwnął głową na żołnierza, który zaraz się zabrał do nalewania. – Potem wy będziecie mówili, a ja będę słuchał. I porównam sobie wasze kostki domina z moimi w głowie. No to co? Za towarzysza Stalina!

Wypili, chuchnęli, zagryźli.

– Uff – mruknął Morozow. – Nie przegryzł się jeszcze dobrze ten spiryt... No, choroszo. Słucham was zatem, towarzyszu „Litwiniuk". Słucham!

Przybysz, słysząc swój szpiegowski pseudonim, uśmiechnął się lekko, nabrał powietrza w gardło przepalone ostrym płynem i zaczął mówić.

– We wrześniu minionego roku dostałem zadanie...

Jeden z wysokich urzędników ambasady sowieckiej w Warszawie, którego nie znał ani z nazwiska, ani z pseudonimu, nieoczekiwanie mu powiedział w tajnym lokalu na Senatorskiej, że Moskwa ma dość Wojkowa i chce, aby agent „Litwiniuk" zorganizował na niego zamach. Predestynowałaby go do tego oczywiście znajomość warszawskich realiów i stosunków. Podsunął mu przy tym pomysł, by Wojkowa, szukającego wielokrotnie wrażeń w różnych burdelach, zlikwidowali jacyś opłaceni bandyci. Całą akcję człowiek z ambasady określił kryptonimem „Praga", jako że w tej warszawskiej dzielnicy roiło się od morderców do wynajęcia, gotowych na każdą mokrą robotę.

– Najpierw sprawdziłem, czy ten z ambasady nie jest prowokiem – mówił Andrukiewicz. – Ale nie był. Następnego dnia w szyfrogramie z Moskwy uzyskałem potwierdzenie akcji „Praga".

„Litwiniuk" uznał, że zamach na ambasadora jest rzeczą zbyt poważną, aby – po pierwsze – oddać sprawę w ręce praskiej ferajny, która mogła wszystko sknocić, a po drugie – niósł on ze sobą niezwykłe dodatkowe możliwości. Jedną z nich było wymierzenie bolesnego ciosu prometejczykom – dokuczliwym przeciwnikom Kraju Rad. Wpadł na szatański pomysł, aby zamach przypisać znienawidzonemu ruchowi politycznemu. Kapitanowi Włodzimierzowi Chorążukowi przedstawił plan, w ogólnych jeszcze zarysach. Agent „Harry" uznał go za znakomity. Po długiej dyskusji doszli do wniosku, iż należy znaleźć jakiegoś Gruzina, Azera lub Ukraińca i po prostu zainspirować go do zamachu. Ale to tylko pierwszy punkt planu. Drugim miało się stać powiązanie zamachowca z prometejczykami. I tu pojawiła się zasadnicza trudność. To powiązanie musiałoby być tak subtelne, żeby polski wywiad sam je odkrył. Nie wiedzieli na razie, jak to zrobić.

– Prometejczycy byli dla nas nieprzeniknieni. Nie mieliśmy z „Harrym" dostępu do żadnego z nich, mimo że nasz szef był jednym z najważniejszych.

Pułkownik Schaetzel ufał swoim adiutantom, ale zgodnie z zaleceniami konspiracji nigdy nie pozwalał im sobie towarzyszyć, gdy spotykał się na tajnych naradach z Tyzenhauzem, Józewskim czy Chłapowskim, najczęściej w mieszkaniu tego ostatniego. Nie było to najszczęśliwsze miejsce dla takich narad, ponieważ lokum okazało się bardzo akustyczne, a co więcej, pomieszkiwała tam czasami bratanica Chłapowskiego panna Alicja, zwana „Sybillą". I to był słaby punkt prometejczyków.

– Lubiła mężczyzn w średnim wieku – zeznawał Andrukiewicz. – I nietrudno mi było ją uwieść, oczywiście występując w glorii dzielnego pogromcy sowieckich szpiegów. Przekonałem ją, że niektórzy goście prezesa mogą nimi być. Okazała się świetną informatorką. Podsłuchiwała po prostu pod gabinetem stryja i o wszystkim mi donosiła. Służąca, która ją znała od dziecka, wiedziała o tym, ale obiecała milczeć przed swoim panem.

To właśnie Sybilla powiedziała mu, że w gronie tych czterech mężczyzn z tajnego i najściślejszego kierownictwa ruchu nastąpił rozłam na tle nowej pojednawczej polityki Piłsudskiego wobec Rosji. Jej stryj, Józewski oraz Tyzenhauz zajadle krytykowali ów zwrot polityczny, podczas gdy Schaetzel równie mocno bronił Marszałka. I właśnie tę różnicę zdań postanowił wykorzystać sowiecki agent

„Litwiniuk". Wtedy po raz pierwszy w czasie tego przesłuchania pojawiło się nazwisko Edwarda Popielskiego.

– A dlaczego akurat jego? – zapytał Morozow. – To jest właśnie jedno ze słabych ogniw mojego domina.

Za przepierzeniem, gdzie była Leokadia, nagle zapadła cisza.

– Popielski stał się jesienią minionego roku bohaterem prasy – odparł Andrukiewicz. – Podejrzewano go o to, że we lwowskim więzieniu zorganizował zabójstwo zboczeńca, niejakiego Józefa Miętkiego, którego sąd skazał na dwa lata. Zdaniem Popielskiego, który go doprowadził przed oblicze sądu, kara była zbyt łagodna i sam postanowił wymierzyć sprawiedliwość. Ta historia aż się prosiła, by zrobić z niej użytek... Pierwotnie zamierzałem do zabójstwa Wojkowa skłonić samego Popielskiego. Pokazać mu, że ambasador jest taką samą zboczoną bestią jak Miętki, i rozpalić jego gniew. Popielski był tu figurą o tyle wygodną, że jego z kolei nienawidziła panna Alicja. I mogłem ją tym łatwiej utrzymać przy współpracy, bo już była trochę zmęczona swym ciągłym podsłuchiwaniem.

– A dlaczego ta panna nienawidziła Popielskiego?

– Bo ją uwiódł i porzucił.

Za przepierzeniem rozległ się jęk wściekłości, a potem szloch. Morozow spojrzał na strażniczkę Leokadii. Ta weszła za przepierzenie, po chwili wyszła i machnęła ręką, co oznaczało „wszystko w porządku".

Panna Alicja miała jeszcze jedną zaletę. Znała dobrze panią Tyzenhauzową, a nawet się z nią przyjaźniła. I Sybilla przy każdej okazji zaczęła wyrażać ogromne oburzenie na polskie sądownictwo, które nakłada na gwałcicieli dzieci tak śmiesznie niskie kary jak ta dla Miętkiego. Chorążuk zaczął też „urabiać" Tyzenhauza. Podrzucał mu prasę bulwarową rozpisującą się o Popielskim. Kiedy Andrukiewicz już miał zasugerować majorowi zabicie Wojkowa rękami lwowskiego policjanta, „Harry", głęboko infiltrujący przy pomocy swoich agentów środowisko rosyjskie w Wilnie, znalazł tam młodego zapalczywego Białorusina, gimnazjalistę Borysa Kowerdę. Miał on kilka razy wspominać wśród swoich ziomków, zwłaszcza wśród dziennikarzy i redaktorów pisma „Białoruskie Słowo", o swej nienawiści do Sowietów i żądzy przekucia tej nienawiści w czyn. Agent Litwiniuk nie chciał jednak wyrzucać Popielskiego z całego planu, tym bardziej że Tyzenhauz powoli zaczął łykać przynętę w postaci gromów, jakie jego żona miotała na wymiar sprawiedliwości, oraz artykułów w brukowcach, dostarczanych mu przez „Harry'ego". W końcu obaj ułożyli szczegółowy plan, w którym główną rolę odgrywał Borys Kowerda. Postanowili wykorzystać fakt, że gimnazjalista pilnie potrzebował korepetycji z łaciny, a Popielski był łacinnikiem i doświadczonym korepetytorem.

– Przedstawiłem majorowi Tyzenhauzowi zamysł zaangażowania inspiratora-korepetytora. Pojawiło się tu duże ryzyko. Przecież major mógł powiedzieć o wszystkim swojemu bratu przyrodniemu Schaetzlowi. A ten, choć nienawidził Sowietów, nie zrobiłby nic wbrew woli Marszałka, wiadomo zaś było, że Piłsudski nigdy by się na tę akcję nie zgodził. Przedstawiając plan Tyzenhauzowi, byłem tego świadom i od razu podkoloryzowałem obraz Schaetzla.

Odwołując się do mojej bliskiej z nim znajomości, zrobiłem z niego wręcz nowo nawróconego rusofila! Major to wszystko kupił, pomiędzy przyrodnimi braćmi często bowiem dochodziło do spięć. Nie miał do planu żadnych zastrzeżeń. Ale wciąż zwlekał ze swą decyzją.

Aby przyśpieszyć jego działania i podsunąć Tyzenhauzowi świetny pretekst do zaangażowania człowieka nienawidzącego zboczeńców, Chorążuk postanowił do całej akcji wykorzystać gruzińskiego księcia Galaktiona Kwaracchelię, z którym się blisko przyjaźnił. Byli na „ty", chodzili razem po warszawskich lokalach – i tych z wyszynkiem, i tych z ladacznicami. Gruzin nie dał się długo namawiać. Poszedł do prometejczyków i opowiedział im o haniebnym zachowaniu lubieżnika Wojkowa wobec jego córeczki. Zażądał zemsty, powołując się na polsko-gruzińską przyjaźń spod znaku Prometeusza. Agenci podłożyli tym samym płomień pod zapłon bomby. I wszystko ruszyło z miejsca.

– Przyznaję – mówił Andrukiewicz – że książę w tym planie był słabym punktem. Zbyt dużo pił, a jego córka mieszkała w Berlinie, a nie w Warszawie i ktoś mógł to odkryć. Tym kimś okazał się niestety Popielski...

– Ale zaraz, zaraz... – mruknął Morozow. – Wy zainspirowaliście Tyzenhauza, aby zainspirował Popielskiego, aby ten z kolei zainspirował Kowerdę. Dobrze mówię?

– Tak właśnie było.

– Bardzo, bardzo misterny plan – ironizował sowiecki kapitan. – Cudowny plan, który w pełni się powiódł... Rzeczywiście, Kowerda zabił Wojkowa. No, to co się stało, do jasnej cholery, że Chorążuk siedzi teraz w polskim więzieniu, a wy uciekacie do naszej internacjonalistycznej ojczyzny?

– Mówiąc w dużym skrócie, Tyzenhauz popełnia samobójstwo, a do całej akcji wchodzi Popielski. Ale musimy wrócić do momentu sprzed zabicia Wojkowa...

„Litwiniukowi" nie wystarczał zamach na Wojkowa. Przecież drugą częścią akcji „Praga" miało stać się zwerbowanie, a w najgorszym razie oczernienie kogoś spośród prometejczyków. Postanowił uczynić swoim agentem ni mniej, ni więcej, tylko Tyzenhauza. Jego żona wyznała kiedyś Sybilli, że jest jedna sytuacja, której jej mąż od lat panicznie się boi i której właściwie nigdy nie zaznał, to ciasna więzienna cela, wypełniona smrodem i robactwem.

„Litwiniuk" znalazł takie miejsce – więzienie w Sierpcu. Wybrał je ze względu na dobre położenie miasteczka na kolejowej mapie Mazowsza. Naczelnika tego zakładu karnego agent „Harry" zwerbował obietnicą, że załatwi mu posadę na Świętym Krzyżu, a jego choremu na gruźlicę synowi miejsce w nowoczesnym sanatorium w Busku. I dotrzymał zresztą obietnicy.

Tymczasem Tyzenhauz miał w ambasadzie sowieckiej swojego człowieka. Dowiedział się od niego tuż przed zabójstwem Wojkowa, że śmierć tegoż byłaby Moskwie na rękę. Ambasador nie dość, że dopuszczał się obyczajowych wyskoków, na przykład obnażał się przed dziewczętami w warszawskim parku Skaryszewskim, to w dodatku dokonał potężnych malwersacji. Co więcej, widziano go, jak pływa motorówką po Wiśle i coś topi w rzece. Ów „kret Tyzenhauza" twierdził, że to balony z gazem trującym.

Miały być one użyte w Warszawie przez opłacanych przez ambasadę terrorystów w czasie wojny bolszewickiej. Po jej zakończeniu broń chemiczna stała się zbędna i należało się jej pozbyć – ale dyskretnie. Topienie pojemników w Wiśle na pewno nie spełniało tego kryterium. Krótko mówiąc – Wojkow ze wszystkimi swymi wpadkami, przewinami i kompromitacjami stał się dla Moskwy takim samym balastem jak owe pojemniki. Na Kremlu zdecydowano o pozbyciu się go raz, a dobrze. Aby nie odzierać z chwały carobójcy, najlepiej byłoby, aby zabili go znienawidzeni Polacy. Tyzenhauz, dowiedziawszy się o tym wszystkim od swego „kreta", zrozumiał, że stał się marionetką w rękach Sowietów. W razie powodzenia zamachu tak podstępnie przez nich inspirowanego czekały go bardzo poważne kłopoty, zwłaszcza że o całej akcji nie poinformował swego brata. Wyjście było jedno: nie dopuścić do zabicia ambasadora.

– Traf chciał, że moi agenci, ten tutaj Henryk Jugerman, pseudo „Sośnica" – Andrukiewicz wskazał na siedzącego przy stole kompana – i ranny, Ksawery Składnik, pseudo „Lewski", tego samego dnia zamierzali porwać Tyzenhauza z jego domu i zawieźć go do Sierpca.

– Tego samego dnia? – zdziwił się sowiecki kapitan. – Czy to nie było zbyt niebezpieczne?

Moment zamachu został Kowerdzie nieświadomie podszepnięty przez Sowietów. Urzędnik ambasady rozmawiał przez telefon głośno i chłopak usłyszał o spotkaniu Wojkowa i Rosenholca następnego dnia na dworcu. Kowerda, zdobywszy tę informację, natychmiast wybiegł w budynku poselstwa, a ktoś o jego zachowaniu doniósł „Litwiniukowi" lub „Harry'emu". Wiedzieli zatem ze sporym prawdopodobieństwem, kiedy Białorusin uderzy i postanowili tego dnia porwać Tyzenhauza. Ten termin wydawał im się nadzwyczaj odpowiedni. W dzień zamachu na dworcu będzie duże zamieszanie, które można wykorzystać. Wiedzieli też, że żona Tyzenhauza wyjechała na letnisko, a służba ma wolne. Zaczaili się pod domem majora, ale coś im przeszkodziło, gdy wychodził. Śledzili go, a on pojechał najpierw do składu aptecznego, stamtąd dokądś telefonował, a potem poszedł wprost na dworzec. Nie wierzyli własnym oczom. Sam pchał się im w łapy! Ogłuszyli go i zawieźli do Sierpca. Chorążuk zaczął go dręczyć w ciasnej zarobaczonej celi. Mówił mu: „Co z ciebie za prometejczyk, skoro byłeś narzędziem w naszych rękach, bo to my chcieliśmy zabić Wojkowa? Chcesz, żeby się dowiedział o tym twój przyrodni brat Tadeusz Schaetzel? Jeśli nie chcesz, musisz współpracować z wywiadem radzieckim. Nie wypuszczę cię z tej celi, jeśli się nie zgodzisz".

Tyzenhauz, w skrajnym klaustrofobicznym przerażeniu oraz w rozpaczy, że dał się rozegrać swym odwiecznym wrogom, powiesił się na więziennym prześcieradle. Andrukiewicz, wściekły na taki rozwój wypadków, rozpoczął akcję oczerniającą. Wywiad sowiecki rzucił na niego cień, żądając wymiany Tyzenhauza – gdy ten już nie żył! – na księdza Skalskiego. Tylko po to, by zasiać niepewność w szeregach prometejczyków.

Tymczasem agenci „Lewski", „Sośnica" i „Harry" przywieźli zmarłego do Warszawy i podrzucili go do jego własnej willi, pozorując, jakoby to właśnie tutaj popełnił samobójstwo. Niestety, nie ukryli dobrze śladów tortur, jakim go poddawano. Schaetzel *et consortes*, kiedy znaleźli trupa, zaczęli snuć różne podejrzenia. Wśród nich była obawa o to, że torturowany Tyzenhauz mógł wsypać Popielskiego. Lwowski policjant byłby tym samym na celowniku służb sowieckich.

– Nie wiem, co się później działo w Warszawie. – Agent „Litwiniuk" wypuścił dym przez nos. – Nie było mnie tam. Schaetzel oddelegował mnie do Lwowa, gdzie miałem chronić kuzynkę Popielskiego przed rzekomym atakiem sowieckich agentów. Nie wiedziałem, co się dzieje poza Lwowem. Raz tylko dostałem od Włodka, to znaczy od „Harry'ego", zaszyfrowaną depeszę, że akcja likwidowania świadków rozpoczęła się od syna naczelnika Mikulskiego.

– Tu mi nie pasuje kolejna kostka domina. – Morozow zapalił papierosa. – Syn chyba nie był żadnym świadkiem. Czy był? Może coś mi umknęło?

– Nic wam nie umknęło, towarzyszu kapitanie – odparł Andrukiewicz. – Ale Sergiusz Mikulski obiecał, że popełni samobójstwo czterdzieści czy pięćdziesiąt dni po śmierci syna, zgodnie z jakimś prawosławnym zabobonem. I Włodek chciał mu dać powód do tego samobójstwa...

Morozow się zamyślił.

– Ten „Harry" był bardzo niewłaściwym człowiekiem... – zauważył.

– Przyznaję. – Agent „Litwiniuk" nie bronił bynajmniej przyjaciela. – Włodek od paru miesięcy czekał na wyjazd do Rosji. Miał się znaleźć tu, gdzie ja jestem teraz. Za kordonem została cała jego rodzina. Obiecywano mu to, ale rozkaz przeniesienia nie nadchodził. Był chyba zbyt dobrym agentem i postanowiono go trzymać w Polsce jeszcze dłużej. Tak blisko samego szefa wywiadu to rzeczywiście świetna pozycja szpiegowska. Ale on tęsknił za rodziną, zwłaszcza za narzeczoną. Pił coraz więcej, rozrabiał, poniżał ludzi. Kiedy go zaaresztowano, bałem się, że mnie wsypie.

Andrukiewicz postanowił uciekać w chwili, gdy Schaetzel wezwał go ze Lwowa do Warszawy, mówiąc, że ma jakiś doskonały plan, który zmusi Chorążuka do zeznań. Ucieczka była jednak zbyt skomplikowanym przedsięwzięciem, aby dokonywać jej w pojedynkę. Droga z Warszawy albo ze Lwowa do Rosji oczywiście wiodła przez Wołyń, gdzie najważniejszym agentem Razwiedupru o pseudonimie „Cezary" był porucznik Filip Djaczewski, szef szkolenia podoficerów batalionu KOP-u w Hoszczy. Doskonale zaplanował tę ucieczkę dzięki swoim konszachtom z długoletnim współpracownikiem, byłym przemytnikiem, a ostatnio szanowanym człowiekiem interesu Bazylim Szeremetiukiem.

Andrukiewicz nie chciał wyjeżdżać sam. Postanowił posłuchać wezwania Schaetzla i pojechać do Warszawy, ale nie po to, by poznawać jakiś plan dotyczący Chorążuka. Jego spisał już na straty. Chciał zabrać stamtąd swoich wiernych towarzyszy – kolejarzy Składnika i Jugermana. A także pożegnać się z Sybillą. Akurat był z nią na ostatnim miłosnym *tête-à-tête* w mieszkaniu prezesa, które zresztą przy okazji dokładnie obszukał, kiedy Popielski zatelefonował z Radomia. Wtedy agent uznał, że los zrobił mu niezwykły prezent: będzie mógł uciec, porywając Popielskiego, i tym samym osłodzić porażkę Razwiedupru, który nagle stracił dwóch najważniejszych agentów siedzących przy samym Schaetzlu.

– Bałem się towarzysza Marcina Zarana-Zaranowskiego – powiedział. – A on na wieść o naszej porażce zagroził mi strasznymi konsekwencjami. Oczywiście, że wolę Sybir niż stryczek w Polsce, ale pojmany Popielski mógł zmniejszyć moje przewiny w oczach towarzysza Zarana. Tym bardziej że on nienawidził Popielskiego osobiście od czasów akcji „Dziewczyna o czterech palcach". No i Łyssy dobrowolnie wlazł mi w łapy. Był zakochany w tej pannie Alicji i sam do niej zatelefonował, kiedy ja tam byłem! Porwałem go i po różnych perypetiach przyjechaliśmy na Wołyń. Niestety, Popielskiemu udało się uciec z ciężarówki za Hoszczą, zostawiwszy za sobą dwóch rannych: mnie lżej rannego i mojego towarzysza Lewskiego ze złamaną nogą.

– Nie macie Popielskiego, prawda? – zapytał Morozow. – No to co? Jak spojrzycie w oczy towarzyszowi Zaranowi? Już się go nie boicie?

– Nie! – wykrzyknął Andrukiewicz. – Nie boję! Bo Popielski sam do nas przyjdzie!

– A to niby dlaczego? – zdumiał się sowiecki kapitan.

– A dlatego! – agent „Litwiniuk" wskazał palcem na przepierzenie. – Bo mam jego ukochaną kuzynkę, której jeszcze we Lwowie kazałem jechać ze sobą pod pretekstem, że Popielski chce się z nią pilnie zobaczyć. Djaczewski odebrał ją w Równem i oto jest z nami! A do niej Popielski zawsze przyjdzie, choćby przez kordon miał przeleźć. Wtedy ja przyprowadzę Łyssego towarzyszowi Zaranowi na pasku! Na pasku, powiadam!

– Tak brutalnie, na pasku? – W ciszy chałupy rozległ się mocny baryton Edwarda. – Jam człowiek łagodny, mnie nie trzeba na pasku!

MOROZOW BYŁ WŚCIEKŁY. Walnął pięścią w stół, aż podskoczyły szklanki.

– Za szybko pan wyszedł, poruczniku! – krzyknął. – Miałem go jeszcze zapytać, kim według niego jest kret w sowieckiej ambasadzie. Dobrze byłoby to wiedzieć, do cholery! Chciałbym poznać bliżej naszego przyjaciela.

Andrukiewicz, Jugerman i Czupryniuk zerwali się od stołu. Żołnierze wycelowali w nich karabiny.

– Nie rusz się nawet jeden z drugim – powiedział któryś z nich czystą polszczyzną.

– Jesteśmy po polskiej stronie, psubraty – dodał inny.

Usiedli. Jugerman i Czupryniuk wodzili wokół zbaraniałym wzrokiem, a Andrukiewicz schował twarz w dłonie. Teraz sobie przypomniał, że słyszał o takim szpiegowskim szach-macie. Historia dotyczyła wywiadu francuskiego. Pewnego człowieka, podejrzewanego o pracę dla wywiadu niemieckiego, przeprowadzono rzekomo przez granicę na niemiecką stronę. Tam czekał na niego niemiecki oficer, który najpierw go dokładnie o wszystko wypytał, a potem okazał się rodowitym paryżaninem. Ta opowieść zawsze wydawała mu się bajką.

Edward, ubrany w mundur oficerski, podbiegł do przepierzenia i odsunął je energicznie, aż zabrzęczały żabki przytrzymujące tkaninę. Strażniczka odsunęła na bok swe wielkie ciało.

Leokadia siedziała skulona na krześle. Wzrok miała wbity w ziemię, w niegdyś piękne, teraz sponiewierane buciki od Jabłkowskich, w tym jeden z ułamanym obcasem.

Edward podszedł do niej i pogłaskał ją po mokrych włosach. Wstała i spojrzała spokojnie na kuzyna.

– Ten człowiek – wskazała na Andrukiewicza – omal mnie nie zgwałcił, wiesz?

Popielski milczał.

– Mówił mi, że cię szantażował! Że jeśli uciekniesz, to mi to zrobi. To prawda? Słyszałeś ten szantaż?

Edward skinął głową.

– I mimo to uciekłeś?

Zamknął oczy ze wstydu.

Oczy Leokadii natomiast mocno się rozszerzyły. Zrobiła szybki zamach nogą. Jej pantofel wrył się szpicem w jego jądra.

– Zuch kobita! – roześmiała się strażniczka.

Twarz Popielskiego rozszerzyła się jak nadmuchiwana piłka i nabrała barwy buraczanej. Syknął z bólu i runął na kolana. Czuł się tak, jakby mu głowę przebił jakiś rozpalony pręt. Miał wrażenie, że ryje mu ciało, pcha się przez szyję i kręgosłup, a dostawszy się już do jąder, zaczyna drgać i szarpać się na wszystkie strony. Oparł czoło na czymś, co okazało się wrębem miski, w której się myła Leokadia. Brudna woda chlusnęła mu na mundur.

Minął kwadrans, zanim wstał i zaczął iść jak potwór z filmu *Golem* – na rozstawionych szeroko nogach. Dyszał przy tym i sapał, plując dokoła kropelkami śliny i chwytając się wszystkich sprzętów – stołu i oparć krzeseł.

Leokadia mimo braku makijażu i podartej sukienki wyglądała jak dama. Trzymała w palcach poobijany blaszany kubek z taką gracją, jakby piła szampana na balu. Gawędziła z uśmiechem z majorem Królikowskim, dowódcą garnizonu KOP w Hoszczy – tymczasowo przebranym w mundur sowieckiego kapitana.

– *Inexpectatus eventus* – rzekł Królikowski. – Tak się nazywał ten plan Schaetzla. Jedna wielka prowokacja. Przebieranka zastosowana już kiedyś przez Dwójkę. I na całe nasze szczęście się udała, bo dołączył do nas niezwykły współpracownik. Niezwykły – i swym strojem, i umysłem.

Wskazał brodą na Szeremetiuka.

– Tak, droga pani. Pan dyrektor to bardzo bystry człowiek. Odnalazł mnie tego samego dnia, kiedy skończyliście pierwszy etap podróży i odpoczywaliście w leśnym chutorze w Bielczakowskiej Kolonii.

Ubrany jak leśniczy przedsiębiorca, widząc, że o nim rozmawiają, podszedł do Leokadii i pochylił się nad jej dłonią.

– Odnalezienie pana majora w kniejach nie było trudne – powiedział. – Znam tutaj każdy zagajnik. I wiedziałem, że rzeka Pereweźnica uchodzi do Słucza, przypominając zakole rzeki Korczyk. A właśnie jesteśmy nad Korczykiem, po polskiej stronie oczywiście.

Leokadia kątem oka ujrzała, jak Edward mocuje się, by ustać przy stole. Nie chciała z nim rozmawiać, choć jej złość już powoli mijała. Od przystojnego majora dowiedziała się przed chwilą, że jej kuzyn robił wszystko, by ją uratować. Nawet oddał jakiemuś parobkowi swój pamiątkowy szwajcarski zegarek! Usłyszała również, że ryzyko jej pohańbienia przez Andrukiewicza było zerowe od momentu rozbicia temuż głowy w cerkiewce. Szeremetiuk i jego wariaci nie dopuściliby do tego – ani wtedy, gdy naprawdę chciał przerzucić Andrukiewicza i jego grupę przez granicę, ani potem, gdy zawarł już był umowę z majorem Królikowskim i z Edwardem przebywającym u boku dowódcy, i kluczył po kniejach, by w końcu nie przejść granicy. Niewiarygodne też było, by ciężko ranny mężczyzna w średnim wieku rzucił się na nią, gdy na chwilę pozostał bez opieki – tylko ze swoimi dwoma kompanami po rzekomej rosyjskiej stronie. Jej wzburzenie zostało też przytłumione przez podziw, jaki poczuła dla dyrektora wołyńskich tartaków. Ów tęgi operetkowo ubrany człowieczek okazał się niezwykle bystrym i przebiegłym graczem.

– Gratuluję przenikliwej inteligencji, panie dyrektorze – powiedział z atencją Królikowski do swego rozmówcy, jakby czytał w myślach Leokadii. – Mógłby pan być świetnym agentem. Tak odkleić kopertę, przepisać zaszyfrowany list. No, nieźle, nieźle...

– No cóż, miałem trochę szczęścia – szepnął Szeremetiuk. – Wiatr tego dnia był silny i zdmuchiwał płomień.

– Tak? Naprawdę? – Leokadia odwróciła wzrok od kuzyna. – Przepraszam, nie chciałabym być uznana za ciekawską, ale to są tak fascynujące kwestie te sprawy szpiegowskie! Jaki płomień, panie dyrektorze, jaki wiatr?

Szeremetiuk aż pokraśniał.

– Andrukiewicz nie spalił klucza do deszyfracji, gdy ich wiozłem furmanką do Zawołocza, bo wiatr się zerwał porywisty. Zapamiętałem to miejsce, gdzie zmiął i wyrzucił kartkę. Myślami umiem oznaczać każde miejsce w boru. Jak wracałem, to znalazłem notatkę i rozszyfrowałem wszystko...

Kiedy Edward już się zbliżał do Leokadii, ta odeszła.

– To jak, panie majorze? – odezwał się wtedy cicho Szeremetiuk. – Umowa stoi?

– No pewnie – odpowiedział Królikowski. – Mój szef generał Odrowąż-Minkiewicz i jego przyjaciel pułkownik Tadeusz Schaetzel to ludzie bardzo wpływowi. Nikt się nie będzie pana już czepiał, dyrektorze, o niezgodny z harmonogramem wyrąb lasów. – Uśmiechnął się wesoło. – Ja sam zresztą uważam, że tych drzew jest wokół stanowczo za dużo.

ŚWIĘTY KRZYŻ, GMINA SŁUPIA NOWA,
WOJEWÓDZTWO KIELECKIE, CZTERY DNI PÓŹNIEJ

EDWARD POPIELSKI WYSZEDŁ Z WIĘZIENIA i stanął na żwirowej dróżce. Spojrzał na szofera prezesa Chłapowskiego i dał mu znak, że jeszcze nie jadą. Zapalił papierosa i ciężko westchnął.

Był przybity z wielu powodów. Po pierwsze, Leokadia mu oznajmiła, że już dłużej nie chce z nim razem mieszkać. Nie pomogły prośby i zaklinania. Nie zadziałał też ostateczny argument.

– Źli ludzie i tak wiedzą, moja Lodziu, że wszyscy troje jesteśmy rodziną – wywodził Edward. – Zawsze i ty, i Rita będziecie mniej lub bardziej zagrożone z powodu mojej profesji.

To tłumaczenie, które Edward uważał za racjonalne, Leokadia uznała za cyniczne i brutalne.

– To znaczy: „Nie masz wyjścia", tak? To właśnie chciałeś powiedzieć? – mówiła spokojnym, zdecydowanym tonem, kiedy w dworcowym bufecie w Równem czekali na pociąg do Lwowa. – Taka brutalna prawda, co? Mogę się przeciwko niej buntować, mogę protestować, a ty i tak skwitujesz wszystko uśmieszkiem, który będzie oznaczał: „Nie masz wyjścia i tak wciąż będziesz narażona"! Otóż wiedz, że mam wyjście: mogę być narażona z tobą lub bez ciebie. Wybieram to drugie. I powiem ci coś z brutalną szczerością: ty też nie masz wyjścia i zawsze będziesz mnie chronić, bo inaczej dopadną cię Erynie.

Zamilkł. Wiele już nie rozmawiali – ani w Równem, ani w pociągu, ani we Lwowie. Z obojętnością przyjęła również przyjazd automobilu Chłapowskiego oraz wyjazd Edwarda na Święty Krzyż i do Warszawy. Próbował do niej zagadywać, żartować. Mówił, jak się cieszy na spotkanie z dzieckiem, które służąca zabierze zaraz do Lwowa. Chwalił piękną letnią pogodę, już bez tak dotkliwych upałów. Odpowiadała mu krótko i lodowato.

Miała rację. Boginie wyrzutów sumienia dręczyły go ostatnio dotkliwie. Dzisiaj zaatakowały go trzykrotnie.

Najpierw wczesnym rankiem, gdy przyjechał do Strzelczysk, rodzinnej wioski Hanny Półtoranos. Rita na jego widok wybuchła płaczem, po czym schowała się do domu. Edward i jego służąca weszli do chałupy i zaczęli rozglądać się za dzieckiem. Robili przy tym dużo hałasu, pociągali nosami i udawali płacz. Wiedzieli, że mała szczególnie lubi,

gdy nastroje sięgają zenitu i wszyscy wołają z udawaną roz-
paczą: „Coś strasznego się stało! Zginęło dziecko! Gdzie
ono jest?!". Wtedy zwykle Rita wyskakiwała z ukrycia, wybuchała perlistym śmiechem i rzucała się na szyję komuś
z ekipy poszukiwawczej.

Tym razem tak się nie stało. Kiedy Edward znalazł ją
w końcu za zasłoną w kącie pokoju, mała się nawet nie poruszyła. Jej usta wygięły się żałośnie i zaczęła łkać. Wyciągnięte ręce ojca odpychała ze złością, na przyniesione
zabawki nawet nie chciała patrzeć. W końcu pozwoliła się
Hannie wziąć na ręce, przestała płakać, położyła główkę
na ramieniu piastunki i patrzyła gdzieś przed siebie. Kiedy
Edward obchodził Hannę z różnych stron, aby się znaleźć
na linii wzroku dziecka, ono gwałtownie odwracało głowę.

Dziewczynka miała lat siedem, a więc była zbyt duża
na to, aby zapomnieć ojca, którego przecież całkiem niedawno widziała i spędzała z nim radosne chwile, gdy na
kilka dni wrócił do Lwowa po ponadpółrocznej nieobecno-
ści. Edward zdawał sobie sprawę, że tu chodzi o coś poważ-
niejszego, co mogło napełnić małe dziecinne serce więk-
szym bólem. Tym razem wyjechała poza miasto bez cioci.
Być może po raz pierwszy w swym krótkim życiu doznała
uczucia przejmującego osamotnienia, choć Hanna usiłowała zapełnić jej czas i nie skąpiła poczciwej serdeczności.
I być może właśnie teraz mała odpłaca się ojcu złością tak
wielką, że uczucie to stłumiło radość ze spotkania z nim,
a pozostał tylko gryzący żal z powodu porzucenia.

Nie pozwoliła mu się ani pocałować, ani utulić, mimo że
Edward dokonywał perswazyjnych cudów – od oferowania

słodyczy, poprzez odgrywanie zabawnych jego zdaniem scenek, aż po udawanie rozpaczy. Dobroduszna Hanna, a także inni mieszkańcy wioski, którzy się zlecieli na widok wspaniałego auta na białych oponach, pocieszali Edwarda, „że tak si trochi mała odzwyczaiła od tatusia, ali zaraz będzi cacy-cacy”.

Nie było „cacy-cacy”. Rita wciąż unikała jego wzroku, a nową lalkę rzuciła ze wzgardą w pył wiejskiej drogi.

W jednej chwili podjął decyzję, że zabierze córkę ze sobą na Święty Krzyż. W drodze będzie jej śpiewał i opowiadał bajki. Spędzą cudowny dzień – razem, po długim rozstaniu. Odebrał ją od Hanny i chciał posadzić na fotelu pasażera.

– Pojedziemy do domu, tatusiu? – zapytała Rita, przytuliwszy się w końcu do ojca, gdy ją niósł na rękach do auta.

– Najpierw zrobimy sobie wycieczkę – odparł wesoło szczęśliwy, że córka wreszcie okazała mu ciepłe uczucia. – Pojedziemy do lasu i na pewną górę. A potem wrócimy do domu.

– Ja chcę do domu, tatusiu! – Dziecko nagle zaniosło się od płaczu. – Do domu, do cioci!

Zaczęła niezdarnie wychodzić z samochodu. Buzia jej drżała od szlochu. Plan spalił na panewce.

Edward zostawił Hannie pieniądze na furmankę do Mościsk i na pociąg do Lwowa, a potem łykając łzy, pojechał dalej, zostawiwszy za sobą nachmurzone dziecko. W drodze sam siebie pocieszał, że kiedyś, gdy już będzie dorosła, zrozumie powód, dla którego musiał pojechać na Święty Krzyż. On po prostu chciał być *fair*. I przeprosić kogoś, komu zawinił. Ją samą przeprosi zaś, kiedy już wróci do Lwowa. I długo nie będą się rozstawać. Bardzo długo.

Po raz drugi Erynie zawyły po południu, gdy po dziesięciu godzinach przyjechał do małej wioski Śniadka koło majątku Sieradowice w województwie kieleckim i spojrzał w oczy narzeczonej Mariana Banaszczyka. Tak się nazywał nieszczęsny szofer, który woził Popielskiego po ziemi świętokrzyskiej, a potem pojechał z nim do Warszawy, gdzie dokonał żywota zakłuty koło parku Ujazdowskiego przez zbirów na sowieckim żołdzie. Edward przepraszał i zapewniał płaczącą dziewczynę, z którą Banaszczyk – gdyby żył – to właśnie stałby na ślubnym kobiercu, że mordercy Mariana już siedzą w więzieniu. Kiepska to była pociecha i dla niej, i dla niego samego. Dziewczyna plunęła mu w twarz i odeszła w rozpaczy, a on długo jeszcze stał na środku wsi. Nienawistne spojrzenia, jakimi go obrzucano zza płotów, bardziej go zgnębiły niż plwocina z ust osamotnionej młodej kobiety.

Po raz trzeci Erynie go dopadły, gdy ujrzał na Świętym Krzyżu Borysa Kowerdę. Chłopak był blady i wychudzony. Przywitał swojego nauczyciela i mentora początkiem pierwszej mowy Cycerona przeciwko Katylinie. Ale ta piękna łacińska fraza – *quousque tandem abutere, Catilina, patientia nostra* – wywołała u Borysa tak bolesne wileńskie wspomnienia, że zaczął szlochać. Uspokoił się nagle i już więcej łzy nie uronił. Patrzył na Popielskiego obojętnie suchymi oczyma i nie wiadomo, czy w ogóle go słuchał. Nie odzywał się ani słowem, gdy Edward mu opowiadał, co się działo po jego uwięzieniu. Nie obchodziły go najwyraźniej wydarzenia na zewnątrz murów. Jego świat się skurczył do czterech więziennych ścian, przestrzeń do smrodliwego powietrza celi, okrycie do zawszonego koca, a jadło do robaczywej kaszy. Musiał w tym świecie się zadomowić i nie chciał, by ktokolwiek mu to uniemożliwiał, przypominając o tym, że gdzie indziej są lasy, słońce i takie piękne miasta jak Wilno. W pewnym momencie wstał.

Strażnik więzienny, stojący pod oszklonymi drzwiami kancelarii, gdzie rozmawiali, oderwał się na chwilę od swych myśli i spojrzał uważnie przez szybki. Popielski uczynił uspokajający gest i chwycił Kowerdę za ramiona. To był być może ostatni moment, by zacytować i przekształcić nieco słowa Marszałka, skierowane do dzielnych Ukraińców Petlury:

– Ja ciebie przepraszam, Borysie, to nie tak miało być. Ja ciebie bardzo przepraszam!

– *Foedus cruoris salisque, carissime domine professor* – powiedział więzień i chwycił za klamkę kancelaryjnych drzwi.

Tym razem Popielski już nie powstrzymywał strażnika. Młodzieniec odszedł odprowadzany przez klawisza, a Popielski usiadł ciężko przy biurku. Ktoś nieznający łaciny mógłby pomyśleć, że oto ulubiony uczeń odwdzięczył się swemu nauczycielowi wymyśloną przez siebie frazą. Każdy absolwent gimnazjum wiedziałby, że ten zwrot oznacza „przymierze krwi i soli, najdroższy panie profesorze". Ale tylko Popielski wiedział, co się właściwie kryje za tymi słowami.

* * *

EDWARD MIAŁ RACJĘ, KIEDY MÓWIŁ NARZECZONEJ zmarłego Banaszczyka, że jego mordercy już siedzą. Po pierwszym przełomowym przesłuchaniu w małym wołyńskim chutorze Olgierd Andrukiewicz dostał się w Hoszczy w obroty majora Królikowskiego. Więzień był załamany i przybity. Zeznawał nieprzymuszony i po kilku godzinach nazwiska całej siatki szpiegowskiej znalazły się w notatniku przesłuchującego.

Wieczorem tego samego dnia w szpitalu w Równem zjawiło się dwóch tajniaków i weszło do sali, w której leżał rekonwalescent Ksawery Składnik, czyli agent „Lewski". Jeden z nich postukał w gips jego nogi i uśmiechnął się wesoło.

Porucznik Filip Djaczewski, zanim go aresztowano i osadzono w garnizonowym areszcie w Hoszczy, został pozbawiony oficerskich pagonów. Królikowski mu je zerwał i chciał plunąć zdrajcy w twarz, ale się opanował. To byłoby oznaką słabości niegodnej oficera.

W Łucku dwudziestu policjantów i żołnierzy Korpusu Ochrony Pogranicza otoczyło firmę Piwo Słowackie L.T.A.B. Zast. Hellenbach mieszczącą się na drodze wylotowej do Równego. Ujęto dziesięciu sowieckich szpiegów i członków nielegalnej Komunistycznej Partii Zachodniej Ukrainy. Skonfiskowano powielacze i propagandowe ulotki. Jeden z łuckich komunistów wyrwał się z obławy i usiłował uciec przez cmentarz karaimski. Tam dosięgły go celne kule, wystrzelone przez pewnego młodego żołnierza.

Do okazałej willi w podwarszawskim Konstancinie zapukało dwóch tajniaków. Zostali starannie wybrani spośród innych wywiadowców Urzędu Śledczego Komendy Głównej Policji. Odznaczali się nienagannymi manierami i godnym podziwu zdecydowaniem w działaniu. Tylko tacy jak oni mogli sprostać trudnemu zadaniu aresztowania człowieka, który tak łatwo zatrzymać się nie pozwoli i poruszy niebo i ziemię, by opóźnić ich działania. Dlatego musieli go zaskoczyć i już na samym początku zastraszyć i sparaliżować. Kiedy Dionizy Afeltowicz, zastępca naczelnika Departamentu Karnego Ministerstwa Sprawiedliwości, otworzył im drzwi, jeden z agentów powiedział beznamiętnie:

– Jest pan aresztowany, panie naczelniku, za przyjęcie pięciu tysięcy złotych w zamian za ulokowanie niejakiego Sergiusza Mikulskiego na stanowisku naczelnika więzienia na Świętym Krzyżu!

Kiedy Afeltowicz chciał mu zamknąć drzwi przed nosem, drugi z tajniaków przytrzymał je ręką i dodał.

– Ofiarodawcą był sowiecki agent „Harry", znany panu dobrze jako porucznik Chorążuk. Tak zeznał inny agent, „Litwiniuk", znany panu jako kapitan Andrukiewicz.

Urzędnik wpuścił ich do domu.

W Warszawie już od kilku dni szukano bratanicy prezesa Chłapowskiego panny Alicji Chłapowskiej. Tego dnia otrzymano wiadomość od wywiadowcy, że zauważono, jak wchodzi do kamienicy przy Alei Ujazdowskiej 19. Do wykwintnego apartamentu jej stryja zapukali dwaj wywiadowcy z IX Komisariatu Policji Państwowej z ulicy

Fabrycznej. Wpuściła ich przerażona służąca. Kiedy pokazali prezesowi oraz jego bratanicy, siedzącym akurat przy obiedzie, nakaz aresztowania tej ostatniej, dziewczyna przypadła do piersi wuja w nagłym ataku paniki.

– Idziemy! – wyciągnął ku niej dłoń jeden z policjantów.

– Poczekajcie, panowie, bardzo proszę – powiedział prezes Chłapowski drżącym głosem. – Proszę usiąść! Marianno, lemoniady dla panów komisarzy!

Spojrzał na nich smutnym, ciężkim wzrokiem.

– Pozwolą panowie, że dokądś zatelefonuję? – zapytał. Pozwolili.

I wrócili na komisariat z pustymi rękami.

* * *

TEN DZIEŃ NA ZIEMI ŚWIĘTOKRZYSKIEJ był dla Popielskiego bardzo trudny. Przeprosiny, które przekazał narzeczonej Banaszczyka oraz Borysowi, nie oczyściły go z gorzkich osadów współwiny. Żadna z reakcji tych dwóch osób – ani agresja, ani obojętność – nie napełniły go krzepiącym poczuciem sprawiedliwości, by mógł sobie powiedzieć prosto i po męsku: „Dostałeś to, co ci się należało, teraz zapomnij o wszystkim, bierz się do roboty i zadbaj o rodzinę!".

Poszedł noga za nogą do domku naczelnika Mikulskiego. Wiedział, że za tydzień już go nie będzie na tym świecie, bo za tydzień minie czterdzieści dni od śmierci jego syna Andrzeja. Chciał się po prostu pożegnać z tym prostym, twardym człowiekiem, który w odróżnieniu od niego samego zawsze dotrzymywał obietnic.

Zapukał do domku, do którego ostatnio wtargnął siłą. Służący, patrząc na niego spode łba, przepuścił go, nie ryzykując tym razem ciosu w podbródek. Popielski minął znany mu blaszany stojak na laski i parasole, po czym wszedł do ciemnego pokoju, który wtedy wziął za składzik.

Nic się tu nie zmieniło. Mikulski siedział przy biurku w czapce i w mundurze. Patrzył na drobiny kurzu wirujące w powietrzu. Osiadały na ciemnych kanciastych meblach, na wysiedzianych fotelach i na stojaku na gazety, który wciąż leżał połamany w kącie pokoju.

– Mam do pana prośbę, panie poruczniku – rozległ się jego donośny głos. – Kiedy już będę w więzieniu, to proszę przyjść do mnie najpóźniej za tydzień. Proszę mnie odwiedzić i przynieść mi brzytwę. Pana nie będą przeszukiwać.

Popielski był przekonany, że Mikulski, porażony przez swe nieszczęścia, zaczyna bredzić. Każdy by oszalał, siedząc dzień i noc przy swoim biurku – nie czytając, nie telefonując, nie myśląc – bo tak właśnie ostatnie dni swego zwierzchnika scharakteryzował pewien strażnik, który wpuszczał Popielskiego za mury godzinę wcześniej.

– O jakim więzieniu pan mówi, panie naczelniku?

W odpowiedzi Mikulski wyciągnął grubą owłosioną dłoń i wskazał na telefon stojący na blacie. Nie rzekł nic.

– No dobrze – powiedział Popielski łagodnie jak do dziecka. – To jest aparat. I co z tego? Ja pana pytałem o więzienie!

Naczelnik wpatrywał się nadal w wirujące drobiny kurzu.

– Jestem oskarżony o współudział – rzekł wolno. – Tego się dowiedziałem przez telefon od mojego szefa z Warszawy.

Dzwonił dzisiaj, kiedy pan już poszedł do więźnia Kowerdy. I mam się stawić przed jego obliczem najpóźniej pojutrze. Ponieważ zostałem uznany za człowieka honoru, nie zostanie wysłany nikt, kto by mnie doprowadził w kajdankach. Pójdę do więzienia, a potem do Rosji, poruczniku. Jeśli mi pan nie pomoże, to nie dotrzymam słowa danego samemu sobie. Proszę o brzytwę, o nic więcej.

– Do jakiej Rosji? O czy pan mówi, do jasnej cholery?

– Tak mi powiedział telefon, że Ruscy mnie chcą u siebie w ramach wymiany szpiegów. Jaki ja tam szpieg? Ale i tak mi wszystko jedno.

– Kto to panu konkretnie mówił?

– Osobiście mój szef, Seweryn Jezierski, naczelnik Departamentu Karnego w Ministerstwie Sprawiedliwości. Mówił, że ma taką wiadomość od szefa wywiadu. On dobry chłop, ten Jezierski, on mi chce po prostu podziękować za służbę, a potem mnie odda w ręce wywiadu.

Popielski sięgnął po słuchawkę i podał warszawski numer Schaetzla – służbowy i domowy. Połączenie trwało półtorej godziny. W tym czasie Popielski palił i spacerował żwirowymi alejkami wokół domku, a Mikulski siedział przy biurku – nie czytając, nie telefonując, nie myśląc. W końcu służący naczelnika wychylił się z okna i krzyknął, że Warszawa na linii.

– To jakaś pomyłka – powiedział Schaetzel, wysłuchawszy wypowiedzi porucznika. – Mój nowy adiutant, który zadzwonił do Jezierskiego, wszystko pokręcił. To szczeniak, głupi jeszcze. Owszem, Mikulski ma się stawić w Warszawie i będzie przez nas przesłuchiwany, bo jakiś tam współudział jego jest, nieprawdaż? Otóż przesłuchamy go i być może postawiony mu będzie jakiś zarzut. Ale to raczej mało pewne...

– Uff... To znaczy, że nie będzie żadnej wymiany?

Zapadła cisza. Długa cisza.

– Hallo, jest pan tam, panie pułkowniku?

– Tak – odezwał się Schaetzel, a jego głos brzmiał teraz grobowo. – Pyta pan, czy będzie wymiana. Odpowiadam. Tak, będzie wymiana. Sowieci chcą swoich szpiegów: Andrukiewicza i Chorążuka. Marszałek wyraził zgodę.

Popielski poprosił o powtórzenie tej informacji. Schaetzel spełnił prośbę. Jego głos się zacinał, Edward czuł, że szef jest bliski wybuchu.

– Za kogo mają wymienić mordercę niewinnego chłopca i młodego człowieka, co miał stanąć na ślubnym kobiercu?! No, za kogo?! Za tego księdza Skalskiego? – wypytywał go gorączkowo.

– Nie wiem, kurwa mać! – wrzasnął podpułkownik. – Nie oddałbym tych dwóch skurwysynów za najbardziej legendarnych duchownych i świeckich tego świata! Nie wiem!

Trzasnęła rzucona w gniewie słuchawka.

Popielskiemu dłużył się ten dzień. Ale po rozmowie z szefem nie popadł w furię ani w desperację. W jednej chwili zrozumiał, jak zapobiec tej haniebnej wymianie. Czuł takie podniecenie jak po wyroku w sprawie Miętkiego. Teraz też wiedział, że ma coś do zrobienia. Zdecydowanym okrzykiem odpędził Erynie.

– No, wsiadaj pan do auta, naczelniku! – krzyknął. – Zawiozę pana do Warszawy! Przecież pan nie ma czym jechać! Ma pan jakiś bagaż?

Mikulski wsiadł do samochodu w pełnym umundurowaniu. Za cały bagaż miał służbową teczkę, a w niej dwie torebki po cukrze. W jednej trzymał ćwiartkę wódki, w drugiej kawałek chleba i kiełbasy.

W drodze do Radomia tylko raz ich milczenie zostało przerwane.

– Cała nadzieja w sędzim – powiedział Popielski. – Że jest w pracy, nie na letnisku.

Mikulski z troską spojrzał na swego współtowarzysza podróży.

– Wariat! – mruknął. – Niezawodnie! Wariat!

GDYNIA, TRZY DNI PÓŹNIEJ

LŚNIĄCY CADILLAC NA BIAŁYCH OPONACH JECHAŁ WOLNO. Prosiła o to panna Alicja Chłapowska, która siedziała obok swojego stryja na tylnej kanapie auta. Chciała po raz, być może, ostatni w życiu nacieszyć się zapachem polskich rozgrzanych żywicznych sosen, poza którymi, nieco w dole, migały błękitne plamy morza. Pragnęła napawać oczy widokiem Bałtyku, ale nie z perspektywy plaży – skąd morze wyglądało zwyczajnie, płasko, i trywialnie. Największy podziw budził u niej lazur fal, kiedy nań patrzyła spośród drzew – tak jak rok temu, gdy spędzała wakacje ze stryjostwem w Jastrzębiej Górze i chodziła często na spacery, by z zarośniętego drzewami klifu podglądać zrywy wzburzonego morza.

Opowiadając o tym wtedy stryjowi Tadeuszowi, użyła właśnie tego słowa. Podglądać. Pamiętał dobrze ową rozmowę. Nawiązał do niej teraz.

– Od dziecka lubiłaś podglądać i podsłuchiwać – powiedział. – Była w tobie jakaś sprzeczność. Dziewczynka wstydliwa i milcząca, którą trudno było namówić, aby powiedziała w towarzystwie jakiś wierszyk, zagrała coś na pianinie. A tu nagle, czasami... Czasami to dziecko robiło się pewne siebie i otwarcie krytykowało najbliższych. Wybuchało złością i mówiło: „No, przecież stryj to obiecał, kiedy rozmawiał o mnie ze stryjenką!". Tak... Przysłuchiwałaś się ukradkiem rozmowom dorosłych, w swym bystrym umyśle zbierałaś wiadomości, by je potem wykorzystać. To wstydliwe dziewczątko chciało w jakiś sposób kontrolować bliskich, sprawdzać, czy to, co mówią, zgadza się z tym, co robią. Tropiłaś hipokryzję, a sama stałaś się największą hipokrytką. Bo każdy zdrajca jest hipokrytą.

Sybilla zaczęła płakać, prezes umilkł. Ale nie dlatego, żeby nie krzywdzić bratanicy mocniej. Stłumił już był w sobie sprzeczne uczucia, które nim miotały – od obrzydzenia do rodzinnej tkliwości, jaką wciąż w nim budziła. Próbował ją mimo wszystko zrozumieć. Aby tego dokonać, musiał usunąć pewne znaki zapytania, jakie wciąż tkwiły w „sprawie Kowerdy". Zadał jej po drodze kilka pytań, ale nie odpowiedziała od razu. Poprosiła o czas do namysłu.

Automobil wjechał do Gdyni. Po bokach przesuwały się małe domki rybackie ukryte wśród drzew, przed którymi stały drewniane stelaże obwieszone suszonymi śledziami. Tu i ówdzie pojawił się nowoczesny dom kuracyjny albo okazała willa.

Sybilla chciała teraz odpowiedzieć na zadane jej pytania.

– Zrozumiałam, stryjciu, że źle robię. – Pociągnęła nosem. – I chciałam to naprawić. Wiem, że wszystko, co teraz powiem, nie zmieni mojego losu. Ale, niech mi stryj wierzy, kiedy wyczułam, że Olgierd... Że kapitan...

– Mów o nim po prostu Andrukiewicz! – przerwał jej ostro. – Został słusznie zdegradowany.

– Dobrze, stryju. Kiedy wyczułam... Tak, to była kobieca intuicja, nic więcej. Kiedy wyczułam, że Andrukiewicz nie mówi mi całej prawdy, wpadłam w popłoch. Już zabrnęłam zbyt głęboko. Nie wiedziałam, jak się wydostać, jak wielka jest ma wina. Pragnęłam ją choć częściowo zmazać. Napisałam do pana majora Tyzenhauza list o tym, co mi Andrukiewicz kiedyś powiedział jako zabawną historyjkę, dykteryjkę prawie. O tym, że ambasador Wojkow to „niezły ogier". Przepraszam stryja za tę dosadność, ale tak właśnie mi powiedział Olgierd... to znaczy Andrukiewicz. Że ambasador ma liczne stałe płatne niewiasty do folgowania swoim żądzom, a kiedy nie może korzystać z ich usług, chodzi do parku Skaryszewskiego i obnaża się przed kobietami.

– W łóżku ci to powiedział? – zapytał ze złością Chłapowski.

– Tak – szepnęła ze wstydem. – I jeszcze coś ważniejszego mi mówił. Że Sowieci mają go dość, bo ten Wojkow był widziany w nocy na Wiśle, jak motorówką pływał... Jakiś gaz trujący w falach topił. Policja go aresztowała, ale miał immunitet dyplomatyczny. I o tym wszystkim napisałam do przyjaciela stryja, do pana majora.

– Anonimowo?

– Nie, podałam własne nazwisko. Błagałam go o dyskrecję, pisałam, że mój los jest w jego rękach, zaklinałam, by nie wydał mnie przed stryjem, bo wtedy czeka mnie smutny koniec: wygnanie z domu stryjostwa, jeśli nie więzienie, katorga. Obiecałam, że mogę być podwójną agentką i wyciągać informacje od Andrukiewicza. Po kilku dniach pan major nieoczekiwanie do mnie zatelefonował. Było to tuż przed zamachem, o którym później wszyscy mówili. Chciał się upewnić, czy to rzeczywiście ja pisałam ten list, czy te wiadomości o erotycznych i terrorystycznych wyczynach Wojkowa są prawdziwe. Oczywiście potwierdziłam przez telefon wszystko. Zaklął szpetnie i odłożył słuchawkę. A wkrótce potem moja ukochana przyjaciółka Basia Tyzenhauzowa została wdową. Moja próba naprawienia błędu nastąpiła zbyt późno. I być może doprowadziła do śmierci tego dzielnego człowieka...

– A czemu mi o wszystkim nie powiedziałaś od razu?

– Bałam się, że stryj mnie z domu wyrzuci. Andrukiewicz torturował majora i dowiedział się o moim liście do niego. O całej mojej żałosnej próbie ratowania twarzy... Zaczął mnie brutalnie traktować. Szantażować, że wszystko stryjowi powie. O ile wcześniej, przed śmiercią majora Tyzenhauza, stryj by mi jeszcze, być może, wybaczył, o tyle teraz... Popadłabym w nienawiść stryja, straciłabym najlepszą przyjaciółkę Basię Tyzenhauzową. Nie miałam wyjścia.

Prezes skinął głową. Większość znaków zapytania znikła.

Automobil wjeżdżał powoli do gdyńskiego portu. Jechał wzdłuż bocznicy kolejowej, która dochodziła prawie do samego blaszanego budynku, gdzie odbywała się odprawa paszportowa i bagażowa. Tłoczyła się pod nią duża grupa nędznie ubranych ludzi: mężczyzn w poszarpanych kapeluszach i kobiet w chustkach na głowie, które siedziały na kufrach i wielkich tobołach. Wielu z podróżnych mówiło po ukraińsku.

– Emigranci – powiedział Chłapowski, wskazując na nich brodą. – Wolałbym, abyś opuszczała Polskę z takich powodów jak oni.

Cadillac się zatrzymał, skupiając na sobie wszystkie spojrzenia. Wysiedli i zbliżyli się do nadbrzeża. Cumował przy nim statek handlowo-pasażerski SS „Pologne” należący do Compagnie Générale Transatlantique. Płynął do Normandii, do francuskiego Hawru, a stamtąd za ocean.

– Nie powiedziałaś mi całej prawdy, Alicjo. – Prezes zapalił papierosa. – Przedstawiłaś mi samą siebie jako ofiarę oszustwa, którego się na tobie dopuścił straszliwy i cyniczny potwór. A nie zapomniałaś przypadkiem o czymś jeszcze?

– O czym? – zapytała z niepokojem.

– O uczuciach! I o tym, jak te uczucia dochodziły do głosu! – warknął. – O tym, że zostałaś kochanką Andrukiewicza z nienawiści do swojego byłego kochanka Popielskiego! Nie wybielaj się, Alicjo! Z tej nienawiści do Popielskiego dopuściłaś się zdrady ojczyzny, nie mówiąc już o takich drobiazgach jak oddawanie się innym mężczyznom dla sprawy!

– Jakim innym mężczyznom? – zdziwienie zadrżało w jej głosie.

– Choćby temu nieszczęsnemu naczelnikowi więzienia w Sierpcu. Popielski odkrył, że tam jeździłaś i nocowałaś z nim w hotelu!

– Nie oddałam mu się! – powiedziała zdecydowanie dziewczyna. – To był tylko teatr, odgrywanie ról! Do Sierpca, udając kochankę Mikulskiego, przyjeżdżałam z Chorążukiem, który z kolei udawał mojego stręczyciela! To miało ukryć rzeczywisty cel Andrukiewicza i Chorążuka, jakim było wynajęcie dla kogoś więziennej celi. Cały Sierpc miał mówić, że kochanka przyjeżdża do naczelnika. I raz tylko Chorążuk wyszedł po papierosy. Stary portier nic by nie powiedział Popielskiemu, ale Edward dotarł do kogoś, kto go widział.

Chłapowski chwycił bratanicę za drobne ramiona.

– Cieszę się, że wyjeżdżasz do Nowego Jorku – powiedział to bez uśmiechu. – Tamtejsze mroźne zimy ostudzą twoje gorące serce.

Nie pocałował jej na pożegnanie.

**MIKASZEWICZE, GMINA LENIN, POWIAT ŁUNINIEC,
DWANAŚCIE GODZIN PÓŹNIEJ**

DWORZEC W MIKASZEWICZACH BYŁ NIESYMETRYCZNY. Wejście dzieliło go na nierówne połowy. Z lewej jego strony rozciągała się na jakieś dwadzieścia metrów niska parterowa poczekalnia, natomiast z prawej – sześćdziesięciometrowa część budynku z wyniosłą mansardą, ozdobioną dwoma dużymi oknami. Mimo tej nieregularności budowla była bardzo okazała, zważywszy że miasteczko, którego była najważniejszym punktem, liczyło niespełna tysiąc dusz. Było to jednak miasteczko graniczne – jeden z niewielu punktów kolejowych łączących Rzeczpospolitą Polską ze Związkiem Sowieckich Socjalistycznych Republik. Państwa te miały tylko jedenaście granicznych przejść kolejowych – przy wspólnej granicy długości tysiąca czterystu dwunastu kilometrów. Nic zatem dziwnego, że władze polskie zadbały o dworce nawet w takich niewielkich osadach jak Mikaszewicze. Miały wszystkim przekraczającym granicę pokazywać, gdzie się zaczyna lub kończy kultura europejska.

Andrukiewicz i Chorążuk siedzieli teraz na peronowej ławce przed oświetlonym gmachem tego dworca i żaden z nich nie dbał o to, w jakim kręgu kulturowym zaraz się znajdzie. Dla tego pierwszego ważne były nie kwestie filozoficzne, lecz wymiar kary, jaką otrzyma za to, iż dał się oszukać przebierańcom i złożył zeznania zabójcze dla całej wołyńskiej siatki Razwiedupru. Drugi zaś nie mógł się doczekać, aż na peronie po stronie sowieckiej ujrzy swoją matkę, siostry oraz narzeczoną.

W oddali widać było wznoszącą się nad torami, już po sowieckiej stronie granicy, ogromną bramę powitalną z rosyjskim napisem „Witamy naszych bohaterów". Wojskowe marsze, wygrywane tam od kwadransa przez orkiestrę, tchnęły tężyzną, radością i otuchą. Mówiły: „Za wami pańska Polska, kraina wyzysku, porzućcie ją bez żalu i witajcie w raju sprawiedliwości społecznej!".

Tymczasem Chorążuka dręczyło poczucie silnej niesprawiedliwości. Choć Andrukiewicz usiłował zagadywać kompana, jakby szukał u niego pociechy typu: „Nie martw się, każdemu może się to zdarzyć", to ten milczał jak grób i nawet na niego nie spojrzał w czasie całej podróży z Warszawy z przesiadką w Białymstoku. Patrząc na swe połamane w czasie śledztwa palce, nie mógł znieść myśli o tym, że on – prawdziwy bohater, który pary z ust nie puścił w czasie brutalnego śledztwa – miałby otrzymać takie same kwiaty i takie same wyrazy uznania jak ten głupek, który dał się oszukać jak dziecko.

Na peron podjechała lokomotywa, do której przyczepiony był wagon towarowy, i zatrzymała się, zgrzytając i sypiąc iskrami spod kół. Z wagonu wyskoczył tęgi funkcjonariusz służby więziennej. Jego trzej koledzy stojący za plecami szpiegów – siedzących na ławce i skutych kajdankami – kiwnęli swemu koledze głowami. Starosta gminy Łuniniec pan Zygmunt Jagodziński oraz tamtejszy notariusz pan Adam Niemirowicz podeszli do przybyłego, by okazać mu stosowne dokumenty. Oglądał je długo w świetle latarki.

Na dalszy peron wjechał pociąg towarowy. Na dyszącej parą lokomotywie widniał napis „Górnośląski Dowóz Drzewa Kopalnianego". W huku toczących się wagonów i w zgrzycie kół nie było słychać już dźwięków sowieckiej orkiestry.

Niesłyszalny był również odgłos kroków dobrze zbudowanego mężczyzny w nieco przyciasnym brunatnym uniformie służby więziennej, który szedł po peronie z rękami założonymi do tyłu. Podszedł do swoich kolegów, stojących za plecami szpiegów. Stanął pomiędzy nimi i – zanim się do niego odwrócili, by spojrzeć, co to za nadplanowy strażnik – rozepchnął ich łokciami z całej siły. Kiedy zdumieni sięgali do swych kabur, on strzelił Chorążukowi w potylicę. Zanim opadła fontanna krwi, Andrukiewicz też leżał na peronie i się zwijał. Dostał trzy kule w podbrzusze.

Orkiestra przestała grać.

Mężczyzna wyrzucił broń i uniósł ręce do góry. Miał przy sobie dokumenty. Nazywał się Sergiusz Mikulski i był zawieszonym w obowiązkach naczelnikiem Więzienia Ciężkiego na Świętym Krzyżu.

Świadkowie, zeznający później na jego procesie, zgodnie mówili, że wypowiedział on kilkakrotnie zdanie:

– To za mojego syna.

EPILOG

Profesor Roger Greymore przerwał wykład i spojrzał na zegarek. Miał idealny *timing*. Lata praktyki. Zostało prawie dziesięć minut do końca – czas dla studentów.

– Czy macie jakieś pytania?

Usiadł na katedrze. Wiedział, że spodnie podjeżdżają mu do góry i odsłaniają buty i skarpetki. Nie miał się czego wstydzić. Buty nosił bardzo dobre, niemieckie Lloydy, a jedwabne skarpety miał na tyle długie, by nie raczyć nikogo widokiem swych owłosionych łydek.

Pierwsza odezwała się dziewczyna o delikatnej urodzie angielskiej róży. Teraz na jej policzkach wykwitał rzeczywiście rumieniec. Mówiła z pięknym wysokim zaśpiewem absolwentki prywatnej szkoły. Jej długie jasne palce tańczyły nerwowo po blacie ławki, jakby była ona fortepianową klawiaturą.

– Co się stało z tym Mikulskim? – zapytała podniesionym głosem, w którym dźwięczało zdziwienie i oburzenie jednocześnie. – Wyrok sądu znów był tak miażdżący jak w wypadku Kowerdy?

Greymore nie mógł powstrzymać uśmiechu. Ta dziewczyna miała w sobie młodzieńczy entuzjazm, który stawał się paliwem dla zmęczonych i sfrustrowanych nauczycieli.

– Pamięta pani, jak przedstawiłem taką scenkę rodzajową. Popielski i Mikulski jadą samochodem z ciężkiego więzienia do Warszawy i Popielski mówi: „Cała nadzieja w sędzim"?

– Tak było – wyrwał się chłopak o słowiańskim obliczu. – Właśnie chciałem zapytać o te zagadkowe słowa.

Greymore zeskoczył z katedry, jakby się chciał przed angielską różą popisać swoją sprawnością fizyczną.

– Mikulski stanął przed tak zwanym sądem doraźnym – rzekł. – Czyli szybkim, sądzącym bez zwłoki najpoważniejsze przestępstwa. Sędzia uznał Mikulskiego za winnego zabójstwa Olgierda Andrukiewicza i Włodzimierza Chorążuka. Jednocześnie odstąpił od wymierzania jakiejkolwiek kary z uwagi na wyższe pobudki działania sprawcy. Ten sędzia nazywał się Wincenty Arendarski i prawie dwa miesiące wcześniej wydał drakoński wyrok w sprawie Borysa Kowerdy.

Na sali rozległ się szmer, który współgrał z dźwiękami, jakie krople deszczu wybijały na brudnych szybach sali wykładowej Wydziału Sztuk i Nauk Humanistycznych Uniwersytetu Coventry.

– Tak, moi drodzy! Niedawno jeden z polskich historyków, badający kwestię niezależności sądów Drugiej Rzeczypospolitej, wykazał, że sędziego Arendarskiego łączyły bardzo bliskie stosunki ze sferami rządowymi. Nie wahałbym się stwierdzić, że Kowerda, otrzymawszy potężny wyrok, został złożony w ofierze, by nie popsuć stosunków polsko-radzieckich, natomiast Mikulskiego uniewinniono, kiedy te stosunki i tak stały się beznadziejne, więc nie było czego już psuć. Być może Popielski wpłynął na Schaetzla, a ten sędziemu Arendarskiemu szepnął słówko przy bridżu? Nie zapominajmy też, że po aferze Andrukiewicza, po śmierci niewinnych ludzi, takich jak Marian Banaszczyk, a nade wszystko nieszczęsny syn Mikulskiego Andrzej, parcie opinii publicznej na uniewinnienie naczelnika było jeszcze większe niż w sprawie Kowerdy.

Greymore spojrzał na zegarek. Wiedział, że lawina pytań może go zalać, a on obsesyjnie wręcz trzymał się nakazanego regulaminem i tradycją czasu wykładu. Postanowił uprzedzić ewentualne dalsze pytania.

– Pewnie są państwo ciekawi, co się stało z Borysem Kowerdą, prawda?

Studenci pokiwali głowami.

– Odsiedział dziesięć lat w Polsce, przeniesiony do innego więzienia o zwykłym rygorze. Potem wyemigrował do Jugosławii. W czasie wojny znalazł się na chwilę w Niemczech, a stamtąd wyjechał do mojej ojczyzny. Zmarł w 1987 roku w Hyattsville w przepięknym stanie Maryland, skąd ja sam pochodzę. Nigdy nie wydał Popielskiego, gdy ten po wojnie mieszkał w Polsce i długo ukrywał się pod fałszywym nazwiskiem przed komunistyczną polską milicją. Wystarczyłby jeden list, w którym Kowerda identyfikuje Popielskiego jako współzabójcę Wojkowa albo, jeśli państwo wolą, swojego inspiratora, jako pomocnika kata. Tak! Kowerda mógłby się zemścić na swoim nauczycielu. Ale widać, w odróżnieniu od niego, Białorusin dotrzymywał przymierza zawartego krwią i solą. Nawiasem mówiąc, Rosjanie nigdy oficjalnie nie przyznali, iż carobójca pochowany pod murami Kremla był zboczeńcem i malwersantem. Jedna ze stacji moskiewskiego metra wciąż nosi jego nazwisko. Niedawno władze Moskwy zapytały się w ankiecie, czy morderca carskiej rodziny wciąż powinien patronować tej stacji. Większość ankietowanych odpowiedziała negatywnie. Ale funkcjonariusze Władimira Putina nie pozwolili na zmianę.

Greymore uśmiechnął się do studentów.

– Dziękuję państwu za uwagę i zapraszam na kolejny wykład. Za tydzień o tej samej porze. Będziemy mówić o eksperymentach paranormalnych dokonywanych przez radzieckie służby specjalne.

Angielska róża podbiegła do profesora, kiedy ten kierował się już ku drzwiom, brzęcząc kluczami.

– Mam jeszcze jedno pytanie. – Splotła ramiona na piersiach. – Co się stało z Leokadią?

– Wróciła do swego kuzyna i towarzyszyła mu aż do śmierci.

W oczach dziewczyny odmalowało się niedowierzanie.

Powieść tę ukończyłem we Wrocławiu, dnia 16 stycznia, o godzinie 14.01.

POSŁOWIE

DNIA 7 CZERWCA 1927 ROKU dziewiętnastoletni Białorusin Borys Kowerda zastrzelił na Dworcu Tymczasowym w Warszawie ambasadora* ZSRR w Polsce Piotra Wojkowa. Powieść *Pomocnik kata*, opisująca wypadki (w dużej mierze zmyślone), które poprzedzają to wydarzenie historyczne i następują po nim, jest zatem mieszaniną prawdy i fikcji. Jest to oczywiście truizm i nie wspominałbym nawet o nim, gdybym się nie spodziewał reakcji niektórych moich Czytelników, proszących mnie często w listach i na spotkaniach autorskich o oddzielenie historycznego ziarna od fikcyjnych plew.

Takiej prośby nie mógłbym spełnić w kilku zdaniach, szczegółowe wyjaśnienia zajęłyby mi z całą pewnością wiele stron. Oto dwa przykłady takich ewentualnych eksplikacji. Przedstawiając tajne operacje prometejczyków**, musiałbym napisać, że Henryk Józewski i Tadeusz Schaetzel istnieli rzeczywiście i należeli do tej organizacji, a Tadeusz Chłapowski jest, owszem, postacią autentyczną, ale z prometeizmem, o ile mi wiadomo, nie miał nic wspólnego, Floriana Tyzenhauza zaś od początku do końca wymyśliłem. Przykład drugi. W scenie sądu*** nad Borysem

---

* Używam konsekwentnie określenia „ambasador", chociaż Wojkow bywa nazywany w pracach historycznych często „posłem" lub „posłem pełnomocnym".

** Zob. T. Snyder, *Tajna wojna. Henryk Józewski i polsko-sowiecka rozgrywka o Ukrainę*, tłum. B. Pietrzyk, Kraków 2008.

*** Proces ten rzeczywiście odbył się 15 czerwca 1927 roku, ale w jakim gmachu? Nie znalazłszy nigdzie lokalizacji, gdzie odbywały się

Kowerdą pomieszałem fragmenty autentycznych mów obrończych adwokatów* z fikcyjnymi wypowiedziami prawniczymi. Rozdzielenie jednych od drugich byłoby czasochłonne. Podobnie musiałbym po kolei analizować wiele passusów tej książki.

Z braku miejsca i czasu nie podejmę się zatem trudu rozsupływania większości takich węzłów fabularnych, będących plątaniną fikcji i prawdy. Niektórych miejsc jednak nie mogę przemilczeć, zwłaszcza takich, gdzie wypadki powieściowe, uzasadnione realiami społecznymi i politycznymi Polski międzywojennej, mogą być przez dzisiejszego czytelnika traktowane z dużym niedowierzaniem.

Tak jest w wypadku przerażającej zbrodni, jaką jest pedofilia. W osłupienie wprawiają nas dzisiaj niewysokie wyroki (a nawet uniewinnienia ewidentnych sprawców), jakie zapadały w tych sprawach w okresie międzywojennym**. Edward Popielski, choć oczywiście zdawał sobie sprawę z łagodnego traktowania pedofilów przez polskich sędziów, roztrząsających na przykład (jakby to miało jakieś znaczenie!), czy dany akt należy uznać za „pedofilię zastępczą" (*paedophilia subrogativa*) czy też „zwykłą"

---

w Warszawie obrady sądów doraźnych, przyjąłem, że było to na Miodowej. Być może jest to błąd.

* Zaczerpnąłem je z: [b. aut.] *Sprawa Borysa Kowerdy. Zabójstwo posła Z.S.R.R. Piotra Wojkowa*, Warszawa 1927 (książkę tę nie bez trudności znalazł i dostarczył mi mój współpracownik i eksplorator Mikołaj Kołyszko, za co mu składam w tym miejscu specjalne podziękowania).

** Zob. K. Janicki, *Epoka milczenia. Przedwojenna Polska, o której wstydzimy się mówić*, Kraków 2018, s. 149–194; 271–293.

(*paedophilia erotica*)*, nie mógł się pogodzić z karą, jaka została nałożona na Józefa Miętkiego. Jego gwałtowny sprzeciw przeciwko szokująco niskiemu wyrokowi dwóch lat więzienia za gwałt na dziecku nadaje mojemu bohaterowi współczesne rysy. Można by tutaj postawić mi zarzut anachronizmu (dlaczego Popielski tak się oburzał na wyrok, jeśli w tamtych czasach nikogo by on nie oburzył?), gdyby nie głęboko osobiste uzasadnienie jego słusznego gniewu – wszak był ojcem dziewczynki, która miała niewiele mniej lat niż ofiara pedofila.

Inną wątpliwością tego rodzaju mogłoby być zuchwałe i zupełnie nieuzasadnione z dzisiejszego punktu widzenia przekonanie prometejczyków – powieściowych inicjatorów zamachu na Wojkowa – że Borys Kowerda, zabiwszy ambasadora z „pobudek idealistycznych", uniknie surowej kary, czy wręcz zostanie uniewinniony. Jeśliby Czytelnik nie dał się przekonać analogiczną i omówioną przeze mnie (ustami profesora Greymore'a) sprawą Maurice'a Conradiego, który został uniewinniony za zabójstwo sowieckiego dyplomaty Wacława Worowskiego, to niech zwróci uwagę na inne decyzje sądów w podobnych sprawach: wyroki uniewinniające po odwetowych zamachach na Talata Paszę i na Symona Petlurę, dokonane odpowiednio – w 1921 w Berlinie przez Soghomona Tehliriana i w 1925 w Paryżu przez Szolema Szwarcbarda). Nic zatem dziwnego, że Borys Kowerda, znając te przypadki, mógłby uwierzyć Popielskiemu

---

* *Ibidem*, s. 185–188.

(a ten wcześniej Tyzenhauzowi), że zabicie Wojkowa może zamachowcowi ujść (prawie) bezkarnie.

Najważniejszą wątpliwością, jaka mogłaby się zrodzić w głowie uważnego Czytelnika, jest pytanie: czy przypisanie sowieckim służbom specjalnym rzeczywistego sprawstwa zamachu na własnego wysokiego aparatczyka nie jest jednak przesadą? Czyżbym – kierując się widoczną w całej książce moją sympatią do młodego „idealistycznego" zamachowca – chciał go zwolnić z odpowiedzialności, obciążając nią ponure i odwiecznie wrogie Polsce czynniki?

Na tę wątpliwość odpowiem następująco. O ile sprężyny zamachu były przez całe lata rzeczywiście ukryte przed badaczami i miłośnikami historii, o tyle w ostatnich latach ta mgła została nieco rozrzedzona dzięki badaniom doktora Sławomira Dębskiego, który w swym znakomitym artykule o zamachu na Wojkowa* wskazuje wyraźnie na możliwość inspirowania Białorusina przez sowiecki wywiad. Historyk konkluduje: „Być może wbrew obowiązującej od 1927 r. wersji Kowerda nie działał w pojedynkę, motywowany dążeniem do zemsty za zniszczenie przez bolszewików Rosji i wymordowanie carskiej rodziny, ale był inspirowany lub wręcz prowadzony przez sowieckie instytucje zainteresowane likwidacją Wojkowa"**. Ten wniosek – ostrożny, lecz

---

* S. Dębski, *Zagadka zamachu na Piotra Wojkowa, sowieckiego posła w Warszawie 7 czerwca 1927 r. – nieznany dokument polskiego MSZ rzuca nowe światło*, „Polski Przegląd Dyplomatyczny" nr 3 (70), 2017, s. 138–159 (wersja elektroniczna: https://web.archive.org/web/20170817034610/ http://www.ppd.pism.pl/Numery/3-70-2017/Zagadka-zamachu-na-Piotra-Wojkowa-Slawomir-Debski (dostęp: 28.02.2020).
** *Ibidem*, s. 159.

poparty dobrą argumentacją źródłową – był dla mnie punktem wyjścia do budowania fabuły powieści *Pomocnik kata*.

Uważny Czytelnik, a zarazem miłośnik kina, mógłby mi też postawić bardzo bolesny zarzut korzystania z cudzych pomysłów. Motyw „przebieranki" jako błyskotliwego oszustwa był oczywiście wykorzystywany w filmach – czy to w słynnym *Żądle* George'a Roya Hilla, czy też w polskim *Vabanku II* Juliusza Machulskiego. Zwłaszcza to drugie dzieło zawiera motyw fałszywej granicy międzypaństwowej, który teraz wykorzystałem. Czyżbym popełnił plagiat? Nie uważam takiego nawiązania ani za plagiat, ani za jakiekolwiek uchybienie, najwyżej za wtórność, która nie powinna być wartościowana ujemnie, jeślibym ją ujawnił *expressis verbis*. To, co teraz powiem, ma zatem charakter wyjaśnienia, nie zaś usprawiedliwienia.

Otóż za wzór „przebieranki" i „fałszywej granicy" posłużył mi nie *Vabank II* (choć lubię ten film), lecz słynna sprawa Arseniusza Budziłowicza. W 1935 ów rzekomy uciekinier z ZSRR, podający się za byłego oficera carskiego, zaoferował swoje usługi polskiemu kontrwywiadowi wojskowemu. Postanowiono go sprawdzić. Jeden z kurierów Dwójki, czyli słynnego II Oddziału Sztabu Generalnego, przerzucił go przez granicę, gdzie czekał już na niego wysoki funkcjonariusz sowieckiego OGPU. Budziłowicz wyjawił mu swoje zadania wywiadowcze na terenie Polski i podał dane sowieckich szpiegów, z którymi współpracował w Wilnie i w okolicach. Oficer sowiecki wszystko skrzętnie zanotował. Chwilę później – kiedy przesłuchujący zamknął swój notes, a żołnierze sowieccy zamienili mundury na polskie – Budziłowicz zrozumiał, że padł ofiarą błyskotliwej prowokacji. Przedtem zdążył ujawnić Polakom, poprzebieranym w obce uniformy, wszystko, co wiedział o siatce szpiegowskiej, której był ważnym ogniwem. Poznawszy tę autentyczną i arcyciekawą historię*, postanowiłem wykorzystać ją fabularnie.

I tak powstała powieść *Pomocnik kata*. Samo jej napisanie nie zajęło mi wiele czasu, najwięcej trudu kosztowało mnie natomiast wymyślenie akcji, tytułu i znalezienie motta**. Na różnych etapach pracy nad książką natrafiałem na mniejsze lub większe problemy, które pomogli mi rozwiązać moi niezawodni i życzliwi eksperci: Kamil Janicki, Jerzy Kawecki, Zbigniew Kowerczyk, Maciej Lamparski, Karolina Macios oraz Paweł Piotrowski. Za ich nieocenioną pomoc składam im w tym miejscu serdeczne podziękowania. Mój współpracownik i eksplorator Mikołaj Kołyszko zechce przyjąć specjalne wyrazy wdzięczności za wyczerpujące spełnianie moich próśb o rozmaite kwerendy, których wyniki przedstawiał mi – co szczególnie doceniam – nie przekroczywszy nigdy ustalonego terminu***.

Za wszystkie błędy tylko ja ponoszę winę.

---

 * A. Krzak, *Kontrwywiad wojskowy II Rzeczpospolitej przeciwko radzieckim służbom specjalnym 1921-1939*, Toruń 2007, s. 280-281.
 ** Z.L. Sulima, *Wspomnienia Ułana z 1863 roku*, zebrał Z.L. Sulima Poznań 1878, s. 29 (wersja elektroniczna w Google Books zob. https://bit.ly/2SfhBoM).
 *** Zob. też przyp. ** na s. 420.

Post scriptum

W mojej powieści poprzedzającej *Pomocnika kata,* czyli w *Mocku. Golemie,* uchybiłem dobrym obyczajom. Zapomniałem bowiem podziękować za konsultację historyczną profesorowi Leszkowi Ziątkowskiemu z Uniwersytetu Wrocławskiego, świetnemu znawcy dziejów Żydów we Wrocławiu. Niniejszym to czynię – wraz z przeprosinami za moje roztargnienie.

Marek Krajewski

SPIS TREŚCI

PROLOG 7

CZĘŚĆ I. OSTRZENIE SZTYLETU 29

CZĘŚĆ II. PCHNIĘCIE 101

CZEŚĆ III. PRZEBITE PŁUCO 137

CZĘŚĆ IV. PRZEBITE SERCE 233

CZĘŚĆ V. KRWOTOK WEWNĘTRZNY 313

EPILOG 411

POSŁOWIE 417

Książki Marka Krajewskiego o Edwardzie Popielskim
(według chronologii wydarzeń)

Dziewczyna o czterech palcach
Liczby Charona
Głowa minotaura
Erynie
W otchłani mroku
Rzeki Hadesu
Arena szczurów
Władca liczb

Książki Marka Krajewskiego o Eberhardzie Mocku
(według chronologii wydarzeń)

Mock. Pojedynek
Mock
Mock. Ludzkie zoo
Widma w mieście Breslau
Mock. Golem
Dżuma w Breslau
Koniec świata w Breslau
Śmierć w Breslau
Głowa Minotaura
Festung Breslau